DE ONBEKENDE VROUW

FRANÇOISE BOURDIN

De onbekende vrouw

the house of books

Oorspronkelijke titel
L'inconnue de Peyrolles
Uitgave
France Loisiers, Paris

Vertaling
Yvonne Kloosterman
Omslagontwerp
Mariska Cock
Omslagdia's
Getty Images/Amos Morgan
Corbis/Gail Mooney
Opmaak binnenwerk
Mat-Zet, Soest

ISBN 978 90 443 1732 9
D/2007/8899/6
NUR 302

I

DE MOTOR DRAAIDE OP 3100 TOEREN, MET GESYNCHRONISEERDE rotor. Alvorens de helikopter boven de startbaan te laten hangen, controleerde Samuel of alle wijzers in het groen stonden en alle controlelampjes uit waren. Eerst zocht hij de verticale lijn, en daarna liet hij de helikopter zachtjes omhooggaan. Toen hij bijna een meter boven de grond was, liet hij de helikopter onmerkbaar naar voren kantelen en meerderde vaart tot de juiste snelheid om op te stijgen.

'We zijn vertrokken, liefje...' zei hij in zijn microfoon. 'Ik vertrouw je de stuurknuppel toe, als je wilt!'

Pascale glimlachte even, want ze wist heel goed dat hij haar de helikopter niet zou laten besturen nu ze zo moe was.

'Waar wil je heen?'

De stem van Samuel klonk warm en geruststellend door de koptelefoon. Zoals altijd wanneer ze met hem vloog, dacht Pascale dat hij haar naar het einde van de wereld zou kunnen meenemen zonder dat ze protesteerde.

'Kies jij maar,' antwoordde ze terwijl ze haar nek tegen de hoofdsteun legde.

Beneden hen waren de hangaars van de vliegclub teruggebracht tot het formaat van speelgoed. Samuel riep de verkeerstoren op en maakte een bocht naar links, terwijl Pascale de ogen sloot. Door het luchtruim vliegen was precies waar ze zin in had na deze afschuwelijke dagen. Haar vader en haar broer, die net zo kapot waren als zij, waren meteen na de begrafenis in hun auto gestapt en vertrokken, zonder te begrijpen waarom *zij* per se wilde blijven.

Ze zou het niet hebben kunnen zeggen. Hoe lang was het niet geleden dat ze voor het laatst in deze streek was geweest? Minstens twintig jaar.

'Ik zal je naar Gaillac brengen,' zei Samuel. 'Dan kun je wijngaarden zien en de oevers van de Tarn...'

Zijn vriendelijkheid was zo ontroerend, dat Pascale er een brok van in haar keel kreeg. Ze slikte een paar keer, deed haar ogen open en veegde zo onopvallend mogelijk een traan weg die over haar wang begon te biggelen.

'Niet huilen nu, anders kun je niet naar het landschap kijken.'

Hij troostte haar beter dan wie ook en omringde haar met tederheid. Hij had haar een deel van de nacht op zijn schouder laten snikken. En toch waren ze drie jaar daarvoor gescheiden.

'Je bent een fantastische ex-man,' zei ze snuivend.

Samuel lachte, wat ze door de koptelefoon kon horen. Hoewel het grapje niet nieuw was, leek hij het nog steeds leuk te vinden. Even sloeg hij zijn ogen neer om naar de kaart te kijken die op zijn knieën was uitgespreid, en daarna keek hij weer op om zich op zijn oriëntatiepunten op de grond te concentreren.

'Je moet niet al je tranen in twee dagen vergieten,' voegde hij eraan toe, 'bewaar er een paar voor later.'

Ze wist het, ze had zich van te voren bij de traagheid van de rouw neergelegd, en ze was opgelucht dat ze de begrafenis, die haar onoverkomelijk had geleken, achter zich had liggen. Haar moeder verliezen was het ergste dat haar ooit was overkomen. Ze was tweeëndertig en had geen écht drama meegemaakt, behalve misschien de pijnlijke scheiding van Samuel, die hun beiden evenveel leed had bezorgd. Wat de rest betrof was haar koppige karakter een kostbare troef gebleken en geen handicap, in tegenstelling tot wat haar was voorspeld toen ze nog een kind was. Als eigenzinnig meisje, te perfectionistisch, te veeleisend, kreeg ze woedeaanvallen als het haar niet lukte de doelen te bereiken die ze zich had gesteld. Vaak had ze de lat te hoog gelegd, tenminste, dat hadden haar ouders lachend gezegd.

Haar ouders... Een woord dat ze niet meer zou uitspreken, tenzij ze het over het verleden had. Had haar moeder werkelijk, in de geestelijke verwarring waarin ze de laatste tijd had verkeerd, al die medicijnen uit verstrooidheid naar binnen gepropt? Of had ze bewust niet langer willen vechten tegen de ziekte die haar ondermijnde? Had ze, toen ze was opgegeven, het einde bespoedigd? Ze praatte weinig over zichzelf, te bescheiden om haar hart uit te storten, en ze had iedereen met een liefdevolle, raadselachtige uitdrukking op haar gezicht benaderd, zoals altijd. Een paar weken vóór haar dood had ze haar zestigste verjaardag gevierd. Ze had er veel jonger uitgezien dan ze was, alleen haar witte haren hadden haar verraden. Ze was geboren uit een Vietnamese moeder en een Franse vader, met duidelijk Aziatische gelaatstrekken. Pascale had grote, donkere, amandelvormige ogen, hoge jukbeenderen, een bleke huid en een schattig klein neusje van haar geërfd.

'Als je het leuk vindt, kunnen we naar Albi gaan,' opperde Samuel.

Waarschijnlijk was hij van plan haar naar het huis van haar jeugd te brengen, waarover ze hem aan zijn hoofd had gezeurd, maar ze had er geen zin in, vandaag niet.

'Nee, zet maar koers naar Gaillac, dat is prima...'

Wat had het voor nut die verre herinneringen op te halen? Ze waren allemaal met haar moeder verbonden en met die heerlijke tijd waarin ze in de enorme tuin van Peyrolles rondrende. Er waren overal bloemen geweest, een grote, lichtbruine, dartelende hond, een zacht glooiend gazon tot aan de omheiningsmuur. Vanaf de eerste mooie lentedagen droeg haar moeder een platte strohoed schuin op haar opgestoken haar, en ze had een rieten mand aan haar arm en een snoeischaar in haar hand gehad. Als je met je rug tegen het hek stond, waar Pascale elke avond op haar vader had gewacht, kon je zien dat het witte huis langzaam rood kleurde in het licht van de ondergaande zon. Het kleine meisje was intens verdrietig geweest toen ze Peyrolles hadden verlaten.

Samuel streek even met zijn hand langs haar knie, en opnieuw kreeg ze tranen in haar ogen.

'Neem me niet kwalijk,' mompelde ze.

Hoe zacht ze ook had gesproken, de microfoon was zo gevoelig, dat Samuel het hoorde. Hij gaf haar de kaart, terwijl hij zei: 'Vooruit, ga je gang, oriënteer je daarop en laat me zien wat je kunt!'

Verbaasd dat hij haar de helikopter toevertrouwde, wierp ze hem een vluchtige blik toe.

'Dan denk je tenminste aan iets anders...'

Ze vloog zo vaak mogelijk, maar door haar werkrooster in het Necker ziekenhuis had ze amper tijd voor ontspanning. Het was ruim drie maanden geleden dat ze voor het laatst een helikopter had bestuurd.

'Je helpt me, hè?' mompelde ze.

Hij begon te lachen voordat hij de stuurknuppel losliet en zijn armen over elkaar sloeg.

Henry Fontanel deed de deur van het appartement open en bleef plotseling staan, in verwarring door de duisternis. Hij had een of twee seconden nodig om zich te realiseren dat zijn vrouw voortaan niet meer op hem zou wachten. De laatste tijd had de verpleegster hem verwelkomd, er waren tenminste mensen aanwezig geweest, een schijnleven.

Met een gelaten zucht deed hij de lamp in de hal aan en gooide zijn regenjas over een leunstoel. Licht parket, bordeauxrode lakverf op de muren, antiek meubilair: zijn leefklimaat was precies zoals hij het fijn vond. Maar waarschijnlijk zou hij zich er van nu af aan erg alleen voelen. Camille was wel steeds stiller geworden in de loop van de twee jaar van haar ziekte, maar ze was er tenminste gewéést en hij had voor haar kunnen zorgen. Ook had hij naar haar kunnen kijken, en daardoor had hij het meisje in haar gezien dat ze vijfendertig jaar terug was geweest, het onweerstaanbare, Oosterse, fijne poppetje dat hij had aanbeden.

Hij liep door de zitkamer en de eetkamer en duwde de deur van zijn werkkamer open. Het lampje van het antwoordapparaat knipperde. Hij luisterde naar de boodschap van zijn zoon, die voorstelde samen uit eten te gaan. Een voortreffelijk idee, typisch iets voor Adrien. Henry had in elk geval nog zijn twee grote kinderen, die nu volwassen waren en op wie hij erg trots was. Adrien, zo briljant als Henry had gehoopt dat hij zou zijn, en Pascale, die hem bleef verbazen, ook al begreep hij haar niet altijd. Waarom had ze bijvoorbeeld besloten in Albi te blijven hangen? Om een paar dagen bij Samuel te zijn? Die twee hadden nooit uit elkaar moeten gaan, ze vormden een buitengewoon paar en het was dom van Sam geweest om boos te worden over die kwestie van het kinderen krijgen. Henry was ervan overtuigd dat het moederschap een vrouw tot ontplooiing bracht. Hij had zijn dochter dan ook gelijk gegeven, ondanks al zijn liefde voor Samuel, die trouwens een zeer getalenteerde jongen was. Pascale zou nooit meer zo'n echtgenoot als hij vinden. O, de dag waarop Samuel naar hem toe was gekomen om de hand van Pascale te vragen! Of wat ervoor moest doorgaan, omdat Sam voor één keer had gehakkeld, hij die zich door niemand liet imponeren. De manier waarop hij zei dat hij verliefd was op Pascale en dat hij hoopte met haar te trouwen had Henry vrolijk gemaakt. Hij was bijna blij geweest met de blindedarmontsteking die de twee jonge mensen de kans had gegeven elkaar te ontmoeten. Niets is banaler dan een ongecompliceerde blindedarmontsteking, maar als dochter van de grote baas had Pascale recht gehad op alle aandacht, een langdurig bezoek van de anesthesist, in dit geval Samuel Hoffmann, inbegrepen. Sam was meteen in haar ban geweest. Een jaar later was het verliefde paar in het huwelijksbootje gestapt en had Henry hun een prachtige, luxueuze huwelijksdag aangeboden. Een foto, die bij de uitgang van de kerk was genomen, prijkte nog steeds op zijn bureau. Pascale zag er schitterend uit in haar witzijden jurk, Samuel was zeer aantrekkelijk in zijn jacquet, en achter hen stonden Henry en Camille hand in hand gelukzalig te glimlachen... Een gelukkige tijd die nu voorbij was.

Het enige voordeel, nogal onverwacht, van die bespottelijke scheiding was het feit geweest dat Pascale naar haar ouders terugkeerde.

Een tijdelijke oplossing die al drie jaar duurde, tot grote tevredenheid van Henry. 'Je spaart huur uit en daardoor kun je net zoveel vlieguren maken als je wilt!' Dat had hij tegen haar gezegd, toen hij haar met open armen ontving. Ze was er slecht aan toe geweest nadat ze Sam had verlaten, het schuilen in de schoot van de familie zou haar alleen maar kunnen helpen er weer bovenop te komen. Wat haar natuurlijk was gelukt, met die vervloekte wilskracht van haar. Ze had zich helemaal op haar werk gestort. Dat betreurde Henry, want ze verspilde haar jonge jaren en leek zich meer om haar patiënten te bekommeren dan om haar eigen bestaan. Als hij haar 's morgens zag vertrekken om haar metro te halen, in spijkerbroek, gymschoenen en coltrui, dacht hij dat ze beter elegant kon zijn – of zelfs onopvallend, waarom niet? Van 's morgens vroeg tot 's avonds laat, afgezien van de nachtdiensten, als longarts in een armenhuis, een hospitaal voor arme mensen, werken was voor een vrouw van dertig jaar geen doel op zich. Trouwens, volgens Henry waren vrouwen niet gemaakt voor een carrière en professionele ambities. Misschien was dat een ouderwetse visie, maar zo dacht hij er nu eenmaal over en hij betreurde het dat zijn dochter haar beroep vóór haar vrouwelijkheid liet gaan. Maar als Pascale er moeite voor deed, was ze werkelijk mooi. Hij had haar een of twee keer meegenomen naar een cocktailparty voor de top van de medische wereld, en elke keer had ze hem versteld doen staan. Gekleed in een jurk of een mantelpakje, subtiel opgemaakt, met hoge hakken en haar haren elegant opgestoken, was ze niet meer dezelfde vrouw. Ideaal figuur, volmaakt profiel, aan haar delicate trekken kon je zien dat ze gemengd bloed had: ze betoverde alle mannen. Bij die gelegenheden deed het Henry genoegen om, als hij haar voorstelde, te kunnen zeggen dat ze ook nog longarts was.

Aanvankelijk had hij niet gedacht dat ze haar medicijnenstudie zou afmaken. Hij was ervan overtuigd geweest dat ze alleen maar haar vader en Adrien wilde nadoen, en dat de weg te lang voor haar zou zijn. Bovendien had ze op haar zestiende haar middelbareschooldiploma gehaald, en was ze daardoor belachelijk jong geweest voor het eerste studiejaar, dat ze niet moeiteloos had afgesloten. Maar ze had doorgezet, met haar gebruikelijke hardnekkigheid, en toen ze eenmaal haar diploma Medicijnen op zak had, was ze doorgegaan en had ze zich gespecialiseerd als longarts. Henry was altijd een beetje sceptisch geweest over haar motivatie, maar ook gevleid door haar succes. Hij had haar destijds een baan in zijn kliniek in Saint-Germain aangeboden, maar ze had geweigerd. Ze gaf de voorkeur aan de overheidssector, de sfeer van een groot ziekenhuis, ze wilde 'een confrontatie met de realiteit', zoals ze het uitdrukte. En misschien had ze geen ongelijk, want Henry had in zijn algemene kliniek niet echt een fulltime baan voor een longarts.

De kliniek, gelegen in het hartje van Saint-Germain-en-Laye, was een goudmijn. Hij had een fijne neus gehad toen hij er twintig jaar terug in investeerde. Hij had dolgraag willen vertrekken uit Albi en naar Parijs verhuizen. De geestelijke toestand van Camille begon te verslechteren, ze was op het randje van een depressie geweest, en hij had haar uit haar obsessie moeten halen. Deze familieomstandigheid had absoluut aangesloten bij de professionele ambities die hij had. Zonder te aarzelen had hij het grootste deel van zijn vermogen gebruikt om aandelen van de kliniek te kopen, en hij had zich in de schulden gestoken voor dit luxe appartement met uitzicht op een prachtig park. De plek was Camille goed bevallen, hun nieuwe leven had haar een tijdje gekalmeerd.

Hij schrok op toen de telefoon ging. Automatisch zette hij zijn brilletje recht op zijn neus voordat hij opnam.

'Papa? Heb je mijn boodschap ontvangen?'

'Ja, Adrien... Als je het goedvindt, zien we elkaar over een halfuur in brasserie Le Théâtre.'

'Afgesproken. Ik zal er zijn.'

Henry legde glimlachend de hoorn op de haak. Adrien was nauwgezet, attent en bedachtzaam. Ongetwijfeld had hij wel wat anders aan zijn hoofd dan zich om het verdriet van zijn vader te bekommeren, maar hij vond het natuurlijk zijn plicht. Te meer daar hij wist dat zijn vader alleen was, nu Pascale in het zuiden was gebleven. Het stond als een paal boven water dat Henry totaal geen zin had om in de stilte van dat te grote appartement van kamer naar kamer te dwalen.

Henry verliet zijn werkkamer, deed in het voorbijgaan alle lampen uit en ging naar buiten. Omdat het restaurant zich tegenover het kasteel bevond, kon hij er te voet heen, ook al was het een frisse avond. Hij benutte de wandeling om na te denken over de manier waarop hij zijn leven zou reorganiseren. Hij zou spoedig de pensioengerechtigde leeftijd bereiken, maar als arts was hij niet verplicht met pensioen te gaan. Had hij zin zijn loopbaan voort te zetten? Voor wíé en voor wát zou hij voortaan vechten? Adrien zou absoluut geen moeite hebben met het leiden van de kliniek; hij was er al een tijd op voorbereid. Maar als Henry ervoor koos met zijn werk te stoppen, dreigde zijn bestaan in ledigheid te verzinken. Op zondag een paar golfwedstrijdjes en af en toe een reis zou niet voldoende zijn om de weken, de maanden, de jaren die voor hem lagen te vullen. Een minnares? Waarom eigenlijk niet? Hij had al enkele pogingen gedaan, heel discreet natuurlijk, maar zonder overtuiging en zonder succes. Gedurende hun hele huwelijk was hij verliefd geweest op zijn echtgenote en had hij zich voor geen enkele andere vrouw geïnteresseerd.

Toch had Camille hem in bedekte termen en met haar gebruikelijke terughoudendheid en bescheidenheid aangemoedigd zich te vermaken, omdat zij al bijna tien jaar hardnekkig weigerde de liefde met hem te bedrijven. Was ze het hem bij het ouder worden kwalijk gaan nemen of had ze haar rancune steeds verborgen gehouden? Wie zou het zeggen?

Hij duwde de deur van de brasserie open en zag Adrien onmiddellijk. Hij zat al aan een tafeltje, achter een glas chablis.

'Heb je nog iets van Pascale gehoord?' vroeg Adrien, terwijl hij de fles uit de koelemmer haalde.

Nadat hij zijn vader had ingeschonken, stak hij een sigaret op, nam een flinke trek en verspreidde daarna de rookwolk met zijn hand.

'Je zou moeten stoppen met dat gerook, Adrien...'

'Wees maar niet bang, ik rook bijna niet meer, het is overal verboden.'

'God zij dank! Je zus komt morgenavond of zondagmorgen thuis. Maar ik maak me geen zorgen, want Sam bekommert zich om haar.'

'Het tegenovergestelde zou me zeer verbazen. Nu zij hem een keertje nodig heeft, zal hij haar hand niet loslaten.'

Henry had best gezien hoe liefdevol Samuel zich twee dagen terug op het kerkhof had gedragen. Zijn arm om de schouders van Pascale, zijn ogen op haar gericht, de tederheid waarmee hij haar van het graf had weggevoerd.

'Denk je dat hij nog steeds van haar houdt?'

'In elk geval heeft hij nooit het mislukken van hun huwelijk verwerkt.'

'Doodzonde,' bromde Henry met schorre stem.

Hij werd overmand door verdriet, en hij moest moeite doen om zich te herstellen. Hij richtte zijn blik op zijn zoon en nam hem peinzend op. De veertigjarige Adrien was alleen en leidde een vrolijk vrijgezellenbestaan waaraan hij geen einde leek te willen maken. Met zijn blonde haar en zijn blauwe ogen leek hij op niemand, behalve dan op zijn moeder, maar Henry wist al heel lang niet meer hoe zij eruit had gezien. Adrien herinnerde zich haar waarschijnlijk ook niet meer. Vanaf zijn tweede levensjaar was hij grootgebracht door Camille, op wie hij dol was geweest en zij op hem. Hij was een probleemloos, gelukkig, vrolijk jongetje geweest.

'Over een tijdje zul je er minder aan denken, papa,' zei Adrien met een droevige glimlach.

Dat was beslist waar, hoe moeilijk het ook was om toe te geven. Henry zou niet ontroostbaar zijn, maar hij begon oud te worden en het verlies van Camille maakte hem nu zwak. Zou hij wroeging krijgen nu ze er niet meer was? Nee, hij had gedaan wat hij moest doen, in het belang van de zijnen, Camille inbegrepen, en hij wilde er nog steeds niet aan denken. Zeker niet nú.

'Heb je plannen voor het weekend?' vroeg Adrien bezorgd.

'Ik moet het appartement opruimen, de spullen van je moeder sorteren...'

'Wacht tot Pascale er is.'

'Ik peins er niet over haar daarmee op te zadelen. Ik zal het morgen doen, hoe eerder hoe beter.'

'Dan kom ík je helpen.'

Henry bedankte hem met een simpel knikje. Ze hadden altijd een hechte band met elkaar gehad, vader en zoon, ze deelden veel met elkaar, ook hun werk in de kliniek, maar bij bepaalde zaken wilde Henry Adrien niet betrekken.

'Het zou het beste zijn om Peyrolles te verkopen,' verklaarde Henry plotseling. 'Op dit moment is er geen huurder, dus daar kunnen we van profiteren. Ik weet van het makelaarskantoor dat het huis in goede staat is. Ik zal hun om een taxatie vragen.'

'Geen van ons zal er ooit heen gaan, het is te ver,' zei Adrien.

In werkelijkheid was Albi goed te bereiken, zowel per vliegtuig als per TGV, als je tenminste in Toulouse een auto huurde. Toch had Henry een streep onder het verleden gezet. Het landgoed Peyrolles waar hij was geboren, waar zijn kinderen waren geboren, waar drie generaties Fontanel vóór hem hadden gewoond, betekende niets meer voor hem. Toen hij Peyrolles twintig jaar terug verliet had hij niet kunnen besluiten het te verkopen, maar nu wilde hij dat wél. Onbekenden hadden elkaar daar opgevolgd, hun huur was opgeslokt door de jaarlijkse reparaties die Henry had moeten betalen, en ten slotte had hij zich er totaal niet meer voor geïnteresseerd. Hij woonde liever in de regio Parijs dan op het platteland, het was stimulerender en het schonk meer voldoening.

Een ober zette het plateau met zeevruchten, dat Adrien had besteld, voor hen neer. Je hoefde geen eetlust te hebben om een paar oesters door te slikken.

'Als ik met pensioen zou willen, Adrien, ben je er dan klaar voor om me op te volgen?'

Zijn zoon tilde zijn hoofd op en keek hem recht in de ogen.

'Dat meen je niet écht, papa. Dit is gewoon een moeilijke tijd voor je.'

Henry stond zichzelf een glimlach toe, geamuseerd door de scherpzinnigheid van zijn zoon.

'Misschien...' gaf hij toe. 'Maar er zal een dag komen waarop je het zult moeten doen.'

'Zo laat mogelijk, alsjeblieft.'

Dat zei hij louter uit vriendelijkheid, óf hij wilde niet onder de verantwoordelijkheden bezwijken. Wilde hij koste wat kost zijn vrijgezellenleventje beschermen? Gaf hem dat op zijn veertigste nog zoveel voldoening? Hij had een heel groot feest gegeven toen hij veertig was geworden. Hij had een massa vrienden uitgenodigd in *Cazaudehore*, midden in het bos van Saint-Germain, waar ze als pubers tot aan het ochtendgloren hadden gedanst. Hij werd vaak in gezelschap van knappe vrouwen gezien, maar hij had nooit op een personeelslid van de kliniek gejaagd, en Henry kende noch zijn vrienden noch zijn minnaressen.

'Adrien,' vroeg hij plotseling, 'heb je nooit zin gehad om te trouwen?'

De lichtblauwe ogen van zijn zoon leken somber te worden, maar daarna wendde Adrien zijn hoofd af.

'Weet je, het huwelijk... Ik zie wat dat Pascale heeft opgeleverd, daar bedank ik voor!'

Henry stond op het punt te antwoorden dat Camille hem op bepaalde momenten buitengewoon gelukkig had gemaakt, maar hij zag ervan af. Door het uitspreken van de naam van zijn vrouw zou alle verdriet dat hij sinds een paar dagen met veel pijn en moeite verdrong weer naar boven kunnen komen. Hij stelde zich dan ook tevreden met het slaken van een zucht.

Toen Pascale wakker werd, had ze veel moeite zich te herinneren waar ze was. De kamer was ruim, modern en onpersoonlijk. Door het raam, dat op een kier stond, kon ze het woeste water van de Tarn horen, die op een paar meter afstand langs het hotel raasde.

De hotelbediende had het blad met ontbijt op het voeteneinde van haar bed gezet. Ze ging rechtop zitten, met de dekens tot aan haar schouders opgetrokken. De vorige dag was Samuel tot het sluiten van de bar bij haar gebleven, en daarna had hij haar onder aan de trap welterusten gewenst. Halverwege de trap had ze zich omgekeerd om hem nog een laatste glimlach toe te werpen, melancholiek bij het idee dat het lang zou duren voor ze hem zou weerzien. Hij had ook triest geleken, ook al was er weer een vrouw in zijn leven. Herhaaldelijk had hij met zijn mobieltje telefoontjes aangenomen die geen enkele twijfel lieten bestaan. Een zekere Marianne, over wie hij heel terughoudend was geweest.

Pascale schonk een kop koffie in en begon een brioche, een zoet luxebroodje, met jam te besmeren. Zorgen en verdriet ontnamen haar nooit de eetlust, dat was beslist een van de redenen van haar onuitputtelijke energie. Tijdens de vermoeiende nachtdiensten in het ziekenhuis at ze de hele nacht door, alles wat ze maar te pakken kon krijgen. Toch bleef ze erg slank. Met haar smalle heupen en haar platte buik had ze nog steeds het slanke figuur dat ze als puber had gehad. In de tijd dat ze zo graag een baby wilde, had Samuel haar aangeraden een röntgenfoto van haar bekken te laten maken om de bekkenmaten te bepalen. Hij was er zeker van geweest dat haar lichaamsbouw een normale bevalling onmogelijk maakte.

Ze hadden heel vaak gesproken over het kind dat ze probeerden voort te brengen. Maar elke maand waren ze teleurgesteld. Dat was steeds bitterder voor Pascale geweest, maar Samuel had onverschillig geleken. Met of zonder baby, hij was gek op zijn vrouw en vond dat er geen haast bij was. Ze hadden toch hun hele leven voor zich? Pascale had boos geprotesteerd. Ze was geobsedeerd geraakt door haar probleem, want ze had per se een jonge moeder willen zijn. Ze was wanhopig geweest en doof voor Samuels argumenten, en ze had zich geërgerd als ze hem zorgeloos hoorde herhalen dat alles goed zou komen. De gynaecoloog was het met hem eens geweest: Pascale had er ten onrechte een obsessie van gemaakt. Trouwens, ze was bijna klaar met haar studie en had haar proefschrift geschreven, terwijl ze onvermoeibaar het examen dat tot een co-assistentschap toeliet had voorbereid, dus dit was een ongunstige periode om zwanger te raken. Maar Pascale had naar geen van hen geluisterd. Ze had een aantal onderzoeken laten doen, in de veronderstelling dat ze onvruchtbaar was, en ze had gewild dat Samuel zich er ook aan zou onderwerpen. Hij had ronduit geweigerd. Zo was het misverstand ontstaan dat zich steeds meer had toegespitst en ten slotte tot hun scheiding had geleid.

Veel later had Pascale spijt gehad van haar onverzettelijkheid, maar ze had zichzelf onmiddellijk als een slachtoffer beschouwd. In het kantoor van de rechter, tijdens de laatste poging tot verzoening, had Samuel er met zijn trieste uiterlijk en zijn smekende blik bijna voor gezorgd dat ze zwichtte, maar op dat moment had ze het hem nog steeds kwalijk genomen. Ze had zich afgewend om hem niet meer te zien. Een paar dagen later had hij Parijs verlaten en was naar Toulouse vertrokken, waar hij in het Purpan ziekenhuis een baan als anesthesist had gekregen. Ongetwijfeld had hij een zo groot mogelijke afstand tussen hem en Pascale willen scheppen, maar de gewoonte om haar vaak te bellen had hij niet opgegeven. Hij beweerde dat hij haar vriend was, haar beste vriend, zonder naar haar privé-leven te vragen. Hij beperkte zich tot minder persoonlijke zaken, en in zijn stem klonk altijd die oneindige tederheid. Toen ze hem had verteld dat haar moeder was overleden, had hij zich meteen vrijgemaakt van al zijn verplichtingen, klaar om zich om haar te bekommeren en haar te troosten zoals alleen híj dat kon.

Samuel... Wie was toch die Marianne die hem met haar telefoontjes achtervolgde? Een vriendin, een minnares, zijn aanstaande vrouw? Op een goede dag zou hij een nieuw leven beginnen, het was al ongelooflijk dat geen enkele vrouw hem in de afgelopen drie jaar aan de haak had geslagen. Pascale haalde haar schouders op en at haar laatste brioche op. Toen zag ze dat ze de mand met luxebroodjes helemaal had leeggegeten. Verzadigd nam ze een douche voordat ze een zwarte spijkerbroek en een zwarte trui aantrok. Aangezien haar trein pas achter in de middag vertrok, had ze de hele dag om door de straten van Albi te dwalen, op zoek naar herinneringen uit haar jeugd. Het schoolplein terugzien, de koetspoort van de tandartsenpraktijk waar ze elke woensdag naartoe ging, langs de Sainte-Cécile kathedraal lopen en een blik werpen op de markt op het plein, en bij Galy, de banketbakker, allerlei lekkernijen van de streek kopen.

Tegen elf uur verliet ze het hotel en liet haar reistas bij de receptie achter. Toen begon ze te slenteren, maar het leek meer of ze een pelgrimstocht maakte. Bij elke stap in de oude stad herinnerde ze zich een anekdote, een detail, een bijzonder moment. Het verbaasde haar dat ze zo'n goed geheugen had en dat ze zo genoot. Noch in Saint-Germain-en-Laye noch in Parijs had ze zich ooit thuis gevoeld. Ze had rustig gestudeerd en gewerkt, ze had de beelden van het verleden weggestopt. Ze had gedacht dat ze zich van haar wortels had losgemaakt. Maar nu, op de oevers van de Tarn, had ze een vreemd gevoel van welbehagen, bijna van geruststelling. Het leek of ze iets belangrijks had teruggevonden.

Toen ze genoeg had van het lopen en het denken aan haar moeder, ging ze aan een tafeltje in *Robinson* zitten, een oude uitspanning uit de jaren twintig die tot restaurant was omgebouwd. Ze had nog tijd over, en als ze een taxi kon vinden, zou ze haar zwerftocht kunnen voltooien door een bezoek aan Peyrolles te brengen. Toen Sam het haar de dag ervoor had voorgesteld had ze er de moed niet voor gehad, maar nu was ze er klaar voor.

Peyrolles... Zou ze het landgoed van haar jeugd herkennen? Misschien had ze het in haar herinneringen geïdealiseerd, misschien zou ze worden teleurgesteld, maar toch wilde ze niet vertrekken zonder het te hebben gezien. Ze at haar salade van radijs en pekelvlees op, een specialiteit die alleen in Albi en omgeving verkrijgbaar was. Daarna vroeg ze aan de restauranthouder of hij een taxi voor haar wilde bestellen. Nadat ze zich op de achterbank had geïnstalleerd, zei ze tegen de chauffeur dat ze de hele middag van zijn diensten gebruik wilde maken, voordat ze hem op de hoogte bracht van haar plan om naar Peyrolles te gaan. Bij het verlaten van de stad keek ze naar buiten, met haar neus tegen het raampje gedrukt, en dacht aan wat Chateaubriand over Albi had gezegd: 'Vanmorgen waande ik me in Italië...' Inderdaad, de okerkleurige huizen, de cipressen, de pijnbomen in de tuinen en het bijzondere licht deden aan de traagheid en de zachtheid van Toscane denken. Samuel had haar op huwelijksreis naar Toscane meegenomen en ze was dol geweest op Sienna, Florence en Pisa, omdat ze zich er thuis had gevoeld.

'Na Castelnau neem ik de D1, is dat goed?' vroeg de chauffeur.

'Ja, uitstekend. Nummer 18 ligt aan de linkerkant van de weg, een eindje verderop...'

Die weg kende ze als haar broekzak. Elke dag om vijf uur waren ze van school naar huis gereden. Ze zag weer voor zich hoe ze vrolijk zat te babbelen, terwijl ze zich aan de rug van haar moeders stoel vasthield. Haar moeder hield niet van autorijden, ze reed heel zacht, luisterde slechts met een half oor naar haar dochter en hield haar aandacht bij de bochten. Ze was tóch al niet zo spraakzaam. Altijd waren haar zinnen, net als haar lachjes, kort, afgemeten en ingehouden.

Opnieuw drukte Pascale haar voorhoofd tegen het raampje. De Tarn was niet ver, een onstuimige stroom met hoge golven die stuk sloegen tegen de steile oevers van leisteen.

'Stop!' riep ze plotseling uit.

Aan de kant van de weg was de omheiningsmuur van Peyrolles zichtbaar geworden, een opeenstapeling van platte stenen die ze uit duizenden zou hebben herkend. Met bonzend hart haalde ze diep adem alvorens aan de chauffeur te vragen tot aan het hek door te rijden, honderd meter verderop.

'Wilt u hier op me wachten? Ik blijf niet lang weg.'

Ze liet hem parkeren in de schaduw van de kastanjebomen die het landgoed omzoomden, en stapte uit. Het eerste dat ze zag was het bord TE HUUR dat aan de spijlen van het hek was vastgemaakt. De laatste huurder was twee maanden terug vertrokken, ze herinnerde zich vaag dat haar vader dat haar had gezegd. In de afgelopen twintig jaar waren de mensen die elkaar als huurder hadden opgevolgd in het algemeen mannen met een goede baan en een groot gezin geweest. Voor het merendeel staffunctionarissen die weer waren vertrokken als ze werden overgeplaatst.

Ze was teleurgesteld, omdat ze niet naar binnen kon en besefte te laat dat ze langs het makelaarskantoor had moeten gaan om de sleutels te vragen. Vanaf de weg was het huis niet te zien. Het hek was zo hoog, dat ze er niet overheen kon klimmen. Zonder erover na te denken begon Pascale langs de muur te lopen, weg van de taxi. Aan het eind ging ze de hoek om en volgde een pad, overwoekerd door struikgewas. Na zich aan de braambosjes te hebben geschramd, vond ze het ijzeren deurtje dat ze zocht en waar ze zo vaak, voor de grap, overheen was geklommen toen ze tien was. Met behulp van de klimop die het verroeste smeedijzer bedekte, trok ze zich moeizaam op, klom over de deur en liet zich aan de andere kant op de grond vallen. Tot haar grote verbazing zag ze dat het park niet echt slecht was onderhouden. Het gras van het gazon was hoog, maar de bomen waren kortgeleden gesnoeid, waarvan netjes opgestapelde stukken hout getuigden. Ondanks de winde puilden sommige bloembedden uit van de bloemen.

Terwijl ze over de oprijlaan liep, herinnerde ze zich de tuinman die haar moeder destijds had geholpen. Hij heette Lucien Lestrade en hij had haar geleerd aalbessen af te risten, wilde aardbeien op te sporen en brandnetelblaren te behandelen. Ze had hem oud gevonden, zoals alle volwassenen, maar hij moest amper dertig zijn geweest. Zou hij hier nog steeds werken?

Aan het eind van de oprijlaan ging ze langzamer lopen. Ze sloot even haar ogen, lang genoeg om de twee laatste meters af te leggen alvorens de tweehonderdjarige lindeboom te passeren die haar het uitzicht benam. Daarna opende ze haar ogen, huiverend van opwinding: vóór haar, op een afstand van ongeveer dertig meter, werd eindelijk het witte huis zichtbaar.

Pascale had verwacht dat ze het huis minder imposant zou vinden dan ze zich herinnerde, maar nee, het was precies hetzelfde als het beeld dat in haar geheugen was gegrift. Groot, solide, sierlijk, bijna trots met zijn neoklassieke ramen, zijn verhoogde bordes, en zijn terras met peervormige balustrade. Het huis was opgetrokken in de neoklassieke stijl en werd gekroond met een dak dat bijna plat was en met roze dakpannen was bedekt.

'Peyrolles...' zei Pascale met een diepe zucht.

Ze kreeg de neiging enthousiast naar het huis te rennen, maar ze had geen sleutel en niemand zou de deur voor haar opendoen. In tegenstelling tot waar ze bang voor had kunnen zijn, raakte ze bijna in vervoering bij het zien van het huis. Háár huis. Een plek waar ze zo onbezorgd en blij was geweest, dat hij voor altijd verbonden was met het begrip geluk.

In de verte werd er geclaxonneerd, en dat voerde haar ruw terug naar de werkelijkheid: haar chauffeur zou zich wel afvragen waar ze bleef. Ze wierp een laatste blik om zich heen en zag hier en daar tekenen van verwaarlozing. De ruiten van de kas waarin het tuingereedschap werd opgeborgen waren bijna allemaal kapot, de stenen balustrades waren groen van het mos en de luiken moesten nodig worden geschilderd. Maar over het geheel genomen zag het huis er goed uit. Het zou ongetwijfeld niet lang duren voor het weer door een huurder werd bewoond. Dat vooruitzicht had zoiets onaangenaams, dat Pascale een grimas trok. Degene of degenen die hier gingen wonen waren geluksvogels, zij benijdde hen nu al.

Langzaam liep ze terug over de oprijlaan, plotseling bedrukt door een gevoel van spijt. Terugkeren naar Saint-Germain-en-Laye, haar werk in het Necker ziekenhuis weer oppakken, het hoofd bieden aan het snelmetronet en de eentonigheid, Peyrolles vergeten... Ze klom onhandig over het verroeste deurtje en liep terug naar de taxi. De chauffeur had zijn radio aangezet, maar toen hij haar zag aankomen, zette hij hem uit.

'U was ineens verdwenen, waar bent u geweest, mevrouwtje?'

'Ik ben om het huis heen gelopen.'

'Het nummer van het makelaarskantoor staat op het hek,' zei hij argwanend.

'Ik wil het niet huren,' antwoordde Pascale, 'ik had alleen zin het terug te zien, ik heb er als kind gewoond.'

'Aha, nu begrijp ik het beter! Ik had u een kontje kunnen geven...'

Geamuseerd keek Pascale hem via het achteruitkijkspiegeltje aan en glimlachte tegen hem.

'Het huis is eigendom van een zekere Fontanel, maar hij verhuurt het al jaren,' zei de chauffeur op samenzweerderige toon. 'Een oude familie uit deze streek, dokters van vader op zoon, geloof ik. Ze zijn hier niet erg geliefd.'

Bij het horen van die laatste woorden had Pascale het gevoel dat ze een klap had gekregen. Niet geliefd? Waarom niet? Haar grootvader – die ze niet had gekend – was, net als haar overgrootvader, arts in Albi geweest. Eén straatje droeg zelfs hun naam, en ze was er altijd van overtuigd geweest dat de mensen hen erg waardeerden.

'Is dat zo?' zei ze quasi-achteloos.

'Ik kom uit Marssac,' antwoordde de chauffeur. 'Ik ken iedereen! Je hoort allerlei schokkende verhalen, die je niet allemaal moet geloven... Maar waar rook is, is vuur, is het niet? En de Fontanels hebben geen goede herinnering achtergelaten, dat is zeker.'

Stomverbaasd wendde Pascale haar hoofd af terwijl de taxi wegreed. Die vent moest haar met een andere naam, een andere familie verwarren. Toen ze nog op Peyrolles woonden had haar vader met succes in een kliniek van Albi gewerkt, waarvan hij aandelen bezat, en Adrien was een voortreffelijke middelbareschoolleerling geweest. Haar ouders hadden niet zo vaak gasten uitgenodigd, maar toch hadden ze een paar grote diners georganiseerd, en begin juni een traditioneel tuinfeest voor alle notabelen van de streek. Waarom zouden ze niet geliefd zijn geweest?

De terugreis naar Albi werd in stilte afgelegd. De chauffeur respecteerde wat hij ongetwijfeld voor nostalgie aanzag. Pascale vroeg of hij vijf minuten bij het kerkhof wilde stoppen, waar ze voor een laatste keer op het graf van haar moeder wilde bidden. Daarna haalde ze haar reistas op bij het hotel, en liet zich vervolgens naar het station brengen. Ze was ruim een halfuur te vroeg. Ze begon over het perron heen en weer te lopen, diep in gedachten verzonken. Haar bezoek aan Peyrolles had een vreemde indruk bij haar achtergelaten, vol gevoelens van spijt. Ze had de binnenkant van het huis willen zien, haar kinderkamer, de wintertuin waar ze met Adrien televisie had gekeken. Haar broer was acht jaar ouder dan zij. Hij deed altijd net of hij haar aanwezigheid vergat als het bedtijd voor haar was geworden, en zij maakte zich dan heel klein in haar rotanstoel, tot aan het eind van de film. Daarna droeg Adrien haar naar haar bed, las haar een verhaaltje voor en wachtte tot ze sliep.

Vijf minuten voor de aankomst van de trein haalde ze haar mobieltje uit haar tas en belde haar vader. Zoals verwacht stelde hij voor dat hij naar het station kwam om haar op te halen, maar ze verzekerde hem dat ze zich zou redden. Ze wilde hem de zaterdagavonddrukte in Parijs besparen.

'Ik heb wat rondgekeken op Peyrolles,' voegde ze eraan toe.

'O ja? Wat grappig! In welke staat is het huis?'

'Ik kon niet naar binnen, dus heb ik alleen maar de buitenkant gezien. Het park wordt keurig onderhouden.'

'Dat is maar goed ook! Ik betaal nog steeds de tuinman, Lestrade, omdat de tuin met al die huurders algauw een oerwoud zou zijn geworden...'

Door de luidsprekers van het perron kondigde een stem de komst van de trein aan en belette Pascale het vervolg van de zin te horen.

'Wat zei je, papa?'

'Ik zei dat ik Peyrolles in de verkoop ga doen,' herhaalde hij. 'Nou, lieverd, goede reis en tot straks.'

Geërgerd verbrak ze de verbinding terwijl de trein voor haar langsreed. Toen ze zich op haar plaats in wagon 13 had geïnstalleerd, wilde ze haar vader terugbellen, maar ze zag er toch maar vanaf. Vanavond of morgen zou ze alle tijd hebben om hem te vragen zijn besluit nader toe te lichten. Peyrolles verkopen was een heel slecht idee, daar was ze zeker van, ook al wist ze niet waarom. Het huis bracht natuurlijk geen geld op, de huur werd ongetwijfeld opgeslokt door de kosten van onderhoud en de belastingen, maar toch was er nooit sprake van geweest om afstand te doen van het landhuis. Zoals alle familiehuizen vertegenwoordigde het een aantal dierbare herinneringen. Pascale had altijd gedacht dat haar ouders er na hun pensionering weer zouden gaan wonen. Misschien zag haar vader zich daar niet in zijn eentje zitten? Hij had inmiddels zijn vaste gewoontes en zijn vrienden in Saint-Germain of in Parijs. Trouwens, hij was dol op zijn appartement en hij had er nooit spijt van gehad Albi en de streek eromheen te hebben verlaten.

Aangezien de wagon bijna leeg was, maakte ze het zich gemakkelijk, klaar om te doezelen tot ze in Parijs op het station, Gare d'Austerlitz, aankwamen. Zonder Samuel aan haar zijde zouden deze dagen nog triester zijn geweest. Nu moesten zij en haar broer hun vader steunen, hem met liefde omringen. Op het kerkhof, bij het neerlaten van de kist, was haar vader bijna ingestort, zijn ogen waren vol tranen geweest. Hij had er zo verloren uitgezien, dat Pascale bijna evenveel om hém had gehuild als om haar moeder.

Maar ze wilde niet meer aan die begrafenisbeelden denken, en ook niet aan Sams arm om haar schouders. Bij het verlaten van de kerk had ze, kapot van verdriet, tegen hem aan geleund, en toen was er plotseling een vraag bij haar opgekomen: waarom had ze hem verlaten? Geen van de mannen die ze sinds haar scheiding had gekend kon aan Sam tippen, en geen van hen had haar langer dan een paar weken weten te boeien.

Ze dook nog dieper weg in haar stoel en deed verwoede pogingen om te slapen. Het was zinloos aan Sam te denken, de rouw om haar moeder had haar kwetsbaar gemaakt, dat was alles. En blazen in de smeulende as van een voorbije liefde had totaal geen nut, dat wist ze donders goed. Sam had zijn eigen leven, zij het hare, hun wegen hadden zich voorgoed gescheiden.

Opnieuw zag ze Peyrolles voor zich. De witte stenen, de gesloten luiken, het te hoge gras... Als het huis eenmaal was verkocht, zou ze er niet meer heen kunnen gaan, en dan zouden slechts een paar foto's in de familiealbums overblijven.

Pascale kon niet slapen. Ten slotte ging ze rechtop zitten en leunde met haar voorhoofd tegen het raam. De lucht was bewolkt, het begon te schemeren, de terugreis naar Parijs leek saai te worden. Om niet in Toulouse te hoeven overstappen had ze een CoRail-trein uitgekozen, die er ontzettend lang over deed en heel laat op het Gare d'Austerlitz zou aankomen. Intussen kon ze proberen argumenten te vinden om haar vader over te halen het landgoed te behouden. Het blijven verhuren of, veel interessanter, er een vakantiehuis van maken. Als ze later eindelijk kinderen kreeg, zou het de ideale plek zijn om de zomer door te brengen...

Vreemd genoeg leek haar behoefte aan een kind minder dringend dan een paar jaar geleden. Vast en zeker omdat ze alleen was. Tijdens haar huwelijk met Samuel had ze de ideale vader in hem gezien, en ze had gedacht dat ze haar studie met het moederschap kon combineren. Hoe zou dat nú zijn met een beroep dat zo zwaar was als het hare? Ze had de illusies die ze als jong meisje had gekoesterd verloren, net zoals ze Sam had verloren, en nu haar moeder. Was het niet tijd om haar leven aan te pakken en er zin aan te geven? Ze was te veel beschermd en te star en had zich tevreden gesteld met wat ze deed, zonder zich ooit af te vragen of dat was wat ze écht wilde. Door medicijnen te gaan studeren had ze willen bewijzen dat ze haar vader en haar broer waardig was. Ze was niet echt bereid om huisvrouw te worden en ze had kunnen opteren voor duizend andere carrières, maar daar had ze zelfs niet aan gedácht.

Uiteindelijk lukte het haar in slaap te vallen, gewiegd door het geluid van de wielen op de rails. Ze zonk weg in een onrustige slaap, waaruit ze zo nu en dan plotseling ontwaakte. Hoe meer ze zich van Albi verwijderde, hoe vaker het beeld van Peyrolles haar tot in haar dromen kwam achtervolgen. Ze zag zichzelf terug als klein meisje, gekleed in een van de zijden jurken met Chinese patronen die haar moeder voor haar kocht en waar altijd een scheur in kwam als ze in een boom klom. Telkens wanneer ze andere kinderen van haar klas uitnodigde op de thee of voor een picknick was hun reactie hetzelfde; Peyrolles fascineerde hen. Ze was er trots op dat ze op het landgoed woonde, ze was trots op haar ouders en vooral op Adrien, die fantastische, grote broer waar al haar vriendinnen haar om benijdden.

Aan het eind van de reis, die oneindig lang leek te duren, verlangde ze nog maar naar één ding: lekker in haar eigen bed liggen. Ze haalde een taxichauffeur over haar ondanks het late uur naar Saint-Germain te brengen, waar ze om één uur uitgeput aankwam.

Het was stil in het appartement, maar haar vader had de lamp in de hal aangelaten. Sinds Pascale weer bij haar ouders was gaan wonen, had haar vader op dat soort details gelet: een brandende lamp, een lief briefje op de keukentafel, of een artikel dat hij voor haar had uitgeknipt uit een van de talrijke wetenschappelijke tijdschriften waarop hij geabonneerd was.

Ze ging een fles water halen en zag dat de keuken keurig aan kant was, wat erop wees dat Henry hier geen enkele maaltijd had genuttigd. Zonder enige twijfel ontweek hij de eenzaamheid en had hij zijn toevlucht gezocht in een restaurant, met Adrien of met vrienden. Toen ze de keuken uitliep, haar fles onder de arm, viel haar oog op het schrijfblok bij de telefoon. Ze pakte de pen, aarzelde even en schreef toen een kort briefje, dat ze uit het schrijfblok scheurde. Daarna liep ze op haar tenen door de gang, stopte voor de kamer van haar vader en deed de deur geruisloos open. Toen ze naar zijn bed sloop, zag ze dat hij sliep als een roos. Ze stak haar hand uit en streelde zijn slaap. Zolang ze zich kon herinneren was hij voor haar een zorgzame, liefdevolle vader geweest, en ze hoopte vurig dat hij erin zou slagen zijn verdriet te boven te komen. Naast de lamp op het nachtkastje zag ze een strip slaappillen liggen waarvan twee tabletten ontbraken. Hij was zo verstandig geweest hún hulp te verkiezen boven een slapeloze nacht, wat bewees dat hij niet van plan was zich te laten gaan.

Zachtjes zette ze het briefje tegen de wekker, zodat hij het zou zien wanneer hij wakker werd. Met haar krachtige handschrift had ze slechts twee zinnetjes opgeschreven: *Ik ben thuis, papa. Verkoop Peyrolles niet, alsjeblieft, ik denk dat ik er heel graag wil gaan wonen.*

2

ADRIEN DEED ER NOG EEN SCHEPJE BOVENOP. 'DAT IS HET BELACHElijkste idee van het jaar!' riep hij uit terwijl hij zijn zus een spottende glimlach toewierp.

Zijn vader had zijn hulp ingeroepen. Adrien was naar het appartement gekomen om samen de zondagse avondmaaltijd te gebruiken.

'Als je in Toulouse werkt,' vervolgde Henry, 'moet je elke dag naar je werk rijden en weer terug, 140 kilometer in totaal! De beste manier om te verongelukken, niet?'

'Papa,' protesteerde Pascale, 'er is een ziekenhuis in Albi. Ik ga niet in Purpan of Rangueil solliciteren!'

'Werkelijk? Is het niet om dichter bij Samuel te zijn dat je van plan was om...'

'Dat ik van plan bén,' verbeterde ze. 'Wat Sam betreft, ik breng je in herinnering dat we gescheiden zijn. We zijn goede vrienden, en niets anders.'

'En wie zegt je dat ze in Albi een longarts nodig hebben?' vroeg Adrien.

Hij liep door de keuken en wierp een blik over de schouder van Pascale, die *spaghetti carbonara* stond klaar te maken.

'Maar stel dat je daar een baan vindt, je zult je dood vervelen in een klein provincieziekenhuis, dat waarschijnlijk geen geld en geen technische voorzieningen heeft. Bovendien zul je doodsbang zijn als je 's avonds terugkeert op Peyrolles. Zie je jezelf in je eentje in die barak zitten? Het is een kazerne!'

'Ik hou van dat huis, ik wil er dolgraag in wonen,' herhaalde ze geërgerd, omdat ze vanaf het begin van de dag aan de tand was gevoeld.

Zodra hij was opgestaan was haar vader, gekleed in zijn ochtendjas, de keuken ingestormd, duidelijk geschokt en zwaaiend met het briefje dat Pascale bij hem had achtergelaten.

'Hoe dan ook,' voegde Adrien eraan toe, 'je kiest een slecht moment om te vertrekken...'

Een manier om haar eraan te herinneren dat zowel zij als hij geacht werden over hun vader te waken en hem met zorg te omringen.

'Ik heb niet gezegd dat ik het déze week ging doen! Zo'n ingrijpende verandering vergt tijd, ik heb geen haast.'

Ze nam het zakje Parmezaanse kaas uit zijn hand en voegde het toe aan het eigeel, de gebakken spekjes en de crème fraîche. Achter hen schraapte hun vader zijn keel.

'Natuurlijk vraag ik niet of je hier wilt blijven, lieverd. Je bent mijn gezelschapsdame niet. Ik begrijp heel goed dat je je eigen leven wilt leiden, maar waarom aan het andere eind van Frankrijk?'

'Omdat ik daarvandaan kom. Ik bedoel, ik ben daar geboren en...'

Ze liet de pollepel los en draaide zich met een scherpe blik in haar ogen naar hen om.

'Peyrolles heeft een overweldigende indruk op me gemaakt. Ik dacht dat ik het huis en het park was vergeten, maar het tegenovergestelde was het geval. Alles was zó vertrouwd, tot in het kleinste detail! Daar wonen zou zoiets zijn als thuiskomen. Ik heb er gisteren de hele reis aan gedacht...'

Aan hun gesloten gezichten te zien waren ze niet van plan haar keuze goed te keuren, maar ze hield hardnekkig vol.

'In Parijs heb ik het niet naar mijn zin. Ik wil iets anders zien, andere mensen ontmoeten, ruimte hebben, en zon. Toen Sam en ik samenwoonden had ik al een hekel aan ons appartement aan de rue de Vaugirard. We waren steeds van plan te vertrekken en ergens een huis te kopen. In die tijd heb ik daar met jullie over gesproken, jullie weten heel goed dat het geen nieuw idee of een opwelling is.'

Haar broer haalde zonder te antwoorden zijn schouders op en probeerde andere argumenten te vinden. Haar vader bleef haar met een somber gezicht aankijken.

'Ik weet het, lieverd... Maar ik ken Peyrolles beter dan jij. Het onderhoud brengt hoge kosten met zich mee, het is een zware last, zelfs als je een goede baan hebt. Niemand zal Albi financieel gezien aantrekkelijk voor je maken, stel dat je een baan krijgt aangeboden. Een alleenstaande, jonge vrouw in dat grote huis...'

'Ik zal niet mijn leven lang alleen zijn, papa.'

'Natuurlijk niet. Maar voorlopig zul jij alle kosten in je eentje moeten dragen, en dat lijkt me onmogelijk. Als we het landgoed verkopen, kan ik de opbrengst van de verkoop tussen je broer en jou verdelen, en daarna kunnen jullie ermee doen wat jullie willen. Dat zou billijker zijn, is het niet?'

Ze realiseerde zich onmiddellijk alle consequenties van zijn woorden. Waarom had ze gedacht dat hij haar gratis in Peyrolles zou laten wonen? Omdat hij nooit over geld sprak? Ze wist niets van zijn financiële situatie. Ze vermoedde dat haar vader welgesteld was, gezien de rendabiliteit van zijn kliniek, maar misschien had hij problemen waarmee hij zijn kinderen liever niet wilde lastig vallen. Tenzij hij simpelweg orde op zaken wilde stellen.

'Ik was niet van plan het me toe te eigenen,' mompelde ze. 'Het is alleen dat... Aangezien jij het verhuurt, zou ik toch je huurder kunnen zijn?'

'Ik verhuur het niet meer, ik verkoop het!' zei Henry resoluut. 'Tot nu toe heb ik dat niet gedaan, omdat je moeder het niet zou hebben begrepen. Ze heeft veel van dat huis gehouden, ze zou het willen houden.'

'Ik ook!' protesteerde Pascale. 'Maar je hebt gelijk, ten opzichte van Adrien zou het erg egoïstisch zijn. Het is beter dat ik het koop, dan is alles helderder.'

'Je bent gek, verdomme!' riep Henry uit.

Zijn overdreven reactie verbaasde Pascale. Waarom was hij er zo op tegen dat ze haar intrek in Peyrolles nam? Meestal probeerde hij haar te begrijpen, haar te helpen. Hij was een zeer bedachtzame man, die het fijn vond om rustig te redetwisten.

'Ik ben tweeëndertig,' vervolgde ze zonder overstuur te raken, 'ik heb een goede baan en zal zonder enig probleem een lening kunnen krijgen. Jij hebt altijd tegen me gezegd dat een investering in onroerend goed de beste manier van sparen is. Ik ben vastbesloten daarmee te beginnen.'

Ze liet hem in de kuil vallen die hij voor haar had gegraven, hij kon toch niet beweren dat hij het aan iedereen zou verkopen behalve aan háár. In de stilte die volgde begon het water in de pan over te koken, Adrien haastte zich om de pan van het vuur te halen. Hij liet de spaghetti uitlekken, voegde er de saus aan toe en zette het gerecht op tafel. Pascale maakte van de gelegenheid gebruik om naar haar vader te gaan en hem liefdevol bij de schouder te pakken.

'Zijn we nu ruzie aan het maken?'

'Nee, lieverd... Maar we zijn het niet met elkaar eens, dat staat vast.'

Plotseling zag hij er moe uit, bijna oud.

'Ik begrijp je wensen en je dromen. Jammer genoeg is Peyrolles niet een plek die geluk brengt,' voegde hij er schoorvoetend aan toe.

Nooit zinspeelde hij op het ongeluk dat het leven had gekost aan de moeder van Adrien, die toen nog geen twee jaar was. Er was brand ontstaan in het bijgebouw waar de jonge vrouw een atelier had ingericht om haar aquarellen te maken, en toen was ze levend verbrand. Dat verschrikkelijke drama had Henry weduwnaar gemaakt. Hij zou in zijn eentje zijn kleine jongen, die amper kon lopen, moeten grootbrengen. Gelukkig had hij enkele maanden later Camille ontmoet. Echt ontmoeten was het niet want ze kenden elkaar al heel lang, maar ze waren elkaar uit het oog verloren nadat Camille de streek had verlaten om in Parijs te gaan studeren. Henry was getroost door de zachtaardige, gevoelige Camille, die al erg moederlijk was en Adrien onder haar hoede had genomen. Ze had van hem gehouden als van haar eigen zoon, zo zeer dat hij snel zijn moeder was vergeten.

Hij bewaarde vrijwel geen enkele herinnering aan haar.

Het feit dat haar vader met opzet dat tragische voorval in herinnering bracht was een teken van grote verwarring. Na de brand had hij de ruïne van het bijgebouw met de grond gelijk laten maken en op die plek seringen en hibiscus laten planten, maar hij was in het huis blijven wonen, omdat hij het niet nodig vond Peyrolles te verlaten. Hij had met Camille een nieuw gezin gesticht, dat vorm kreeg door de geboorte van Pascale. In die tijd had hij dus niet geloofd dat Peyrolles hem ongeluk kon brengen. Trouwens, ze waren er allemaal gedurende heel wat jaren erg gelukkig geweest.

'Als ik het me goed herinner,' zei Adrien, 'wilde jij een ziekenhuiscarrière. Dat zal je niet lukken als je je in Albi begraaft.'

Ook híj ondernam hernieuwde pogingen, blijkbaar vastbesloten de discussie voort te zetten tot Pascale zwichtte.

'Carrière is een groot woord,' antwoordde ze afgemeten. 'Ik hou van wat ik doe, Ad, ik jaag geen promoties na, het behandelen van zieken is voor mij voldoende.'

In het ziekenhuis had ze dingen ontdekt die ze tijdens haar studie niet had geleerd. Lijden verlichten, nieuwe hoop geven, iemand tot aan het eind begeleiden, als dat nodig was, en soms, veel minder vaak, genezen. Afgezien van de diagnose of de behandeling had ze écht contact met haar patiënten en vocht ze met hen mee. Sommige collega's van haar vonden haar te gevoelig, te betrokken, wat haar woedend maakte, maar haar gedrag in geen enkel opzicht veranderde.

'Eet, het wordt koud,' bromde haar vader.

Ze keek naar de berg spaghetti die Adrien voor haar had opgeschept. Ze had geen trek meer. Ze dacht aan wat haar moeder zondags altijd had klaargemaakt: kleine noedels met gestoomde vleesballetjes, die bedekt waren met muntbladeren. Waar had haar moeder de Vietnamese kookkunst geleerd? Ze was drie maanden geweest toen ze in Frankrijk was aangekomen, en ze was nooit meer naar haar geboorteland teruggegaan.

'Hoe dan ook, er is geen haast bij, we praten er nog wel eens over,' zei ze en toverde een glimlachje te voorschijn.

Henry gaf geen antwoord, maar Adrien keek geërgerd. Waarom was haar broer zo fel tegen haar plan? Hoe kon hij aanstoot nemen aan het feit dat ze in Peyrolles wilde wonen, hij zou er financieel gezien toch niet door worden benadeeld?

Zonder veel overtuiging rolde ze een paar spaghettislierten om haar vork. Ze zou zich niet van haar plan laten afbrengen. Hoe meer ze over haar keuze nadacht, hoe zekerder ze zich voelde. Ze wist alleen niet op welk moment en om welke reden ze dat waanzinnige besluit had genomen.

Marianne draaide hem de rug toe, terwijl ze ijverig verderging met het strijken van een wit overhemd, dat ze daarna op een knaapje hing.

'Mijn God, het lijkt hier wel een sauna! Waarom doe je dat?' riep Samuel uit. Hij maakte haar aan het schrikken.

Nooit had hij haar gevraagd zich met zijn was te bemoeien. Hij kon er trouwens slecht tegen dat ze hem vertroetelde. Hij zette het raam wijd open en boog voorover om een blik op de tuin te werpen. Het kleine, goed onderhouden gazon – dat deed hij met een elektrische maaimachine – en de klimrozen langs het witte hek gaven de tuin een nette indruk. Samuel had geen tijd om zich met bloemen bezig te houden. Hij werkte keihard in het ziekenhuis en besteedde zijn vrije tijd hoofdzakelijk aan helikopters.

Hij hoorde Marianne achter zich. Een seconde later sloeg ze haar armen om zijn hals en kuste zijn nek.

'Samuel,' fluisterde ze zacht.

Zoals elke zondag had hij de hele morgen met zijn leerlingen gevlogen. De beste manier om zich aan zijn passie te wijden was het behalen van zijn diploma als helikopterinstructeur geweest. Daarna had hij een baan in de vliegclub gevonden. Algauw had hij ontdekt dat hij goed les kon geven en dat hij het écht leuk vond om toekomstige piloten op te leiden.

'Wil je niet een middagslaapje doen?' vroeg Marianne er nóg zachter aan toe.

Ze drukte zich steviger tegen hem aan, en hij verlangde naar haar.

Als hij aan zijn begeerte toegaf, zou hij daarna niet meer de moed hebben om haar naar huis te sturen, maar hij zou heel veel zin hebben om naar de bar van de vliegclub te gaan en een avond met zijn maten door te brengen. Marianne was aanbiddelijk en erg mooi met haar grote, porseleinblauwe ogen, haar blonde krullen, haar lichaam met de fraaie welvingen, maar hij was niet verliefd op haar en was vastbesloten dat ook niet te worden. Hij wilde zich niet meer aan een vrouw hechten. Hij had te veel meegemaakt tijdens zijn scheiding van Pascale, nooit zou hij zo'n beproeving opnieuw kunnen doorstaan. Gelukkig vormde Marianne slechts een zeer beperkt risico.

'Er ligt een stapel post op me te wachten,' voerde hij ter verdediging aan. 'Ik moet een aantal telefoontjes plegen en...'

Hij zweeg abrupt toen ze haar handen onder zijn T-shirt liet glijden. Gewoonlijk nam ze niet het initiatief tot een vrijpartij, te terughoudend om hem te verleiden. Hij vond haar gebaar aandoenlijk. Had ze zoveel zin om de liefde te bedrijven? Of meer om tot morgen bij hem te blijven, om een dineetje bij kaarslicht voor hem te maken en met haar hoofd tegen zijn schouder in slaap te vallen? Ze was superromantisch en beeldde zich in dat ze een grote idylle beleefde. Ze weigerde toe te geven dat ze zich had vergist door haar keus op hem te laten vallen. Hij draaide zich om en dwong haar een stap naar achteren te doen.

'Ik ben vanavond niet vrij, ik ga met vrienden uit eten,' zei hij zo vriendelijk mogelijk.

Bij het zien van haar teleurstelling voelde hij zich schuldig en opgelucht tegelijk. Als ze zondags bij hem bleef plakken, durfde hij soms niets te zeggen en raakte hij echt geïrriteerd, vooral als ze begon op te ruimen of te koken. Sinds zijn scheiding probeerde hij zijn onafhankelijkheid en zijn vrijheid te behouden, maar Marianne scheen te denken dat ze daar verandering in zou kunnen brengen.

'Hoe laat moet je weg?' vroeg ze somber.

'Tegen zes uur.'

'Dan heb je dus geen haast.'

Met een ongemakkelijk gevoel nam hij haar in zijn armen en tilde haar op. Haar opdringerigheid negeren zou kwetsend voor haar zijn, en hoe dan ook, hij verlangde naar haar. Hij droeg haar naar zijn kamer, legde haar op het bed en ging naast haar liggen. Met langzame bewegingen verwijderde hij haar bloes en haar beha en kuste haar borsten.

'Je bent erg mooi, Marianne...'

Haar huid was zacht maar te bleek, ze had de gevoelige huid van een blondine. Hij liet zijn vingers over haar ronde heupen en haar bolle buikje dwalen. Ze deed hem in niets aan Pascale denken, dat was vast de reden dat hij bij haar bleef.

'Je verspilt je tijd met mij, je verdient iets anders,' verzuchtte hij.

Hij had haar niet zijn liefde verklaard en haar ook niets beloofd, vanaf het begin had hij open kaart met haar gespeeld, en toch gaf ze het niet op.

'Onzin,' fluisterde ze, 'ik wil jóú.'

Ze luisterde nooit naar wat ze niet wilde horen, misschien was dat haar kracht.

'Streel me...'

Hij wilde niets liever. Trouwens, dit was niet het geschikte moment voor een tweede waarschuwing. De eerste avond had hij gezegd dat hij een pijnlijke scheiding achter de rug had, waarvan hij nog niet was hersteld, en dat hij absoluut niet in staat was zich voor honderd procent in een duurzame relatie te storten. Ze had een paar vragen over zijn ex-vrouw gesteld, die hij met tegenzin had beantwoord, totdat ze met een onvoorstelbare naïviteit had gezegd: 'O, ik heb de pest aan haar, ik zal ervoor zorgen dat je haar vergeet!'

Pascale vergeten? Dat wilde hij niet. Hun huwelijksjaren waren de meest fantastische van zijn leven geweest, en de herinnering aan hun eerste ontmoeting bezorgde hem nog steeds koude rillingen. Een plotselinge verliefdheid, als een donderslag bij heldere hemel, een vloedgolf, een buitengewoon gevoel dat hij nooit eerder had ervaren en nadien ook niet meer. Ze had een perzikkleurige pyjama gedragen en het had geleken of ze bang was, omdat ze weer op de operatieafdeling was. Haar grote, zwarte ogen hadden zich strak op die van Samuel gevestigd, alsof ze van hém de verklaringen verwachtte die de chirurg haar niet had gegeven. Samuel had op het randje van haar bed gezeten, in verwarring door zijn heftige gevoelens als hij haar aankeek. Hij had zijn best gedaan haar gerust te stellen. Hij had haar beloofd dat hij haar hand zou vasthouden als hij haar onder narcose bracht en dat hij bij haar zou zijn als ze wakker werd. Een paar maanden later was hij met haar getrouwd, uitzinnig van geluk. De aantrekkingskracht die ze op hem uitoefende was nooit afgenomen. Elke morgen had hij God gedankt, tot hun eerste woordenwisselingen over het kind dat zij per se wilde hebben. Het was haar nog steeds niet gelukt om zwanger te raken. Ze waren dagelijks ruzie gaan maken, en steeds heviger. Maar hij had het gevaar ervan niet ingezien. Hij had niet gedacht dat die babykwestie hen ertoe zou brengen afschuwelijke dingen tegen elkaar te zeggen en ten slotte uit elkaar te gaan. Op de avond waarop ze voorgoed was vertrokken – hij kende haar goed genoeg om te weten dat ze niet meer terug zou komen – had hij zin gehad een kogel door zijn hoofd te jagen.

'Samuel,' zei Marianne met een zucht.

Hij voelde zich op heterdaad op onoplettendheid betrapt en stond op het punt zich te verontschuldigen, maar merkte tijdig dat de jonge vrouw zich nergens van bewust was en zuchtte van genot onder zijn handen.

Gedurende twee weken had Pascale haar best gedaan niet aan Peyrolles te denken, maar toch droomde ze er elke nacht van. Waarom werd ze er zo door geobsedeerd? Als kind had ze Peyrolles erg gemist, maar elke zomer had ze een ander land met haar ouders bezocht en die reizen hadden haar Peyrolles geleidelijk aan doen vergeten. Daarna had ze enige tijd in Engeland en in Spanje doorgebracht om de taal te leren. Vervolgens waren er de uitstapjes met haar studievriendjes geweest, en was de herinnering aan het familiehuis helemaal vervaagd. Soms sprak ze erover, als over een verloren paradijs, in het bijzonder tegen Samuel, maar zonder de gedachte ernaar terug te keren.

En toen was ze veertien dagen terug echt geschokt geweest bij de aanblik van Peyrolles, en het gevolg daarvan was, zonder dat ze wist hoe en waarom, de dringende behoefte om daar weer te gaan wonen. Het huis riep haar, het trok haar, ze had bijna kunnen denken dat ze de heldin was in een van die griezelfilms waarin de muren iets schijnen over te brengen. Maar ze was veel te nuchter voor dat soort bijgeloof en gaf een simpele verklaring aan haar opwelling van geestdrift. In werkelijkheid had de dood van haar moeder een punt gezet achter een periode die moeilijk voor haar was geweest. De baby die ze niet had kunnen krijgen, de breuk met Sam, de terugkeer naar haar ouders, waar ze het gevoel had gehad dat ze weer een klein meisje was: alles had ertoe bijgedragen dat ze de afgelopen drie jaar uit balans was geweest. Als ze dat wilde veranderen, moest ze persoonlijke beslissingen nemen en zich eraan houden. Peyrolles was er een van. Als ze niet de instemming van haar familie kreeg, jammer dan!

Ze stuurde een sollicitatiebrief naar het ziekenhuis van Albi, en, voor alle zekerheid, ook naar de belangrijkste ziekenhuizen van Toulouse. Een baan vinden was een eerste vereiste voor de volgende stappen. Om tijd te winnen vroeg ze een taxatie van het landgoed aan bij de makelaardij die zich met de verhuur van het huis had beziggehouden.

Als ze 's avonds terugkeerde in het appartement van haar vader, maakte ze met koortsachtig ongeduld haar post open; en elke dag smeedde ze toekomstplannen zodra ze even pauze nam in het ziekenhuis. Na haar scheiding had ze al haar spullen – meubilair, boeken, serviesgoed – in een meubelopslag laten opslaan en daarna had ze zich er geen zorgen meer over gemaakt. Aangezien het om een tijdelijke terugkeer naar haar ouders ging, had ze zich in het begin zonder al te veel vragen te stellen laten vertroetelen, met het vage plan een moderne tweekamerflat in de buurt van Necker te huren. Maar haar moeder was ziek geworden en toen was Pascale gebleven. Een vreemde ziekte, moeilijk te diagnosticeren, bijna niet te behandelen. Vroegtijdige Alzheimer? Chronische depressie die tot psychische instabiliteit had geleid? Het was steeds slechter met Camille gegaan, ze had steeds minder gesproken, ze had krampachtig vochtige zakdoeken in haar handen geklemd en ze had nauwelijks gegeten. Binnen een paar maanden was haar toestand zo verslechterd, dat het verontrustend was, maar noch de collega's die te hulp waren geroepen noch de talloze onderzoeken hadden een oplossing gebracht. In die tijd had Pascale zichzelf voorgehouden dat haar moeder wílde sterven, dat ze niets deed om in leven te blijven.

Tot op het laatste moment hadden Pascale, Adrien en Henry bij toerbeurt gevochten, tevergeefs. Ondanks hun medische opleiding en al hun liefde waren ze machteloos geweest. Tegen het eind had het geleken of Camille hen niet meer zag, behalve misschien Pascale, die ze af en toe een trieste glimlach had toegeworpen, heel helder.

Door het appartement in Saint-Germain te verlaten en haar baan in het Necker ziekenhuis op te geven zou de jonge vrouw schoon schip kunnen maken. Sam was erin geslaagd ergens anders een nieuw leven te beginnen, waarom zou háár dat ook niet lukken? Andere mensen, een zachter klimaat, nieuwe vrienden misschien, en vooral op Peyrolles wonen, dat was alles wat ze wenste, al stak ze zich voor de komende tien of vijftien jaar in de schulden.

Haar vader en haar broer gaven helaas niet op, ze waren nog steeds tegenstanders van wat ze 'haar dwaasheid' noemden. Toen Adriens geduld op was, had hij haar zelfs voor leeghoofd en egoïst uitgemaakt. Ze was boos geworden en had hem er met klem aan herinnerd dat ze tweeëndertig was en zich door niemand de les liet lezen. Te meer daar ze niet van hun vader afhankelijk was, niet in zijn kliniek werkte en kon gaan en staan waar ze wilde. Ze had Adrien lik op stuk gegeven en dat had hem ziedend gemaakt. Hij had een week niets meer tegen haar gezegd.

Henry was gematigder. Zeker, hij was het niet eens met de keuze van Pascale, maar hij wilde geen ruzie met haar maken. Moe en verslagen luisterde hij naar het geruzie van broer en zus, en hij gaf Adrien gelijk, maar toch nam hij uiteindelijk zijn dochter in zijn armen. Hij hield van haar, hij was trots op haar en hij weigerde degene te zijn die haar tegen haar wil vasthield, ook al bleef hij ervan overtuigd dat ze een enorme stommiteit beging.

Toen ze eindelijk het taxatierapport van de makelaar ontving, was ze geschokt bij het lezen van het bedrag. Peyrolles was veel geld waard. Vanwege de toeristische ontwikkeling van de regio, de aantrekkelijke architectuur van het huis en zijn onaangetaste omgeving, kon het landgoed 500.000 euro opbrengen, en zelfs meer, als de verkoper geen haast had. Het bedrag, dat veel hoger was dan ze had verwacht, benauwde Pascale. Naast de lening, waarvan de maandelijkse aflossingen zwaar op haar budget zouden drukken, moest ze zelf ook geld inbrengen. Aan wie kon ze dat vragen? Haar vrienden hadden zich bijna allemaal als arts gevestigd en ook zij hadden leningen gesloten, dus niemand zou haar op korte termijn kunnen helpen.

Behalve... behalve Samuel, misschien. Maar waar moest ze de moed vandaan halen om hem dat te vragen? Het was erg pijnlijk om zich vanwege geldproblemen tot hem te wenden. Ze weigerde misbruik te maken van de diepe genegenheid die hij nog steeds voor haar voelde, en ze wilde de broze relatie die ze ondanks alles hadden weten te behouden, absoluut niet in gevaar brengen. Bij hun echtscheiding, waar ze beiden in hadden toegestemd, hadden ze niets van elkaar gevraagd, en daar wilde ze nu ook niet mee beginnen. Ze wist dat Samuel zijn ouders vroeg had verloren. Hij was hun enige zoon en de enige erfgenaam. Zijn vader was eigenaar geweest van een bloeiend textielbedrijf, dat Sam goed had verkocht. Ongetwijfeld zat hij er warmpjes bij, zoals hij herhaaldelijk tegen haar had gezegd toen hij met haar trouwde, maar Pascale had zich nooit met zijn zaken bemoeid.

Na lang te hebben getalmd, maakte ze een afspraak met haar bank om te kijken of er een mogelijkheid tot financiering was. Twee uur lang onderzocht ze diverse aanbiedingen en kwam tot de conclusie dat ze hulp nodig had om uit die wirwar van duizelingwekkende cijfers wijs te worden. Ze zou Samuel kunnen vragen haar een onpartijdig advies te geven. Het feit dat ze Peyrolles wilde kopen zou waarschijnlijk niet zijn woede opwekken, misschien zou hij het plan zelfs goedkeuren.

Maar haar telefoongesprek met Sam verliep niet helemaal zoals ze had verwacht. Allereerst leek haar ex-man verbijsterd bij het idee dat ze zich zou vestigen in de streek waarin híj een toevlucht had gezocht. Maar na een korte stilte gaf hij toe dat Pascale in haar jeugd al dol op Peyrolles was geweest, en dat dat haar keuze rechtvaardigde. Hij bleek vrij pessimistisch te zijn over de mogelijkheden om een baan in Albi te vinden. Maar voorlopig zouden de ziekenhuizen van Toulouse haar ongetwijfeld een kans bieden, aangezien longartsen dun waren gezaaid. Ten slotte, wat het belangrijkste betrof, te weten het plan om Peyrolles te kopen, was hij heel stellig: hij zou haar helpen.

'Je kunt je niet zonder geld in zo'n investering storten, anders zullen de aflossingen je de das omdoen.'

'Ik wíl je geld niet, Sam.'

'Dat weet ik, maar ik gééf het niet, ik léén het.'

'Nee.'

'We zullen alle vereiste papieren door een notaris in orde laten maken, goed?'

'Geen sprake van. Dat is niet de reden van mijn telefoontje. Ik heb geen enkele ervaring met dit soort leningen en ik ben alleen maar op zoek naar een vriendenadvies. Mijn bankier stelt slechts voor wat hém goed uitkomt, daar ben ik me heel goed van bewust.'

'Als je wilt, zal ik in jouw plaats over het rentepercentage gaan praten. Tegenwoordig is alles onderhandelbaar!'

'Geef me advies, Sam, iets anders vraag ik niet van je.'

'Mijn advies waarover? Over je intrek in Peyrolles? Dat lijkt me een goede zaak, aangezien je nog nooit alleen hebt gewoond, Pascale. Je ouders, je huisgenote in je studententijd, daarna ik, en toen weer je ouders... Het is hoog tijd dat je op eigen benen gaat staan. In wezen ben je een onafhankelijke vrouw. Sta jezelf de middelen toe om het ook echt te zijn!'

Dat was een bittere pil om te slikken en Pascale stond op het punt te antwoorden, maar ze hield zich in. Samuel kende haar goed, hij had geen ongelijk.

'Je bent altijd al gek op dat landgoed geweest, Pascale. Je hebt me er zo vaak over verteld. Vooruit, koop het. Dat is veel interessanter dan wanneer je vader het je cadeau zou doen.'

'In elk geval is het rechtvaardiger ten opzichte van Adrien.'

'Dat ook. Je vader zou hem best een gelijkwaardig bedrag kunnen geven. Waarom doet hij daar zo moeilijk over?'

Verbaasd door deze stellige bewering vroeg Pascale zich af waarom Samuel meer wist over de financiële situatie van haar vader dan zij.

'Laten we het weer over je financieringsplan hebben,' vervolgde hij. 'Het bedrag van je persoonlijke inbreng bepaalt de hoogte van het risico voor de geldschieter, en hoe groter die inbreng, hoe gunstiger de rente is.'

'Geld zoekt geld,' zei ze spottend.

'Jammer genoeg wel, ja. En hoe het ook zij, je zult niet honderd procent krediet krijgen voor een vastgoedtransactie van die omvang. Te meer daar je bij de koopprijs nog de overdrachtskosten moet optellen, die ten onrechte de notariskosten worden genoemd. In het geval van Peyrolles komt dat neer op ongeveer 30.000 euro.'

'Je bent ontmoedigend,' zei ze met een zucht.

'Integendeel, ik zeg juist dat je het moet doen!'

'Door me uit te leggen dat het onmogelijk is.'

Ze hoorde hem lachen en ontspande zich een beetje.

'Accepteer mijn hulp, Pascale. Als herinnering aan de goeie ouwe tijd...'

'Zo oud is die niet,' mompelde ze.

Was het werkelijk de 'goeie tijd', al die avonden waarop ze ruzie maakten? Hij had beweerd dat ze alles verpestte, terwijl ze alleen maar een kind wilde. Als ze 's nachts in bed lagen en elkaar boos de rug hadden toegekeerd, had hij soms in het donker haar hand gepakt en er zacht een kneepje in gegeven, maar zij had net gedaan of ze sliep. Ze had hem kwalijk genomen dat hij ongevoelig was voor wat ze als een groot probleem beschouwde: het feit dat hij weinig haast had om vader te worden. Ze had hem er zelfs van verdacht dat hij tevreden was met zijn status van eeuwige jonggehuwde. Hij had vast en zeker geen zin gehad om zijn vrouw in een moeder te zien veranderen, en ook niet om te worden verwaarloosd omwille van een pasgeboren kind. Pascale had zich aan dat egoïsme geërgerd.

'Ben je er nog, lieverd? Ik zou je graag een laatste vraag willen stellen, louter uit nieuwsgierigheid.'

'Ga je gang.'

'Waarom laat Henry je in je eentje aanmodderen wat die koop betreft?'

'Omdat hij het er niet mee eens is dat ik naar het andere eind van Frankrijk ga. Door zich te vestigen in de regio Parijs had hij het idee vooruit te gaan, en hij vindt dat ik nu achteruitga.'

'Dat is heel bekrompen gedacht, hem niet waardig. Ik geef veel om je vader...'

'Dat weet ik.'

Opnieuw werd het stil. Pascale dacht over het aanbod van Sam na en vroeg zich af of ze al dan niet gelijk had om te weigeren. Tot wie zou ze zich anders kunnen wenden? In wie had ze voldoende vertrouwen, en wie hield genoeg van haar om haar te helpen?

'Fax het aanbod van je bank naar me toe en laat mij de zaak afhandelen,' herhaalde Sam. 'Alsjeblieft.'

Met een gelaten zucht beloofde ze hem in elk geval op de hoogte te houden, en daarna hing ze op. Alles wat hij zojuist tegen haar had gezegd bracht haar besluit om Peyrolles te kopen niet aan het wankelen, maar het zou moeilijker zijn dan ze had verwacht. Na er nog een paar minuten over te hebben nagedacht, kwam ze tot de conclusie dat het sop de kool waard was. Hoe moeilijker het zou zijn, hoe meer ze van haar nieuwe leven zou genieten.

Henry tekende alle documenten die de boekhouder voor hem in een kartonnen map had gestopt. De bezettingsgraad van de kliniek was uitstekend, voorlopig hadden ze geen last van de crisis. Daar had hij zich ook voor ingespannen. Hij had nooit concessies gedaan ten aanzien van de professionele kwaliteiten van de mensen die hij in dienst nam, en ook niet ten aanzien van de dienstverleningen, die bestemd waren om een bepaalde categorie patiënten te lokken. Mikken op luxe was een goede keus gebleken, mits je serieus bleef.

De foto van Camille prijkte al bijna twintig jaar op het grote bureau van staal en glas. God, wat was ze mooi! Met haar achterovergekamde haren, haar volmaakte gezicht, haar immense, zwarte ogen, en de raadselachtige glimlach die haar kenmerkte. Henry was stapelgek op haar geweest. Zo zeer, dat hij was vergeten wat er allemaal vóór de komst van Camille in zijn leven was gebeurd en dat hij zich nauwelijks interesseerde voor wat er zou volgen, nu ze er niet meer was. Zeker, de laatste jaren waren nogal moeilijk geweest. Want ondanks al haar terughoudendheid, haar natuurlijke bescheidenheid, had Camille tekenen van verdriet laten zien, waarvan Henry maar al te goed de oorzaak kende. Maar wat had het voor zin naar het verleden terug te keren? Dat had hij talloze keren tegen haar gezegd. Hij had niets begrepen van haar volstrekt onzinnige gevoelens van spijt achteraf, die haar volledig hadden ondermijnd.

Camille was haar eerste voornaam, zo had haar vader besloten toen hij haar had aangegeven en erkend, maar de naam was gevolgd door andere, die absoluut onuitspreekbaar waren. Ze was in 1945 geboren in Hanoi. Toen ze nog maar een paar weken oud was, had haar vader haar meegenomen naar Frankrijk. Haar verhaal was triest en, helaas, bijna gewoon voor die periode van de eerste Indochina oorlog. Haar moeder, een zeer jonge Vietnamese van eenvoudige komaf, was voor de charmes van een Franse officier gevallen en diens minnares geworden. Toen ze het kind van haar minnaar had gebaard, had die op het punt gestaan naar Frankrijk terug te keren, omdat het leger hem had teruggeroepen. Ze had er de voorkeur aan gegeven het kind aan hem toe te vertrouwen in plaats van het in schande en armoede groot te brengen. Kapitein Abel Montague was een man van eer en hij kende de zeden en gewoonten van het land goed: als hij weigerde, zou het kind een ellendig leven te wachten staan. Dus had hij het kind onder zijn hoede genomen, ook al was hij al echtgenoot en vader.

Camille had niet geweten hoe de weinig triomfantelijke thuiskomst van kapitein Montague was verlopen. Ze was te klein om zich de ontvangst van de ontrouwe echtgenoot en zijn bastaard te kunnen herinneren. Abel had natuurlijk tal van excuses gehad, gedurende meer dan zes jaar was hij in Indochina geweest – waarvan achttien maanden als gevangene van de Japanners – om zich uit te putten in een koloniale oorlog die voor iedereen, de militairen inbegrepen, onbegrijpelijk was geworden. Wat hij eraan had overgehouden waren een opvliegend karakter, een gezondheid die door malaria was ondermijnd, en een diepe afkeer van het leger. Zijn vrouw had een onherkenbare man teruggekregen die haar bijna bang maakte, en ze had het kleine halfbloedje dat hij haar opdrong niet durven weigeren. Camille was dus grootgebracht met de drie wettige kinderen van de Montagues, die veel ouder waren dan zij. Abel was een paar jaar later gestorven, en Camille, die beslist niet in het gezin thuishoorde, was naar kostschool gestuurd. Een zeer strenge meisjesschool, in de buurt van Albi, waarna de familie Montague haar min of meer was vergeten.

In die periode had Henry haar voor het eerst gezien, toen haar klas een uitstapje naar de kathedraal maakte. Te midden van de andere leerlingen was ze opgevallen met haar koperkleurige huid, haar grote, zwarte ogen en haar fragiele gestalte. Ze was zestien jaar, Henry net eenentwintig, en ze hadden elkaar aangekeken... Een of twee keer was het hun gelukt elkaar weer te zien, heel kort. Daarna was Henry vertrokken om zijn militaire dienstplicht te vervullen, en toen was ook hij haar vergeten. Na zijn diensttijd was hij getrouwd met Alexandra en had Adrien gekregen.

Alexandra. Wat kon hij zich weinig van haar herinneren! Een kille, hooghartige blondine van rijke komaf en smoorverliefd op hem. Een goede echtgenote, met wie hij zonder die afschuwelijke brand een prettig leven had kunnen hebben. Maar het lot had anders beschikt en het had Camille weer op zijn weg gebracht.

Hij pakte de fotolijst op en bracht hem naar zijn ogen. Op deze foto was ze echt mooi, maar destijds, toen hij haar terugzag, was haar toestand deerniswekkend geweest. Ruw door het leven behandeld, ten einde raad, op de rand van de afgrond. Hij had destijds gedacht dat hij haar had gered.

Gered? Hij slaakte een diepe zucht en zette het fotolijstje terug. Redde je mensen tegen hun wil in? Camille had ten slotte zijn voorwaarden geaccepteerd, de enig mogelijke. Hij had nergens spijt van, ook al...

'Papa?'

Hij keek abrupt op. Pascale stond op de drempel van zijn kamer, aarzelend om binnen te komen.

'Stoor ik je? Je was zo in gedachten verzonken...'

'Nee, helemaal niet. Kom binnen en ga zitten.'

Ze kwam zelden in de kliniek, en het ontroerde hem dat ze naar hem toe was gekomen.

'We gaan samen uit eten,' voegde ze eraan toe. 'Herinner je je dat niet meer?'

'Natuurlijk wel. Trouwens, ik ben klaar. Ik zat ongetwijfeld te dromen, ik heb je niet horen aankomen.'

'Ik heb op de deur geklopt.'

Geamuseerd wierp hij haar een brede glimlach toe. Natúúrlijk had ze geklopt, ze was uitstekend opgevoed, dankzij Camille en dankzij hem.

'Ik heb een lang gesprek met Sam gevoerd,' begon ze. 'Hij zal me helpen met mijn paperassen voor Peyrolles en me financieel advies geven.'

'Advies?' herhaalde Henry.

Zoals verwacht liet ze haar plan niet varen. Dat was toch niet verbazingwekkend? Hij wist dat ze koppig was en zich niet gewonnen zou geven. Vooral niet als Sam zich ermee bemoeide.

'Ik denk dat hij een goede raadgever zal zijn,' zei hij voorzichtig.

Naast zijn kwaliteiten als anesthesist, beheerde Samuel zijn financiën op een verstandige, bedachtzame manier. Het zou best kunnen dat hij in financieel opzicht enthousiast was over het plan van Pascale, maar dat hij zich er ook persoonlijk over verheugde.

'Ik ga volgende week weer naar Peyrolles.'

'Je hebt gelijk. Loop een beetje door het huis bij het vallen van de avond, en probeer je voor te stellen wat je zult voelen als je daar in je eentje woont. Kijk ook naar het park. Je zult snel begrijpen dat je er waanzinnig veel tijd of veel geld aan zult moeten besteden.'

'Ik ga leren tuinieren,' antwoordde ze op luchtige toon. 'Wat het huis betreft... ik zal een grote waakhond kopen! Ben je nu gerustgesteld?'

'Niet echt.'

En dat zou hij ongetwijfeld nooit meer zijn vanaf de dag waarop Pascale zich op Peyrolles zou vestigen, maar wat was daar aan te doen?

'Papa? Is er iets... ik weet het niet, iets wat je voor me hebt verzwegen en zou willen vertellen? Die... de herinnering aan die brand zal wel verschrikkelijk zijn en misschien...'

'Inderdaad,' onderbrak hij, 'ik wil liever niet over het verleden praten. Dat is nu niet van belang. Maar het neemt niet weg dat ik vind dat sommige plekken heilzamer zijn dan andere!'

Pascale liep om het bureau heen, ging achter zijn stoel staan, sloeg haar armen om zijn hals en kuste zijn slaap.

'Mijn kleine papa,' fluisterde ze.

Alles wat hij probeerde om haar op andere gedachten te brengen kon doorgaan voor egoïsme, daarvan was hij zich pijnlijk bewust. Zeker, hij zou er de voorkeur aan hebben gegeven haar dicht bij zich te houden, maar hij wist dat dat onmogelijk was. En hij wilde niet dat ze hem beschouwde als een vader die autoritair en bekrompen van geest was, die alleen maar met zichzelf bezig was. Integendeel, hij wilde haar zien stralen en zich ontplooien, maar Peyrolles was de laatste plek op aarde waar het geluk te vinden was.

Ze leunde met haar hele gewicht op zijn schouders. Hij vermoedde dat ze naar de foto van Camille keek.

'Laten we gaan eten,' zei hij, terwijl hij zich losmaakte.

Toegeven aan de emotie zou alles alleen maar ingewikkelder maken. Hij stond op en draaide zich naar zijn dochter om. Haar ogen waren vol tranen. Haar prachtige, sombere, omfloerste blik was precies als die van haar moeder. Hij pakte haar hand, te ontroerd om te praten, en leidde haar zijn kamer uit.

'Het zijn uitstekende referenties,' merkte Laurent Villeneuve op.

Samuel wierp hem een dankbare glimlach toe. Hij kon erg goed opschieten met Laurent Villeneuve, die sinds twee jaar directeur van het Purpan ziekenhuis was en, net als hij, een gepassioneerde vlieger. Toen Samuel Laurent de referenties van Pascale had gegeven, had hij gedacht dat ze zonder enige probleem de vacante baan zou krijgen, maar het hoofd van de afdeling longziekten – een vrouw – leek terughoudend te zijn.

'Er zijn nog meer gegadigden die we nog moeten beoordelen,' zei ze nors.

Nadine Clément had niets innemends met haar grijze, achterovergekamde haren en haar imposante hoornen bril op het puntje van haar neus. Ze was een onopvallende vrouw van in de zestig, met hoekige gelaatstrekken en een scherpe stem: ze was de schrik van haar afdeling.

'Ik geef er de voorkeur aan iemand in dienst te nemen met wie ik al eens heb gewerkt, bijvoorbeeld dokter Médéric,' voegde ze eraan toe, terwijl ze de directeur doordringend aankeek.

Zonder zich te laten imponeren schudde Laurent zijn hoofd.

'Hij heeft bijna de pensioengerechtigde leeftijd bereikt, een jonge arts zou geschikter zijn.'

Beledigd zette Nadine met een woedend gebaar haar bril recht. Ze was zelf aan het eind van haar loopbaan en stelde het niet op prijs dat ze daaraan werd herinnerd. Duidelijk geërgerd wendde ze zich tot Samuel.

'U beveelt uw ex-vrouw zo warm aan, dat men zich kan afvragen waarom u bent gescheiden...'

'Dat vraagt men zich misschien af,' zei de directeur, 'maar dat vraagt men natuurlijk niet aan de heer Hoffmann, dat is te persoonlijk! En volstrekt ongepast, aangezien alleen de vakbekwaamheid telt bij het bepalen van onze keuze, nietwaar?'

Nadine keek Laurent Villeneuve scherp aan voordat ze op cynische toon zei: 'Hoe dan ook, ú bent degene die beslist, en ongetwijfeld is die jonge vrouw voor u interessanter dan dokter Médéric.'

Een manier om hem eraan te herinneren dat ze er niet in tuinde. Laurent was achtendertig en nog steeds niet getrouwd; zij beschouwde hem vast en zeker als een Don Juan. Samuel wist dat dat vooroordeel de ronde deed onder het ziekenhuispersoneel, maar de realiteit was heel anders. Ondanks zijn duidelijke charme van een aantrekkelijke, geheimzinnige man, had Laurent niets van een rokkenjager. Hij was teleurgesteld door twee moeilijke liefdesrelaties en zocht nog steeds naar de vrouw met wie hij een gezin wilde stichten. Maar hij permitteerde zich geen enkel avontuurtje in het ziekenhuis dat hij leidde. De opmerking van Nadine Clément was dus onnodig kwetsend.

'Hou me op de hoogte,' zei ze terwijl ze opstond.

Laurent liet haar vertrekken en daarna begon hij te glimlachen.

'Ze is werkelijk onsympathiek. Ik hoop dat je ex zich niet door haar laat tiranniseren!'

Zoals beloofd, zou hij Pascale de baan aanbieden, en Samuel was blij haar het nieuws te kunnen vertellen.

'Maak je geen zorgen, ze zal zich weten te verdedigen,' antwoordde hij vrolijk.

'Waarschuw haar toch maar dat ze op haar hoede moet zijn. In elk geval in het begin, want Nadine is een kreng.'

Ze stond erom bekend en de klachten van de verpleegkundigen en de co-assistenten van de afdeling longziekten stapelden zich op Laurents bureau op.

'Ik zie je morgen wel weer in de club,' zei Samuel, 'nu moet ik terug naar de operatieafdeling.'

Ze wisselden een stevige handdruk, allebei waren ze blij. Laurent had zijn gezag als directeur kunnen doen gelden door de onuitstaanbare Nadine Clément de pin op de neus te zetten, en Sam had een interessante baan voor Pascale geregeld.

Sam verliet het administratiegebouw snel, in gedachten verzonken. Waarom deed hij zoveel moeite? Geld lenen aan zijn ex-vrouw en een baan voor haar vinden... dat kon hij desnoods nog rechtvaardigen, maar tien keer per dag aan haar denken!

'Honderd keer!' mompelde hij terwijl hij een binnenplaats overstak.

Het Universitair Medisch Centrum, het UMC Purpan, was heel groot, het strekte zich over meerdere hectares uit, maar Samuel voelde zich er thuis. Toen hij het besluit had genomen om Parijs te ontvluchten en zich zo ver mogelijk te verwijderen van Pascale en alle pijnlijke herinneringen die aan hun scheiding waren verbonden, had Toulouse een stad geleken die hem een warm onthaal en vergetelheid zou bieden. Hij was onmiddellijk verleid door de architectuur, het klimaat en de sfeer van de binnenstad. Hij had ingezien dat het niet om een simpele tussenstop ging: hij had zijn plaats van bestemming bereikt.

Hij ging het gebouw binnen waarin de algemene chirurgie was gevestigd. Hij negeerde de personeelsliften en rende de trap op naar de operatieafdeling. Zoals altijd had hij die dag een druk programma. Hij moest een groot aantal patiënten onder narcose brengen, gedurende de operatie bewaken en daarna op de uitslaapkamer controleren, voordat hij aan iets anders kon denken.

Vanaf het vliegveld Blagnac had Pascale een pendelbus genomen naar het place Jeanne-d'Arc, midden in de stad, en daarna een taxi om haar naar het Hôtel des Beaux-Arts te brengen, waar ze een kamer had geboekt. Tot haar genoegen zag ze dat de ramen, overeenkomstig haar wens, op de Garonne uitkeken. 'Op Garonne' zeiden de inwoners van Toulouse, alsof de rivier een persoon was.

Pascale verwisselde haar pumps voor comfortabele gymschoenen en ging naar de receptie beneden, waar ze de sleutels van haar huurauto kreeg. Daarna had ze meer dan een halfuur nodig om zich een weg door het superdrukke verkeer te banen en de ringweg te bereiken. Toen ze eenmaal op de A68 reed, in de richting van Albi, ontspande ze zich eindelijk. Deze keer nam het avontuur concrete vormen aan. Het makelaarskantoor was zo vriendelijk geweest een stel sleutels naar haar op te sturen waarmee ze de deuren van Peyrolles zou kunnen openen: ze zou het in bezit kunnen nemen.

Al rijdende keek ze met een soort gretigheid naar het landschap, op zoek naar vertrouwde beelden. Ze verliet de snelweg bij Marssac, stak de Tarn over en zette koers naar Castelnau. Bij elke kilometer die haar dichter bij het huis – háár huis – bracht, voelde ze haar opwinding toenemen. Wat hadden de opeenvolgende huurders aan de kamers veranderd? Ze wist nog precies hoe het twintig jaar terug was geweest, de meeste muren waren wit of pastelkleurig geweest. Haar moeder had een afkeer van behang en dessins gehad, ze had alleen maar gehouden van helderheid en soberheid, en ze had een voorkeur gehad voor effen spreien en gordijnen. Hier en daar had ze een rode of zwarte toets aangebracht met een vaas of een gelakt meubelstuk, en er hadden altijd enorme bossen bloemen in de aardewerken bloempotten op de grond gestaan.

Eindelijk werden de hoge muren van Peyrolles zichtbaar. Pascale parkeerde precies op de plek waar de taxi een maand eerder op haar had gewacht. Ze was te gehaast om de auto naar binnen te rijden. Ze deed het hek een stukje open en liep snel het park in. Ze weerhield zich ervan om te gaan rennen. Met grote stappen liep ze over de oprijlaan. Het grind was nog steeds erg fijn, bijna wit, maar het gazon was verdord en bezaaid met distels. De bomen waren veel groter dan in haar herinnering, maar er waren natuurlijk ook twintig jaar voorbijgegaan.

Ze rende met bonzend hart naar het bordes en worstelde nerveus met de sleutelbos voordat ze de goede sleutel vond. Als kind had ze zich beperkt tot het dichtslaan van de deur! Op het moment dat ze er eindelijk in slaagde de deur te openen, merkte ze verstrooid op dat de scharnieren piepten. En toen betrad ze de grote toegangshal.

De witte tegelvloer onder haar voeten glansde in het halfduister, uitgehold door talloze voetstappen. Ze herinnerde zich dat ze daar de rolschaatsen had uitgeprobeerd die ze op een kerstavond had gekregen, en zo rubbersporen had achtergelaten die haar moeder met heel veel moeite had kunnen uitwissen.

Even sloot ze haar ogen en zag de binnenkant van het huis voor zich. Rechts van de hal was de enorme salon, en daarachter een gang die leidde naar de studeerkamer, waarin haar vader zich graag had teruggetrokken, en naar een heel klein boudoir, waarin haar moeder graag had zitten naaien. Links waren de eetkamer, de bijkeuken, de keuken en de garderobe, allemaal voorzien van zeer grote kasten. Tegenover haar, achter in de hal, gaven twee glazen, dubbele deuren toegang tot de wintertuin, die met een veranda was verlengd. Ze opende haar ogen weer en slaakte een diepe zucht. Het leek haar heerlijk om al die ruimte om zich heen te hebben, maar hoe moest ze het huis in haar eentje bewonen? Peyrolles was een familiehuis dat gemaakt was voor schreeuwende kinderstemmen, rondhollende kinderen, luid lachende grote tafelgezelschappen...

Met resolute stappen liep ze door de vertrekken op de begane grond. Ze opende de luiken, één voor één. De kleuren van de schilderijen waren een beetje verbleekt en het parket van de kamers was op sommige plekken beschadigd, maar over het geheel genomen waren de laatste huurders netjes en zorgvuldig geweest. Pascale zou zonder voorbereidende werkzaamheden haar intrek in het huis kunnen nemen.

Op de eerste verdieping zag ze dat de oude slaapkamer van haar ouders in goede staat was, ondanks versleten plekken in het tapijt. Destijds was de vloer gemaakt van terracottategeltjes, en hij moest kunnen worden hergebruikt, mits niemand het slechte idee had gehad om de tegels vast te lijmen! Terwijl ze midden in het vertrek stond vroeg ze zich af waarmee ze dat alles moest meubileren. Sinds haar scheiding was het weinige dat ze had opgeslagen in een meubelopslagplaats in de buurt van Parijs, maar hier zouden haar spullen een aanfluiting zijn.

'Wie bent u?' hijgde een stem achter haar.

Pascale onderdrukte een kreet van schrik, draaide zich razendsnel om en zag een man op gevorderde leeftijd, gekleed in een overall. Hij keek haar streng aan.

'U hebt me bang gemaakt!' protesteerde ze. 'Met welk recht bent u binnengekomen? Ik ben hier thuis.'

'U? Zeker weten van niet. Het huis is niet meer te huur, het is te koop, en de mevrouw van de makelaardij zie ik niet...'

Achterdochtig nam hij Pascale van top tot teen op.

'Dit landgoed is het eigendom van mijn vader, Henry Fontanel,' antwoordde ze.

Ze zag de ogen van de man groot worden van stomme verbazing. Terwijl hij haar bleef aankijken, stamelde hij: 'Bent u... eh... dan de kleine Pascale?'

'Dokter Pascale Fontanel, ja. En wie bent u?'

'Lucien Lestrade. Kunt u zich mij nog herinneren?'

Ze was meteen gerustgesteld en ontspande zich, zich bewust van de schrik die haar in zijn greep had gehouden.

'Ja, natuurlijk. De tuinman. U zorgt nog steeds voor het park, is het niet?'

'Ik doe wat ik kan. Twee middagen per maand, dat is niet voldoende. Uw vader heeft me vorige week gebeld om te vragen of ik alles in orde wilde maken. Ik dacht dat dat was om het landgoed beter te kunnen verkopen.'

'Eerlijk gezegd ben ik bezig Peyrolles van hem te kopen, ik ga hier wonen.'

Hij deinsde achteruit, alsof ze hem zojuist een klap had gegeven.

'Híér? U bent gék!'

Lestrade reageerde net zo als haar vader en haar broer. Waarom was het toch zo vreselijk dat ze op Peyrolles wilde wonen?

'Bent u getrouwd? Hebt u kinderen?'

'Nee,' antwoordde ze afgemeten, 'maar dat zal ongetwijfeld komen. Goed, als u er geen bezwaar tegen hebt, ga ik verder met mijn inspectie.'

Ze liep langs hem naar de deur, met een licht onbehaaglijk gevoel. Waarom voelde ze geen enkele sympathie voor deze man die ze uit haar jeugd kende? Hoe vaak had ze niet haar handje in zijn grote, eeltige hand gelegd, terwijl hij de namen noemde van de bloemen die haar moeder had geplant?

Hij volgde haar op de voet. Ze hoorde dat hij zijn keel schraapte.

'Pascale? Luister... U zou terug moeten gaan naar waar u vandaan bent gekomen. Hier zijn te veel nare herinneringen voor u. Waarom de goden verzoeken?'

'De goden?' herhaalde ze, terwijl ze geërgerd haar schouders ophaalde. 'En u, meneer Lestrade, waarom hebt u uw overall niet teruggegeven?'

Toen hij geen antwoord gaf en haar alleen maar zwijgend aankeek, vervolgde ze: 'Hoe dan ook, ik zal echt niet het geld hebben om u in dienst te houden. Het spijt me.'

'Dat hoeft niet, ik begrijp het. Trouwens, uw vader wilde ook niet meer dat ik hier werkte, en toen... De natuur woekert hier waanzinnig snel. Het voordeel is dat alles groeit, dat alles wortel schiet, maar het nadeel is dat het park moeilijk in toom te houden is. Nou, maakt u zich geen zorgen, ik zal u gratis een handje helpen. Tenminste in het begin, tot u hier gewend bent. Peyrolles is een heel karwei, dat zult u wel zien!'

Hij zuchtte, haalde een zakdoek uit zijn broekzak en wiste zijn voorhoofd af. Hij had diepe rimpels en zijn huid was gebruind door de zon. Nu ze zonder angstgevoel naar hem keek, zag ze dat ze hem onmiddellijk had moeten herkennen.

'Hou op met dat "gemeneer" en noem me Lucien, we zijn oude bekenden, u en ik. Houdt u van bloemen? Uw moeder was er dol op, de arme ziel...'

'Ik weet niet of u het weet,' zei ze aarzelend, 'maar mijn moeder is kortgeleden gestorven.'

'Ik heb de begrafenis bijgewoond. Zonder twijfel is ze beter af waar ze nu is.'

Die laatste opmerking was zo ongepast, dat Pascale totaal verbijsterd was en niets wist te antwoorden. Lucien Lestrade was kennelijk niet op de hoogte gehouden van de gezondheidstoestand van zijn oude bazin. Wat vond hij zo verheugend aan haar dood?

'Goed, ik ga,' besloot hij. 'Ik moet in de bloembedden aan het werk.'

Hij greep de smeedijzeren leuning stevig beet en begon de trap af te dalen, Pascale met open mond achterlatend. Na een paar seconden boog ze zich naar voren om zich ervan te verzekeren dat hij inderdaad was vertrokken. Merkwaardige man...

Ze stak de overloop over en wierp een blik door het raam. Tot dan had ze weinig belangstelling voor bloemen of planten gehad. Zou ze er ten slotte door worden geobsedeerd, zoals haar moeder? Beneden, op het vergeelde gazon, stond Lestrade met zijn kruiwagen, waarin hij tuinhandschoenen, een gieter en een snoeisnaar had gelegd. Dacht hij misschien dat hij de bewaker van Peyrolles was? De huurders waren gekomen en gegaan, maar hij was er nog steeds en hij leek vastbesloten te blijven en desnoods voor niets te werken.

Ze wendde zich van het raam af, liep snel door de gang en begon de deuren een voor een te openen. Zes kamers en drie badkamers. Op de bovenverdieping was ook niets veranderd, maar al die lege vertrekken zagen er zo verlaten uit. De laatste deur, smaller en vergrendeld, gaf toegang tot de zoldertrap. Pascale haalde de sleutelbos uit de zak van haar spijkerjack en worstelde een tijdje met het slot. Ten slotte gaf de klink toe, met het geluid van scheurend rubber. De deurlijst was afgedicht, waarschijnlijk om te voorkomen dat er warmte verloren ging, want de zolder was niet geïsoleerd. De ruwhouten traptreden waren bedekt met een dikke laag stof en spinnenwebben, het bewijs dat de trap in geen jaren was gebruikt.

Toen Pascale de zolder betrad, ontdekte ze tot haar verbazing een heuse grot van Ali Baba. In één oogopslag herkende ze oude, vertrouwde meubels en voorwerpen. Meer dan twintig jaar geleden was een indrukwekkende verzameling oude spullen naar de zolder verbannen, ongetwijfeld om het huis vlug te kunnen verhuren.

'Kijk nou eens!' riep ze uit.

Haar stem weergalmde onder de eikenhouten balken en de roze dakpannen. Er hing een droge warmte die haar keel irriteerde, maar ze bleef een tijdje om te kijken wat ze zou kunnen gebruiken. Witgelakte rotanstoelen om weer in de wintertuin te zetten, een buikvormige ladekast, perfect voor in haar slaapkamer, de grote regencytafel die zijn oude plaats in de eetkamer weer zou innemen, en een roodgelakt kamerscherm dat haar moeder zelf met Oost-Indische inkt had gedecoreerd.

Het was misschien geen goed idee het decor van haar jeugd voor een deel weer op te bouwen, maar ze had er heel veel zin in, en het zou lang duren voor ze het geld zou hebben om meubilair te kopen. Toen ze op het punt stond de zolder te verlaten, dolblij met haar ontdekking, zag ze zichzelf in een grote, Venetiaanse spiegel die tegen een muur stond. Ze liep erheen en keek naar haar spiegelbeeld, dat vaag was door al het stof. Wat deed ze toch in haar eentje op de zolder van Peyrolles? Waarom had Samuel haar niet geholpen om de kinderen te krijgen waar ze zo naar verlangde, om een gezin te stichten? Hij had verstek laten gaan in plaats van met haar mee te vechten, zo had hij hun huwelijk naar de knoppen geholpen. En nu moest ze absoluut de verloren tijd inhalen, omdat ze al tweeëndertig was!

'Ik zal het je nooit vergeven, Sam,' bromde ze.

Na hun scheiding was ze 's avonds vaak uitgegaan om afleiding te zoeken, maar onder alle mannen die haar vriendinnen aan haar voorstelden had ze geen interessante man gevonden. Ten slotte had ze de voorkeur aan nachtdiensten gegeven boven feestjes waarop ze zich toch maar dood verveelde.

'Dat is allemaal afgelopen, ik ga mijn leven veranderen,' zei ze tegen haar spiegelbeeld.

Ze was mooi – dat had ze zo vaak gehoord, dat ze het wel moest geloven –, ze oefende een boeiend beroep uit en ze ging op Peyrolles wonen: spoedig zou de toekomst haar toelachen. Ze maakte een bemoedigend gebaar tegen haar spiegelbeeld alvorens zich af te wenden.

Marianne zat nerveus met haar ketting te spelen. Een sieraad dat Sam haar een week geleden voor haar verjaardag had gegeven, maar ze had hem wel naar de etalage van de juwelier moeten meeslepen. 'Als je me een cadeau wilt geven, dáár droom ik van!' Ze had zomaar wat aangewezen. Wat ze in werkelijkheid wilde, was zijn reactie zien. Aanvankelijk verbaasd had hij geknikt en was daarna de winkel binnengegaan, terwijl zij op het trottoir was achtergebleven. Ze had op iets anders gehoopt – lieve woordjes, een liefdesverklaring – maar ze had zich met zijn goede wil tevreden moeten stellen. Twee minuten later had hij het juwelendoosje met een vriendelijke glimlach aan haar gegeven. Wat was ze toch een dwaas! Waarom had ze hem er op zo'n onbeholpen manier toe gedwongen? Omdat ze bang was geweest dat hij de datum zou vergeten, zoals hij alles vergat wat haar betrof? Als ze geduldiger was geweest, kalmer, zou ze dan recht op een romantische verrassing hebben gehad? Nee, dat was niet waarschijnlijk, Sam zou nooit de charmante prins zijn die ze zich wenste.

Hij zat naast haar en had zojuist een heimelijke blik op zijn horloge geworpen, alsof hij zich ergerde aan het te laat komen van zijn ex-vrouw. Was hij geërgerd of ongeduldig? Hij sprak zo liefdevol over haar, dat Marianne jaloers en tegelijkertijd erg nieuwsgierig was. Ze had erop gestaan vanavond met hem mee te gaan, onder het voorwendsel dat ze Pascale wilde leren kennen en misschien vriendschap met haar sluiten. Hij was met tegenzin gezwicht, omdat hij geen enkele goede reden had kunnen verzinnen om te weigeren.

Marianne kreeg de jonge vrouw die zojuist de zaal was binnengekomen het eerst in het oog. Een slank figuur dat goed uitkwam door een nauwsluitende spijkerbroek en een heel kort jasje. Verder droeg ze een eenvoudige, witte blouse waarvan het kraagje opstond. Lang zwart haar, steil en glanzend, dat met een fraaie haarklem bijeen werd gehouden, en grote, donkere, amandelvorige ogen, die afstaken tegen een bleke gelaatskleur. Met een vluchtig gevoel van angst besefte Marianne dat Pascale Fontanel precies haar tegenpool was. De donkere en de blonde, de slanke en de mollige...

Samuel was al overeind, er speelde een irritante, gelukzalige glimlach om zijn lippen.

'Hoe gaat het met je?'

Hij vroeg dat niet uit beleefdheid, hij leek zich écht voor het antwoord te interesseren. Terwijl hij een beschermende arm om de schouders van Pascale sloeg, herinnerde hij zich ineens de aanwezigheid van Marianne.

'Ik stel je voor aan Marianne, een vriendin, en dit is Pascale...'

Een vriendin? Marianne was boos, maar toch lukte het haar een glimlach te voorschijn te toveren en een woord van welkom te mompelen, terwijl de jonge vrouw tegenover hen ging zitten.

'Weet je dat ik hier al op mijn tiende kwam, samen met papa en Adrien?' zei ze opgetogen.

'Hier in *Abattoirs*?'

'Ja, we lunchten er op de zaterdagen waarop mama boodschappen in Toulouse wilde doen. Er is niets veranderd, zelfs de bankjes zijn hetzelfde! Ik hoop dat het vlees nog steeds zo lekker is...'

Haar stem was laag, een beetje schor, in tegenstelling tot die van Marianne, die vrij schel was.

'Ik neem biefstuk, medium,' zei ze na een vluchtige blik op de kaart te hebben geworpen.

Toen ze opkeek richtte ze zich tot Marianne.

'Bedankt dat jullie deze avond tijd voor mij hebben vrijgemaakt. Ik zal proberen jullie niet te vermoeien met het verhaal over de koop van het huis...'

'Er is niet veel meer te doen,' zei Samuel. 'De bank is akkoord gegaan en zal het geld vrijgeven op de dag waarop je bij de notaris je handtekening zet. Je moet je nieuwe arbeidscontract naar hen opsturen als je dat hebt getekend, maar dat is slechts een formaliteit.'

'Waarom? Denken ze dat een werkloze longarts niet bestaat?'

'Zoiets, ja. Hoe dan ook, de lening bevat een verzekering en vergeet niet dat ze Peyrolles in hypotheek zullen hebben.'

'Dat zal ik heus niet vergeten!' zei ze lachend.

Vond ze het leuk om zich voor tien jaar in de schulden te steken? Sam had waanzinnig veel tijd aan de zaken van zijn ex-vrouw besteed. Marianne vond dat hij te veel gewicht aan haar hechtte.

'Morgenochtend om negen uur hebben we een afspraak met Laurent Villeneuve,' bracht hij Pascale in herinnering. 'Je zult zien dat hij heel sympathiek is voor een ziekenhuisdirecteur!'

Deze keer voelde Marianne dat ze ontstemd raakte. Zij werkte óók in dat ziekenhuis, maar als eenvoudige secretaresse behoorde ze niet tot de elite die gevormd werd door de directie, afdelingshoofden, artsen, en, in het uiterste geval, verpleegkundigen. Een groep waarbij Pascale Fontanel zich zou aansluiten, zodra ze was gearriveerd.

'Laurent is een uitstekende piloot,' voegde Sam eraan toe, 'en wij zijn lid van dezelfde vliegclub. Je moet je echt inschrijven!'

Twijfelend schudde Pascale haar hoofd, wat haar zwarte haardos bevrijdde. Ze raapte de haarklem op die op de tafel was gevallen en begon ermee te spelen.

'Voorlopig heb ik andere financiële prioriteiten. En als ik heel veel zin heb om te vliegen, kun jij me meenemen voor een tochtje! Hou jij van vliegen, Marianne?'

'Ik weet het niet. Samuel heeft me er nog niet in ingewijd.'

Ze had een beetje koel geantwoord, maar het ging over een gevoelig onderwerp. Voor Sam was de vliegclub iets heel persoonlijks. Hij had nog nooit aan Marianne voorgesteld hem te vergezellen. Ze troostte zich met de gedachte dat hij liever alleen wilde zijn met zijn vrienden, mannen onder elkaar, maar toch had hij Pascale er zojuist enthousiast voor gemaakt.

'Als jullie er een dezer dagen naartoe gaan, ga ik graag mee,' zei ze op een toon die, naar ze hoopte, achteloos klonk.

'Je kunt zonder angst met Pascale in een helikopter stappen,' verklaarde Sam.

Waarschijnlijk was dat een compliment, weer eentje te midden van alle vriendelijke woorden die hij tegen zijn ex-vrouw had gezegd.

'Ik denk niet dat ik de eerste tijd zin zal hebben om op mijn vrije dagen naar Toulouse te rijden,' zei Pascale. 'Ik ben heel blij dat je me aan die baan in Purpan hebt geholpen, maar als er op een goeie dag een mogelijkheid in het ziekenhuis van Albi is, zou ik me, eerlijk gezegd, opgelucht voelen.'

'Pascale!' protesteerde Sam. 'Na Necker zou je het ziekenhuis van Albi een eerstehulppost in de rimboe vinden.'

Ze lachte luid om de grap, en Marianne keek nóg norser. Als ze een van die discussies zouden aangaan waar artsen zo van hielden, zou ze doodgaan van verveling.

'Het is een goed ziekenhuis, het zou uitstekend bij me passen. En er is ook nog de Claude-Bernard kliniek, met tweehonderd bedden en tien operatiekamers. Ik heb me goed laten informeren, Sam...'

'Autorijden is een ramp,' kwam Marianne tussenbeide. 'Ik begrijp dat Pascale er niet al haar vrije tijd aan wil besteden. Vooral niet met dat krankzinnig drukke verkeer van Toulouse. Op sommige avonden kost het je een uur om de stad uit te komen!'

Het was beter haar geen idyllisch beeld van de situatie te geven. Het was verre van leuk om 80 kilometer van je werkplek te wonen, en hoe eerder Pascale zich in Albi zou terugtrekken, hoe beter het voor iedereen zou zijn. Marianne dronk haar glas leeg om moed te scheppen. Daarna legde ze haar hand op die van Samuel, met een opzettelijk sensueel gebaar.

'Ik zou nog wel een beetje wijn lusten, schat...'

Hij maakte zich los om de fles te pakken en bediende haar zonder een woord te zeggen. Ook al was hij ontstemd, ze had er geen spijt van dat ze de zaak had rechtgezet. Nee, ze was niet 'een vriendin', ze was zijn minnares, de vrouw die hij mee naar huis zou nemen, met wie hij vanavond de liefde zou bedrijven.

Pascale sloeg hen geamuseerd en welwillend gade. Blijkbaar stoorde het haar niet om te zien dat haar ex door een andere vrouw werd geliefkoosd, wat een hele opluchting voor Marianne was.

'Waar logeer je?' vroeg Sam.

'In het Hôtel des Beaux-Arts.'

'Ik kom je morgenochtend om halfnegen halen,' zei hij terwijl hij een ober wenkte.

Hij betaalde de rekening. Toen liepen ze naar buiten, de zachte avondlucht in.

'Ik ga te voet naar het hotel, het is niet ver,' besloot Pascale. 'Bedankt voor het etentje, Sam.'

Ze kuste hem vluchtig op de wang en daarna wendde ze zich tot Marianne.

'Ik ben blij dat ik kennis met je heb gemaakt. Tot gauw, hoop ik.'

Met resolute stappen en zonder zich om te draaien liep ze weg, in de richting van het place Saint-Cyprien. Na de rue de la République zou ze alleen nog maar de Garonne hoeven oversteken om haar hotel te bereiken.

Aangezien het niet zo laat was, waren er nog veel mensen op straat.

Pascale ging een beetje langzamer lopen om van haar wandeling te genieten. Sam had de hele avond een gespannen indruk gemaakt, maar misschien had hij zich opgelaten gevoeld door de aanwezigheid van Marianne. In dat geval zou ze het met hem uitpraten, hij had het recht om een nieuw leven te beginnen, en dat meisje was prima. En smoorverliefd! Tenminste, ze had het nodig gevonden dat openlijk te tonen. Natuurlijk verdiende Sam het ruimschoots om te worden bemind. Niemand kon aardiger en charmanter zijn dan hij, als hij het wilde, en hij was ook een betrouwbare, onbaatzuchtige, gulle man. Hij was dan wel niet meer haar echtgenoot, maar hij bleef haar vriend, haar beste vriend, de enige die haar de afgelopen tijd had gesteund. Ze zou vast wel iets vinden om hem haar erkentelijkheid te bewijzen. Had hij haar vergeving nodig om gelukkig te zijn met Marianne?

Op de Pont-Neuf bleef ze even staan. Een muzikant, die op de grond zat, speelde melancholiek op zijn saxofoon, omgeven door een paar glimmende munten. Pascale boog voorover om twee euro aan zijn voeten te leggen, daarna vervolgde ze haar weg. Ze wist nog niet of ze van Toulouse of van het Purpan ziekenhuis zou gaan houden, maar ze was er zeker van dat ze de juiste beslissing had genomen door haar leven radicaal te veranderen. Wonen op Peyrolles zou een heerlijk avontuur zijn. Ze was bereid ervoor te vechten, als dat moest.

'Ik kan er niet over uit!' herhaalde Aurore voor de derde keer.

Pascale had de jonge vrouw onmiddellijk herkend, een knappe roodharige met sproeten. Er waren heel wat jaren voorbijgegaan, maar nadat ze elkaar twee seconden hadden aangekeken waren ze elkaar al in de armen gevallen.

'En je gaat hier werken? Dat is geweldig!'

Ze hadden samen op de basisschool gezeten, daarna op de middelbare school in Albi, en toen Pascale de regio had verlaten, hadden ze gezworen dat ze elkaar zouden schrijven. In de loop van de tijd was daar de klad in gekomen. Ten slotte hadden ze elkaar alleen nog maar een kerstkaart en een verjaardagskaart toegestuurd. Pascale wist dat Aurore verpleegster was geworden, maar ze had nooit gedacht haar in

Purpan te zullen terugvinden, op de afdeling longziekten, die ze zojuist in gezelschap van de directeur van het ziekenhuis had bezocht.

Gearmd verlieten ze de afdeling om naar het restaurant op de begane grond te gaan. In het kort vertelde Pascale waarom ze ervoor had gekozen terug te komen en dat Peyrolles haar eigendom zou worden. Aurora was verrukt bij het idee dat ze het huis, waarin ze zo vaak had gespeeld en waaraan ze een geweldige herinnering bewaarde, terug zou zien.

'Is het nog steeds zo prachtig?'

'Een beetje aangetast door de tijd en de successievelijke huurders, maar over het geheel genomen is het nog in goede staat.'

Ze haalden herinneringen aan oude schoolvriendinnen en kinderpartijtjes op en daarna gaven ze elkaar een kort verslag van hun leven. Aurore kende Samuel van gezicht en ze vond het grappig dat hij Pascales man was geweest. Wat haar betrof, zíj was haar zielsverwant nog niet tegengekomen, maar ze wilde absoluut geen man uit de ziekenhuiswereld.

'Al die artsen doen heel arrogant tegen de verpleegsters, terwijl ze zich alleen maar afvragen hoe zij ze in hun bed kunnen krijgen. Niets voor mij! Maar je zult wel zien dat er weinig playboys op de afdeling zijn...'

'En hoe is de sfeer?'

'Het is hard werken geblazen. Het hoofd is een afschuwelijke vrouw die...'

'Ja, dat idee had ik ook al! Ik ben net in haar kamer geweest. Zo'n ontvangst had ik niet verwacht: kil, minachtend, vijandig. Ze heeft me de baan met tegenzin gegeven. Je zou denken dat alleen het gebrek aan kandidaten haar dat heeft doen besluiten.'

'Nadine Clément is een echte feeks,' zei Aurore terwijl ze zachter ging praten, 'en bovendien houdt ze niet van nieuwe gezichten! Maar aan de andere kant is ze heel vakkundig, dat moet ik haar nageven.'

'Dat is het belangrijkste, en de rest neem ik op de koop toe,' verklaarde Pascale.

Toch voelde Pascale zich opgelucht bij het vooruitzicht een vriendin op de afdeling te hebben. Ze was gewend aan de ziekenhuishiërarchie, het gekonkel, de stoten onder de gordel en de kletspraatjes, maar ze had absoluut geen zin om vanaf de eerste dag aan de oorlog te gaan deelnemen.

'Het spijt me van je moeder,' vervolgde Aurore. 'Ik herinner me haar als een heel mooie vrouw, mysterieus, exotisch... Het soort moeder dat alle meisjes hadden willen hebben! Ik denk dat de hele klas jaloers op je was vanwege je grote broer, je huis en je ouders.'

'Echt waar? Weet je, als kind besef je al die dingen niet.'

'Wat mezelf betreft, ik troostte me door tegen mezelf te zeggen dat er bij mij thuis tenminste vaak werd gelachen. Mijn moeder was ontzettend vrolijk, dat is ze trouwens nog steeds, terwijl jouw moeder altijd zo verdrietig leek... Had ze zorgen?'

'Destijds? Nee... Niet dat ik me kan herinneren.'

De herinnering aan die tijd stemde Pascale verdrietig. Twintig jaar terug was haar moeder niet ziek geweest, maar ze had inderdaad een nogal melancholieke indruk gemaakt en haar glimlachjes hadden altijd iets geforceerds gehad.

'Mijn vader wilde dolgraag naar Parijs verhuizen, hij was ervan overtuigd dat mama zich op Peyrolles verveelde. Ik weet niet of hij er goed aan heeft gedaan.'

Aurore wierp een blik op de wandklok en sprong overeind.

'Mijn pauze is om, ik moet weer naar boven. Ik voel er niets voor om een uitbrander te krijgen! Wanneer kom je bij ons werken?'

'Over een week.'

'Bel me een dezer dagen op, dan gaan we uit eten en zal ik je op de hoogte brengen van alles wat je van de afdeling moet weten.'

Ze haalde een stukje papier en een pen uit haar borstzak, krabbelde het nummer van haar mobieltje neer en gaf het aan Pascale.

Pascale keek haar na terwijl zich door de hal haastte, in de richting van de personeelsliften. Professor Nadine Clément leek een schrikbewind te voeren, maar het deed er niet toe. Pascale vond dat er op haar werk als longarts niets was aan te merken, en ze was van plan hard te werken om zich een plaats in Purpan te veroveren.

Terwijl ze het ziekenhuis verliet, probeerde ze zich alle informatie die Laurent Villeneuve had gegeven te herinneren. Hij had haar heel hoffelijk ontvangen en begeleid, wéér een gunst die ze aan Sam te danken had. Wat zou er zonder hem van haar zijn geworden? Misschien zou ze niet de moed hebben gehad de sprong te wagen als hij de moeilijkheden niet een voor een uit de weg had geruimd: hij had onderhandelingen met de bank gevoerd, bemiddeld voor deze baan als longarts en, niet te vergeten, haar persoonlijk een som geld geleend. Ze nam zich heilig voor zich vanaf nu in haar eentje te redden. Allereerst moest ze ervoor zorgen dat ze gauw haar intrek in Peyrolles kon nemen. Ze had niet meer dan een week om alles te plannen, en de lijst van dingen die ze nog moest doen werd steeds langer. Ze moest de paar meubels die ze had uit Parijs laten komen en andere van zolder halen en beneden neerzetten. Desnoods liet ze dat, tegen betaling, door Lucien Lestrade doen, als hij tijd had. Dan moest ze nog de kasten met levensmiddelen vullen, haar administratieve zaken afhandelen, even snel naar Saint-Germain gaan om haar koffers te pakken... en de onontbeerlijke auto kopen om tussen Albi en Toulouse op en neer te kunnen rijden.

Van opwinding begon ze sneller te lopen. Ze had de teugels van haar leven weer in handen genomen, ze was niet bang meer.

3

NADINE CLÉMENT SLOEG DE DEUR VAN HAAR WERKKAMER DICHT. IN één maand tijd was haar afkeer van de kleine Fontanel alleen maar toegenomen. Met welk recht hadden ze die vrouw aan haar opgedrongen? En hoe moest ze haar weer kwijtraken? Natuurlijk, Pascale Fontanel was een prima longarts. Uitstekende diagnose, zeer menselijk – te menselijk? – contact met de patiënten en heldere, bondige rapporten. En ze hield zich aan de voorschriften. Pascale Fontanel leek bijna onaantastbaar. Maar de talrijke onderzoeken die ze voorschreef waren soms overbodig. In zo'n groot ziekenhuis moest elk afdelingshoofd de uitgaven van zijn of haar afdeling controleren. Nadine zou dat aangrijpen om Pascale bij zich te laten komen en haar de les te lezen, alleen maar om haar reactie te zien. Als bleek dat dat verwaande mens niet in staat was berispingen te accepteren, zou dat een goede gelegenheid zijn om haar op haar plaats te zetten of zelfs een scène te maken.

Nadine boog zich over haar intercom en vroeg aan haar secretaresse of ze de dossiers wilde brengen van alle patiënten die door dokter Fontanel werden behandeld. Alleen al de naam vond ze onverdraaglijk. De Fontanels! Sinds ze de streek twintig jaar terug hadden verlaten was Nadine hen vergeten. Opgeruimd staat netjes! had ze gedacht. En nu kwam de bloedeigen dochter van Camille terug en bleek ze ongelooflijk veel op haar moeder te lijken. Die zogenaamde Aziatische charme, volstrekt onuitstaanbaar. Trouwens, Nadine had haar buik vol van Vietnam en de Indochina-oorlog, in haar jeugd had ze er te vaak over horen praten.

De secretaresse kwam binnen met een stapel grote, stevige mappen. Elke longpatiënt had zijn eigen map, voorzien van een etiket met de naam van de behandelend arts. Had de kleine Fontanel al die mensen in de afgelopen vier weken onderzocht?

De deur werd geruisloos gesloten en Nadine was opnieuw alleen. Ze terroriseerde haar medewerkers, daar was ze zich heel goed van bewust, maar ze was ervan overtuigd dat haar afdeling er alleen maar beter van werd. Orde en stiptheid waren haar stokpaardjes. Omdat ze door een militair was grootgebracht? Ze haalde haar schouders op en stortte zich op de dossiers, vastbesloten de zwakke plek te vinden.

'En dan te bedenken dat je op die foto zo'n engelengezichtje hebt!' zei Laurent Villeneuve met een zucht.

Hij wees naar de reeks foto's waarop de zes instructeurs van de vliegclub stonden, Samuel met een innemende glimlach. Hij kwam zeer vertrouwenwekkend over.

'Heeft hij je het leven zuur gemaakt?' vroeg de penningmeester, die die dag achter de bar stond. De leden van de club speelden om de beurt de rol van barkeeper.

'Turbulentie,' zei Samuel.

Met een gelaten grijns rolde Laurent met zijn ogen.

'De truc was: hoogte winnen en de machine daarna als een baksteen laten vallen. Je maag draait ervan om!'

'Die noodtoestand behoort tot de dingen die je later misschien het hoofd moet bieden,' bracht Sam hem in herinnering.

'Ik denk dat ik een andere instructeur neem,' zei Laurent quasi-serieus. 'En om dat te vieren, geef ik een rondje...'

In werkelijkheid was hij dolblij dat Samuel zijn instructeur was, want ze konden heel goed met elkaar opschieten en deelden hun passie. Laurent had lang geleden al zijn vliegbrevet gehaald, maar een paar maanden terug was hij zich ook voor helikopters gaan interesseren. De eerste vlucht had hem zo enthousiast gemaakt, dat hij zich diezelfde dag nog als leerling had ingeschreven. Als piloot had hij geen enkele moeite met de navigatie, maar dat gold niet voor de besturing. Het besturen van een helikopter was veel lastiger dan het besturen van een vliegtuig, en het vergde meer bekwaamheid. Laurent was gewend om zonder na te denken aan de stuurknuppel van een tweemotorig vliegtuig te trekken, maar hij vond het moeilijk om van techniek te veranderen. Het angstzweet brak hem uit bij het opstijgen, het landen en, nog erger, als hij met stationair draaiende motor stil in de lucht hing.

Ze dronken bier en wisselden de gebruikelijke grapjes uit. Daarna gingen ze aan een tafeltje zitten. In de vliegclub rondhangen te midden van mannen die alleen maar over vluchtplannen of luchtacrobatiek spraken, was een van de zaterdagse genoegens.

'Bevalt het je ex bij ons?' vroeg Laurent.

'Voor zover ik weet, wel. Maar ik kom haar niet vaak tegen in het ziekenhuis, en ze is druk in de weer met haar huis.'

'Ze woont toch vlak bij Albi?'

'Boven Gaillac, tussen Labastide en Castelnau-de-Lévis. Een prachtig familielandgoed dat ze in een opwelling van haar vader heeft gekocht. Ze wilde hier weer wonen, ik geloof dat ze niet zo dol was op Parijs en omstreken.'

'Ook niet toen jullie nog getrouwd waren?'

'Nee, ook niet.'

Sam stond op het punt er iets aan toe te voegen, maar besloot toen zijn mond te houden. De vragen van Laurent stoorden hem niet, maar hij merkte dat hij geen zin had om met een andere man over Pascale te praten. Vooral niet met een charmante vrijgezel. Laurent was onlangs achtendertig geworden. Hij had mooie, staalblauwe ogen en een onweerstaanbare, vriendelijke glimlach, en voor een hoge ambtenaar had hij een groot gevoel voor humor. Kortom, vrouwen voelden zich erg tot hem aangetrokken.

'Houd je nog van haar?' vroeg Laurent.

Hij staarde Sam aan, waarschijnlijk verbaasd dat Sam zo abrupt had gezwegen.

'Dat is nogal sterk uitgedrukt, laten we zeggen dat ik me nog steeds een beetje... betrokken bij haar voel. Dat is natuurlijk idioot, ze heeft lang geleden de bladzijde omgeslagen.'

'En jij niet? Ik dacht dat je met Marianne...'

'Ja, ja,' bevestigde Sam zonder veel overtuiging. 'Marianne is een lief meisje.'

Aangezien hij daar niets aan wist toe te voegen hulde hij zich opnieuw in stilzwijgen, wat Laurent een glimlach ontlokte.

'Ik begrijp het, aha.'

Zijn ironie irriteerde Samuel. De laatste tijd gebeurde dat telkens wanneer het over Pascale ging. De wetenschap dat ze zo dicht bij was maakte hem nerveus en Marianne liet geen gelegenheid voorbij gaan om hem daarop te wijzen. Dat hij nog van Pascale hield was een ding dat zeker was, en misschien zou hij wel altijd van haar blijven houden, zoals een verloren paradijs! In elk geval had hij er moeite mee het toe te geven. Trouwens, hij verspilde zijn tijd. Zolang hij aan Pascale dacht, zou hij zich niet aan een andere vrouw kunnen hechten, wat belachelijk, schadelijk en ongezond was.

'Sam?'

Laurent bleef hem nieuwsgierig aankijken. Samuel deed een poging tot een glimlach.

'Je moet niet zo zeuren. Anders trek ik voor je volgende les alle registers open tot je niet eens je naam meer weet!'

'O, maar die is makkelijk te onthouden. Je schrijft hem net zo als je hem uitspreekt: "meneer de directeur".'

Sam begon te lachen. Hij haalde zijn schouders op en ging twee nieuwe biertjes halen.

Pascale viel neer op een grote poef van Marokkaans leer, wat een stofwolk deed opwaaien. Aurore, die met haar handen op haar heupen voor haar stond, protesteerde.

'Zeg niet dat je moe bent!'

'Ik ben kapot! Wil je dit monster écht houden?'

'Ik hou van exotische dingen en vanuit dat oogpunt is je zolder een ware grot van Ali Baba. Een beetje oppoetsen, en die poef ziet er weer prachtig uit!'

Ze hadden de hele dag met meubels lopen slepen, in een poging er de beste plek voor te vinden.

'Het is zo lief van je dat ik hier mag wonen,' herhaalde Aurore, minstens voor de tiende keer.

Ze waren samen op het idee gekomen, toen ze op een avond in een pizzeria zaten te eten en vertrouwelijkheden uitwisselden. Aurore slaagde er niet in de eindjes aan elkaar te knopen en ze probeerde constant haar banktekort aan te vullen. Ze was koopziek en kon slecht met geld omgaan, zodat het betalen van haar huur een echt probleem was geworden. Aangezien haar tweekamerflat, gelegen in een van de buitenwijken van Toulouse, onbetaalbaar en onaantrekkelijk was, had ze de huur met een opgelucht gevoel opgezegd en was bij Pascale ingetrokken. Het enige dat Pascale van haar had gevraagd was een vaste bijdrage aan de verwarmings- en elektriciteitskosten. Maar Aurore had gezegd dat ze ook alle doe-het-zelf klussen zou klaren. Als hun werktijden samenvielen, konden ze in één auto naar Toulouse rijden in plaats van ieder in haar eigen wagen. Een eenvoudige regeling, die als voordeel had hun eenzame vrijgezellenbestaan te doorbreken.

In Peyrolles voelde Aurore zich gelukkig en ze liep over van energie. Zowel het huis als het park fascineerde haar en ze gaf er handen vol geld aan uit. Haar lichtzinnigheid had ook een positieve kant, ze had altijd talloze, goede ideeën voor de inrichting van het huis. Zonder haar zou Pascale al gauw de moed hebben verloren, want het was duidelijk dat ze de omvang van haar taak had onderschat. Voor zichzelf had ze de slaapkamer van haar ouders uitgekozen, voor Aurore die van Adrien, en haar oude kinderkamer, groot en licht, was voor eventuele vrienden bestemd. Op de begane grond was, afgezien van de keuken, alleen de wintertuin ingericht. Het grote, rechthoekige vertrek, dat met een grote veranda was verlengd, was de fijnste plek van het huis. Pascale en Aurore zaten er soms tot diep in de nacht te praten terwijl ze kruidenthee dronken, gemaakt van kruiden uit de tuin: ijzerkruid, munt of lindebloesem. Ze waren van plan jam van de perziken en de kersen te maken, maar daar hadden ze natuurlijk nooit tijd voor.

'Vanavond,' zei Aurore, 'maak ik een reusachtige omelet met alle restjes, zoiets als een tortilla.'

'Dan ga ik brood kopen.'

Ze stonden met tegenzin op, beiden waren ze uitgeput na alle inspanningen van die dag.

'Een welbestede dag,' zei Pascale, terwijl ze om zich heen keek.

De kamer van Aurore was heel vrolijk geworden, met de roze gordijnen die uit een koffer waren opgevist, een opengewerkt kamerscherm dat omgebouwd was tot een enorme fotostandaard, een witte, met sjablonen beschilderde ladekast, en nu de grote Marokkaanse poef die tussen de twee ramen in stond. Pascale knikte goedkeurend en was geamuseerd. Waarom had *zíj* die verbeeldingskracht niet? Haar smaak, vrij klassiek, spoorde haar aan tot een zekere soberheid, maar had ze ooit de tijd gehad om zich met een huis bezig te houden? Tijdens haar huwelijk waren Sam en zij te veel door hun werk in beslag genomen om zich over het interieur van hun appartement druk te maken. Hoe dan ook, ze hadden er hevig naar verlangd om te verhuizen, wat ze inderdaad zouden hebben gedaan als Pascale zwanger was geworden...

Pascale rende de trap af, pakte haar tas, die op een van de tafeltjes in de hal lag, en ging naar buiten. In het naburige dorp waren slechts drie winkels: een bakkerij, een *bar-tabac:* een bar waar ook rookwaren, tijdschriften en kranten werden verkocht, en een slagerij. Pascale was er al verscheidene keren geweest, maar het was haar niet gelukt een gesprek aan te knopen. De mensen zagen haar voor een toeriste aan die op vakantie was, of ze hielden niet van haar Parijse accent. In elk geval had niemand haar vriendelijk ontvangen. Ze besloot nóg een poging te doen en uit te leggen wie ze was, of in elk geval te vertellen dat ze vlakbij woonde en een vaste klant zou worden.

Toen ze de bakkerswinkel binnenging, een glimlach om haar lippen, ving ze de vijandige blik op van de vrouw van middelbare leeftijd die achter de toonbank stond.

'Goedenavond, mevrouw, ik wil graag een stokbrood en een boerenbrood,' zei ze zo vriendelijk mogelijk.

'Gesneden?'

Haar toon was niet prettig, en haar gelaatsuitdrukking ook niet.

'Ja, alstublieft. Ik vind het heerlijk bij het ontbijt!'

Zonder op het compliment te reageren stopte de vrouw het brood in de snijmachine en hield haar blik erop gericht.

'Ik ben hier twee kilometer vandaan komen wonen,' vervolgde Pascale. 'Beter gezegd, ik ben hier wéér komen wonen, want ik heb hier mijn hele jeugd doorgebracht!'

'Bent u dan een Fontanel?' zei de bakkersvrouw eindelijk, duidelijk met tegenzin.

'Ja! Ik neem het familiehuis over.'

'Wat een gek idee.'

Teleurgesteld door haar reactie gaf Pascale haar een biljet van vijf euro.

'Uw ouders deden geen boodschappen in het dorp,' bromde de vrouw, terwijl ze het wisselgeld teruggaf. 'Maar waarschijnlijk heb ik u wel een paar keer gezien toen u klein was...'

'Nou, van nu af aan zult u me veel vaker zien!'

Na nog een glimlach, breder dan de eerste, draaide Pascale zich om en vertrok. Vreemde ontvangst voor een winkelierster die niet veel klanten leek te hebben. Het zou logischer zijn geweest als ze zich gastvrijer had gedragen of zich alleen maar nieuwsgieriger had getoond.

Pascale stak de straat over en duwde de deur van de bar annex sigarenwinkel open, waar ze een paar vrouwenbladen wilde kopen. Aurore vond het heerlijk om die bladen op zondagochtend door te bladeren. Ze was altijd geïnteresseerd in de laatste modetrends, in nieuwe interieurideeën, en in recepten, die ze dezelfde dag nog uitprobeerde, met wisselend resultaat.

'Lees je dát als je dokter bent?' zei de sigarenboer spottend, terwijl hij haar vanachter de toonbank uit de hoogte opnam.

'Het weekend is er om je te ontspannen!' antwoordde Pascale opgewekt.

Eindelijk iemand die niet de indruk wekte haar als een wildvreemde te beschouwen.

'Ik woon vlak bij het dorp,' zei ze, om het gesprek gaande te houden.

'Ik weet het, ik weet het... Alles is hier razendsnel bekend! Uw tuinman heeft het nieuws een maand geleden al verspreid.'

'Lucien Lestrade ís mijn tuinman niet. Hij is vastbesloten me te helpen, maar hij doet het voor niets. Ik heb momenteel niemand in dienst.'

'Voorlopig zult u hem niet zo ver kunnen krijgen dat hij Peyrolles vaarwel zegt,' zei de man, met een spotgrijns.

Hij was niet veel ouder dan Pascale en hij had haar familie indertijd vast niet gekend, wat hem spraakzamer leek te maken dan de bakkersvrouw.

'Lucien heeft het er vaak over. Over uw tuin, bedoel ik. Volgens hem is het iets bijzonders. Peyrolles hier, Peyrolles daar... Hij werkt bij iemand anders, maar toch houdt hij ervan om op Peyrolles bezig te zijn.'

'Het landgoed is niet meer wat het was,' antwoordde Pascale voorzichtig. Ze begon hem een beetje al te vrijpostig te vinden. 'Ik zal proberen er goed voor te zorgen, maar ik werk in Toulouse, dus heb ik geen tijd om...'

'Waarom zo ver weg? Uw vader had toch een praktijk in Albi?'

'U weet werkelijk álles!' riep ze met een geforceerde glimlach.

'De mensen kletsen aan de bar,' antwoordde hij, wijzend naar de flessen die ondersteboven hingen boven de toog. 'Ik heb deze kroeg tien jaar geleden overgenomen en sindsdien heb ik allerlei verhalen gehoord.'

Pascale borg haar portemonnee op, pakte haar bladen en liep naar de deur. Op het moment dat ze hem opendeed, riep de man: 'Men heeft hier verschillende meningen over de naam Fontanel.'

Opzettelijk langzaam draaide ze zich naar hem om.

'Ik begrijp u niet,' zei ze luid en duidelijk.

'Volgens mij heeft uw vader geen erg goede herinnering in dit gebied achtergelaten...'

Ze was stomverbaasd en aarzelde om te vertrekken. Die man kon wat dan ook zeggen om haar voor de gek te houden, maar intuïtief wist ze dat hij de waarheid sprak. Hij zou echt wel veel roddels te horen krijgen als hij achter zijn bar stond, en dankzij Lucien Lestrade was de terugkeer van Pascale naar Peyrolles niet onopgemerkt gebleven.

'Mijn vader is een uitstekende arts,' zei ze met vaste stem.

'O, dat heeft er niets mee te maken! Het gaat meer om zijn liefdesleven. De vrouw die levend is verbrand, de Chinese die...'

Hij zweeg abrupt en sloeg zich voor het hoofd.

'Wat ben ik toch een oen! Neem me niet kwalijk. Ik ratel maar door en praat als een kip zonder kop. Alstublieft, rookt u?'

Beschaamd hield hij haar een grote, luxe doos lucifers voor, alsof hij hoopte zijn blunder met het bespottelijke presentje te kunnen goedmaken.

'Nee, ik rook niet, dank u.'

'U kunt ze gebruiken om het fornuis of de open haard aan te steken.'

Hij liep om de toonbank en stopte de doos in haar hand.

'U moet het me niet kwalijk nemen... U heeft inderdaad iets Aziatisch, dat had ik moeten zien.'

Pascale wist niet wat ze moest doen. Ze pakte de doos lucifers aan en ging zonder nog een woord te zeggen naar buiten. 'De Chinese'... hadden de dorpelingen haar moeder zó genoemd? Uit machteloze woede, omdat ze al haar boodschappen in Albi deed? Omdat ze een halfbloed was?

Geërgerd keerde Pascale terug naar Peyrolles, terwijl ze over de woorden van de man nadacht. Allereerst, hoe had hij haar herkend? Was ze in dit afgelegen gehucht hét onderwerp van gesprek geworden? In dat geval zou ze er nooit meer heen gaan en zou zíj haar boodschappen ook in Albi halen, net als haar moeder. Wat dat 'liefdesleven' betrof, haar vader was geen Blauwbaard! Toch was het de tweede keer dat ze te horen had gekregen dat de Fontanels geen goede herinnering hadden achtergelaten. De taxichauffeur die haar op de dag na de begrafenis van haar moeder naar Peyrolles had gebracht, en nu die kroegbaas...

Toen ze thuiskwam, stond Aurore midden in de keuken op haar te wachten, een fles gaillac in haar hand.

'Ik heb tijd gehad om karamelpudding te maken, jij zult er heel enthousiast over zijn! Maar eerst gaan we wat drinken. Maak deze fles maar open, ik heb hem cadeau gekregen van een patiënt...'

Haar vrolijke stemming beurde Pascale zo op, dat ze de volstrekte dwaasheden die ze in het dorp had gehoord vergat. Op de tafel stonden twee hoge, koperen kandelaars met witte kaarsen.

'Zijn dat de kandelaars van de zolder?' vroeg Pascale verbaasd.

'Het is me gelukt ze met azijn en zout schoon te krijgen. Goed, hè? Ze zullen prachtig staan in de wintertuin, als we de ladekast naar beneden hebben gebracht en opnieuw hebben geschilderd! We zullen...'

'Morgen is het zondag!' protesteerde Pascale. 'Ik slaap de hele ochtend.'

'Maak je niet druk, we kunnen het in de middag doen.'

Aurore keek begerig naar het stokbrood dat ze tussen duim en wijsvinger hield.

'Ik ben gek op dat brood! We hebben mazzel dat we dicht bij een goede bakker wonen!'

'Misschien wel, maar de bakkersvrouw is erg onvriendelijk. Zowel bij haar als bij die vent van de sigarenwinkel had ik niet de indruk dat ik welkom was. Het is vreemd, de naam Fontanel lijkt verbonden te zijn met iets onaangenaams, terwijl ik juist dacht dat de herinnering die mijn vader en mijn grootvader hadden achtergelaten een soort toverwoord zou zijn.'

'Waarom?'

'Omdat ze uit deze streek afkomstig zijn en hier al generaties lang wonen, artsen van vader op zoon... Peyrolles is al bijna tweehonderd jaar familiebezit, besef je dat wel?'

'Nou en? Jullie behoren tot de rijken, die worden vrijwel altijd scheef aangekeken!'

'Als je hen mag geloven,' vervolgde Pascale, 'zou mijn vader er talrijke vrouwen op nagehouden hebben, maar hij was slechts een jonge weduwnaar die wilde hertrouwen. En dat heeft hij gedaan, niets meer en niets minder.'

'Behalve dat jullie op een goede dag zonder enige verklaring zijn vertrokken. Zo'n overhaast vertrek brengt de tongen in beweging!'

'Misschien...'

Pascale was niet echt overtuigd. Ze haalde de grote doos lucifers uit haar tas en begon de kaarsen aan te steken. De avonden waren korter, frisser, de herfst begon. Daarvan getuigden de dorre bladeren die de paden van het park begonnen te bedekken.

'Maar mijn moeder 'de Chinese' noemen!'

'Ze was toch een Vietnamese?'

'Half. Haar vader was een Fransman. Toen ze nog maar een paar maanden oud was, heeft hij haar uit Hanoi mee naar Frankrijk genomen. Ze is in Toulouse opgegroeid en had zelfs het accent van die streek! Oké, ze was misschien een beetje schuw... niet zo spraakzaam en extravert als de mensen hier. Maar volgens papa was ze niet erg gelukkig geweest bij haar familie, wat haar terughoudendheid verklaarde.'

'Heeft ze er niet met je over gesproken?'

'Over haar familie? Nee, nooit. Ze had met haar familie gebroken, ze had het er nóóit over. Je zou zeggen dat haar herinneringen begonnen bij haar ontmoeting met papa...'

Toch was haar moeder in de laatste jaren van haar leven van houding veranderd. Ze had haar man niet meer met dezelfde dankbare genegenheid aangekeken, en ze was iedereen gaan wantrouwen.

'Al met al weet ik niet veel van haar, en ook niet van haar jeugd en haar meisjesjaren.'

'O, klaag niet, ík ken elk detail, hoe klein ook, van mijn moeders jeugd! Ze heeft er eindeloos over zitten zeuren, je zou haast denken dat ze een heilige was...'

Aurore leek dat vermakelijk te vinden en ten slotte begon Pascale ook te glimlachen. Wat had het voor zin om naar het verleden terug te keren? Het verdriet om het verlies van haar moeder begon net een beetje minder te worden, en ze wilde er nu niet aan denken. Ze keek naar Aurore, die met vaste hand eiwit opklopte in een schaal. De avond begon al te vallen, maar het kaarslicht fleurde de keuken een beetje op.

'Je huis is uniek,' zei Aurore. 'Misschien zijn de mensen er daarom jaloers op. Luister niet naar roddelpraatjes, je hebt wel wat beters te doen.'

Haar gezelschap had beslist voordelen. Als je bij Aurore was, kon je niet lang verdrietig zijn; haar levenslust werkte aanstekelijk. Toch nam Pascale zich voor een paar vragen aan haar vader te stellen wanneer ze hem weer aan de lijn had.

Nadine wankelde door de schok en slaakte een luide vloek. Beduusd stak Laurent Villeneuve haar zijn hand toe, alsof hij bang was dat ze zou omvallen.

'Het spijt me zeer, we liepen beiden te hard...'

In de bocht van een gang waren ze tegen elkaar op gebotst, allebei gehaast en in beslag genomen door hun drukke werkzaamheden.

'Ik ben op weg naar chirurgie om een van mijn patiënten te bezoeken,' verklaarde Nadine.

Was ze bang dat hij zich zou afvragen waarom ze haar afdeling in allerijl verliet? Hij moest bijna glimlachen bij het idee, maar hij hield zich in, haar karakter kennende. Trouwens, Nadine Clément kon gaan en staan waar ze wilde, het liet hem volledig koud. Ze was een van de beste afdelingshoofden van het ziekenhuis en het enige waar hij zich wat haar betrof zorgen over kon maken, was haar leeftijd. Ze was vierenzestig. Ze leek vaak uitgeput en kwam dan meer adem te kort dan het merendeel van haar patiënten.

Hij ging opzij om haar door te laten en keek haar na terwijl ze haastig wegliep. Een briljante vrouw, maar eentje die niet echt goed voor zichzelf zorgde. Ze was te dik omdat het haar niets kon schelen wat ze at, ze was nooit goed gekapt, want ze knipte haar haren zelf en nam niet de moeite ze te verven, en ze kleedde zich bepaald niet met zorg. Het was niet verbazingwekkend dat ze zo agressief deed tegen de knappe vrouwen van haar afdeling! In het bijzonder Pascale Fontanel, die ze minstens één keer per week berispte. Hetzij via boze briefjes die zich op zijn bureau opstapelden, hetzij via uitbranders die hem altijd ter ore kwamen.

Terwijl hij midden in de gang stond, vroeg hij zich af wat hij eigenlijk was komen doen op de afdeling longziekten. De gemoederen kalmeren? Dat was zijn taak niet. Als hij wilde, kon hij het UMC van Purpan leiden vanachter zijn bureau. Het ging hoofdzakelijk om administratief werk, en hij had medewerkers voor de intermenselijke relaties. Nee, de échte reden van zijn kleine wandeling naar deze afdeling was, dat hij simpelweg zin had om een paar woorden met Pascale Fontanel te wisselen, die hij naar zijn smaak te weinig zag. Hij was haar één keer tegengekomen in een van de zalen, en op dat moment had hij opnieuw gezien hoe knap ze was. De week daarop had hij haar langs zijn raam zien lopen, en toen had haar silhouet hem absoluut bekoord. Daarna had hij haar nog een keer ontmoet op de parkeerplaats van de artsen. Ze had staan worstelen met de afstandsbediening van haar portier, het alarm van haar Clio was afgegaan. Hij had haar laten zien hoe ze het moest uitschakelen. Terwijl hij van dichtbij naar haar keek waren hem twee dingen opgevallen: haar gladde huid en haar stralende glimlach. De dagen erna had hij er steeds aan moeten denken.

Twee verpleegsters kwamen hem tegemoet en gaven hem een knikje. Ineens begon hij te beseffen dat het een vreemd gezicht moest zijn hem, als aan de grond genageld, op de gang te zien staan. Hoe dan ook, hij haalde nooit werk en plezier door elkaar. Er was geen sprake van dat hij wie dan ook in dit ziekenhuis probeerde te versieren. Afgezien van het feit dat zijn vriend Samuel Hoffmann het absoluut niet zou waarderen als er een poging werd gedaan zijn ex-vrouw te verleiden, van wie hij zich duidelijk nog niet echt had losgemaakt. Arme Sam...

'Goedemorgen, meneer Villeneuve!' zei Pascale.

Automatisch beantwoordde Laurent haar groet. Ze kwam uit een onderzoekkamer, met haar stethoscoop om haar hals, en een hemelsblauwe trui onder haar witte doktersjas.

'Wanneer sluit u zich bij onze vliegclub aan, dokter Fontanel?'

'Als ik het me qua werkrooster en qua geld kan veroorloven, dus het kan nog wel een tijd duren.'

Haar glimlach was stralend. Hij gaf toe aan zijn verlangen met haar te blijven praten.

'Bent u al aan de afdeling gewend?'

'Jazeker... Professor Clément is niet altijd even gemakkelijk, maar ze doet haar werk uitstekend.'

Er was geen spoortje bitterheid of ironie in haar woorden, wat hij op prijs stelde.

'Nadine Clément vindt dat u een beetje kwistig bent met het voorschrijven van onderzoeken. Bijvoorbeeld een aantal scans die overbodig waren, volgens het briefje dat ik van haar kreeg.'

'Overbodig? Ik schrijf ze voor als ik twijfel, dat is normaal. Ze heeft er al met me over gesproken en ik dacht dat ik het had uitgelegd.'

'Zoals u weet, proberen we te bezuinigen,' pleitte hij.

'Niet ten koste van de patiënten!'

Haar glimlach was verdwenen. Ze keek hem met gefronste wenkbrauwen aan, klaar om haar standpunt te verdedigen. Terwijl hij naar een passend antwoord zocht, zag hij Nadine Clément naderen.

'Welnu....' prevelde hij om Pascale te waarschuwen.

'Ik hoop dat u dokter Fontanel tot rede brengt!' zei Nadine terwijl ze naast hem ging staan. 'Haar patiëntendossiers worden zo dik als telefoongidsen.'

Dat kwetste Pascales gevoel van eigenwaarde. Ze rechtte haar rug en ging in de verdediging.

'Ik heb niets overbodigs voorgeschreven. Wanneer het mogelijk is, stel ik een diagnose. Als u verwijst naar de patiënt van vanmorgen, de auscultatie was niet significant en op de röntgenfoto's was niets bijzonders te zien. Maar het is een man van vijfenzestig, die stevig rookt sinds zijn tienertijd en klaagt over benauwdheid en...'

'Nee, maar,' zei Nadine terwijl ze haar ogen naar de hemel opsloeg.

Zonder op de onderbreking in te gaan vervolgde Pascale: 'Ik heb een hele serie onderzoeken voorgeschreven, dat is waar, om te zien in hoeverre het emfyseem de longen al heeft aangetast en hoe we de man zouden kunnen helpen.'

'Waarom raad je hem niet aan te stoppen met roken?' zei Nadine spottend.

'Omdat hij daar niet toe heeft besloten, heel simpel. Ik wil weten of er een laesie is, als...'

'Grote genade, u gedraagt zich als een beginneling! Er is een speciaal spreekuur voor rokers, en degenen die per se hun eigen graf willen graven met hun peuken, zijn de plaag van mijn afdeling! Maar u bent geen co-assistent. Neem uw verantwoordelijkheid zonder u systematisch achter resultaten te verstoppen voordat u ook maar enig initiatief durft te nemen!'

Beide vrouwen waren harder gaan praten. Laurent kwam tussenbeide.

'Ik weet dat u een bloedhekel aan sigaretten hebt, Nadine, maar toch...'

'Als u zou zien wat voor verschrikkingen ik hier het hele jaar door behandel, zou u het met me eèns zijn. Hoe het ook zij, ons gesprek gaat niet over de kwalijke gevolgen van het roken, maar over het buitensporige voorschrijven van dokter Fontanel. Als je niet zeker van jezelf bent, liefje, stuur de patiënt dan naar míj. Al zit ik tot over mijn oren in het werk, ik zal heus wel vijf minuten vinden om uw dwaasheden te herstellen!'

Ze benadrukte haar laatste zin met een sarcastisch lachje alvorens weg te lopen. Pascale was wit van woede, maar toch gaf ze geen commentaar. Ze beperkte zich tot een stijf knikje in de richting van Laurent en liep naar de verpleegstersbalie. Om op zo'n manier op haar plaats te worden gezet was des te vervelender omdat ze zichzelf niets te verwijten had. De nieuwe generatie artsen gebruikte graag scans en andere middelen van onderzoek, terwijl de oude garde op hun ervaring vertrouwde. De eeuwige strijd tussen oud en jong.

Laurent besloot in actie komen; plotseling had hij haast om naar zijn kantoor terug te keren. Een medisch centrum als Purpan leiden was geen sinecure. Ook hij had het razend druk, Nadine Clément was niet de enige die zich overbelast voelde.

In de lift die hem naar de begane grond bracht begon hij te hopen dat het conflict tussen de twee vrouwen zich niet zou toespitsen. De duidelijke vijandigheid van Nadine leek extreem, zelfs als je rekening hield met haar rotkarakter. Sinds er sprake van was geweest om Pascale in dienst te nemen, had Nadine een hekel aan Pascale gehad. Waarom? Omdat ze jong en mooi was en van een groot ziekenhuis in Parijs kwam? Nee, er moest een andere reden zijn. Uit de manier waarop Nadine 'dokter Fontanel' zei, met woede en minachting, was al een soort van haat op te maken. Als dat zo was, zou de situatie alleen maar kunnen verslechteren. Geïrriteerd door dat vooruitzicht stormde Laurent door de gangen. Het was zijn taak niet om Pascale te beschermen, en hij moest écht ophouden eraan te denken.

'Nee, ik ga níét akkoord!' riep Marianne uit. 'Ik wil niet in mijn eentje vakantie vieren. Ik heb tot oktober gewacht om met jou te kunnen vertrekken en nu zeg je dat je niet met me meegaat!'

'We hebben een waanzinnig druk programma op de operatieafdeling,' verzuchtte Samuel. 'Het is onmogelijk om twee weken achter elkaar vrij te nemen.'

'Je moet toch uitrusten?'

'Ik zal genoegen nemen met af en toe een vrije dag om weer op krachten te komen. In februari gaan we op skivakantie, dat beloof ik je.'

'Sam, ik moet dit jaar nog achttien verlofdagen opnemen. We hadden de data vastgesteld, het was afgesproken...'

Ze keek hem boos aan, en hij voelde zich schuldig. Als hij een beetje aandrong zou hij het wel met zijn collega's kunnen regelen, maar eigenlijk had hij niet zoveel zin om met Marianne naar Tunesië te gaan. Het was háár idee geweest om die reis te maken, maar híj gaf er de voorkeur aan zijn vrije tijd aan vliegen te besteden.

'Ik ben erg teleurgesteld,' liet zij zich ontvallen met een stem die trilde van woede.

'Ga zonder mij, Marianne. Als je terugkomt, zul je gebruind door de zon en in topvorm zijn.'

Aan haar samengeknepen lippen kon hij zien dat ze zich inhield om geen nare dingen tegen hem te zeggen.

'Het spijt me,' zei hij met gebogen hoofd.

Waarom kon hij haar niet gelukkig maken? De tederheid en de begeerte die ze bij hem opwekte, waren niet voldoende om de waarheid te verbloemen: hij was niet verliefd op haar. En het verveelde hem al van tevoren om twee weken alleen met haar te zijn, in een hotelkamer of op een strand.

'Sam? Wees maar niet bang, ik ga weg. Je staat er niet op dat ik blijf, hè?'

'Je hebt er behoefte aan om er even uit te zijn en...'

'En jij om een tijdje alleen te zijn, klopt dat?'

Hij keek op, verbaasd door de kilte van haar stem.

'Ik neem zondag het vliegtuig, geen punt, maar als jij er geen bezwaar tegen hebt ga ik zaterdagavond met je mee naar het feestje van je ex.'

De uitnodiging van Pascale voor haar *housewarming party*, het feest om haar nieuwe woning in te wijden, was voor hen beiden bestemd, en blijkbaar was Marianne niet van plan zichzelf buiten spel te zetten. Ze maakte er geen geheim van dat ze Pascale als een rivale beschouwde, ondanks alle protesten van Sam.

'Volgende week zul je van mij geen last hebben. Je zult je suf kunnen werken in je helikopter, eindeloos in de club rondhangen, een vervangster voor me zoeken, jammeren om je scheiding, alles wat je maar wilt!'

Hij was stomverbaasd en staarde haar zwijgend aan. Meestal was ze zacht en lief, bijna té. Veranderde ze nu in een vrouw met karakter?

'Ik heb er genoeg van, Samuel,' zei ze terwijl ze naar hem toe liep. 'Ik sloof me, volkomen tevergeefs, af om van je te houden en ik krijg er niets voor terug. Geen lieve woordjes, geen tedere blikken, geen plannen. Die reis was heel belangrijk voor me, maar jij steekt er de draak mee...'

Dit was dé kans voor hem om een eerlijk antwoord te geven. Zoals de meeste mannen was hij bang voor scènes en had hij een hekel aan het verbreken van een relatie. Trouwens, hij wilde haar niet echt verlaten.

'Ik drijf niet de spot met je,' mompelde hij. 'Ik heb je geen leugens verteld, ik heb niet geprobeerd de dingen mooier te maken dan ze zijn. De woorden die je graag wilt horen zouden leugens zijn.'

'Waarom bel je me dan? Waarom nodig je me uit om met je te eten en in je bed te slapen?'

Hij zei niet dat zíj meestal belde, dat zíj voorstelde elkaar 's avonds te zien of gewoon onverwacht bij hem langs kwam.

'Ik ben blij als ik je zie, maar ik heb geen zin om met je samen te wonen. Dat komt niet door jou, Marianne. Ik ben aan mijn onafhankelijkheid gehecht en ik kan mijn leven nu niet delen, dat is alles. Als je daar niet tegen kunt, kunnen we beter uit elkaar gaan.'

Wat kon hij anders zeggen? Hij zou haar nooit geven waar ze op hoopte, dat wist hij nu wel zeker. Hij ging al een jaar met haar om en vanaf het begin had hij niets anders voor ogen dan deze aangename, bijna comfortabele relatie zonder verplichtingen.

'Je hebt gelijk, ik ben nog niet over mijn scheiding heen. Ik wil me niet hechten, me niet binden, en dat wist je. Op jouw leeftijd en met jouw schoonheid heb je recht op een échte liefdesrelatie die...'

'Maar ik hou van je!' schreeuwde ze. 'Van jóú, niet van een ander! Ik heb lak aan alles wat je tegen me zegt. Ik zal het geduld hebben op je te wachten, omdat je op een dag genezen zult zijn van die vrouw!'

'Genezen?' herhaalde hij verbluft.

'Je denkt nog steeds aan haar, zeg niet dat dat niet zo is.'

'Ja, ik denk er wel eens aan. Het mislukken van mijn huwelijk is iets wat ik mezelf niet vergeef, maar ik lig er niet wakker van. Je haalt alles door elkaar, Marianne.'

Door Pascale te benijden herinnerde ze hem voortdurend aan Pascale, zonder te beseffen dat dat dom was. Hij draaide zich om en liep naar de andere kant van de kamer. De aanblik van het onopgemaakte bed en de verkreukelde lakens bracht hem het begin van hun woordenwisseling in herinnering. Terwijl ze naast hem lag had Marianne een sigaret gerookt en alle geneugten die hun in Tunesië wachtten opgesomd. Hoe meer ze had gezegd, hoe meer de gedachte aan die reis hem had benauwd. En toen was hij zo moedig geweest – of zo laf? – om te zeggen dat hij niet mee zou gaan.

'Zet een punt achter onze relatie,' zei hij zachtjes.

'Nee!'

Ze was in drie stappen bij hem, nestelde zich tegen zijn rug en sloeg haar armen om zijn middel.

'Ik zal alles doen om je te behouden, Sam. Dingen die je je niet kunt voorstellen. Je ziet me aan voor een leeghoofd. Ten onrechte! Luister, laten we vandaag geen ruzie maken. Ik ga in mijn eentje naar Tunesië, een kleine pauze zal ons allebei goed doen...' zei ze. Ze struikelde bijna over haar woorden, terwijl ze zich tegen hem aandrukte.

'Over twee weken ontdek je misschien dat je me mist. Je hebt behoefte aan tederheid, troost en vertrouwen. Je bent zoals iedereen, schat, je doet net of het je niks kan schelen, maar je vindt het heerlijk dat ik me om je bekommer.'

Wat als ze gelijk had? Alles welbeschouwd hield hij ervan haar te horen lachen of kletsen, haar te zien bewegen en ook om de liefde met haar te bedrijven. Hij dacht dat hij geen bindingen had, toch kwam het voor dat hij met een zeker genoegen aan haar dacht. Was dat louter egoïsme?

'Ik kan je niets beloven,' zei hij met een zucht.

'Geef me tenminste een kans.'

Destijds had hij datzelfde aan Pascale gevraagd en toen ze weigerde had hij zich heel rot gevoeld. Kon hij Marianne dat leed aandoen? Hij draaide zich om en nam haar in zijn armen.

Aurore, die altijd boordevol ideeën zat, was erin geslaagd het huis er feestelijk te laten uitzien, en ze had haar inspanningen vooral op de wintertuin gericht. Tal van rode kaarsen, de laatste gladiolen uit de tuin in de grote vazen van Camille, die ze op de zolder hadden gevonden, dennenappels en varens bij wijze van versiering op de ladekast, die was omgebouwd tot buffet, waarop allerlei lekkere dingen zouden worden uitgestald. De hele middag had Aurore schalen met salades, schotels met koud vlees of gerookte vis en kaasplateaus staan klaarmaken. Pascale had zich belast met het bakken van vruchtentaarten en het kopen van wijn in Albi, terwijl de taarten in de oven stonden.

Op de terugweg merkte Pascale dat ze vergeten was vers brood te kopen. Geërgerd, omdat het al zo laat was, zag ze er vanaf om rechtsomkeert te maken. Ze had helemaal geen zin om naar de bakkerswinkel van het dorp te gaan, maar ze zou een uitzondering maken.

De vrouw van middelbare leeftijd begroette haar net zo koeltjes als de eerste keer. Ze keek haar duidelijk vijandig aan.

'Drie stokbroden en twee gesneden boerenbroden, alstublieft!' zei Pascale, zonder zich te laten imponeren.

De bakkersvrouw begon de bestelling klaar te maken. Al die tijd keek ze Pascale niet aan en speelde er een stijve, beleefde glimlach om haar lippen.

'Goedenavond!' lachte de vrouw die achter haar stond spottend toen Pascale de winkel verliet.

Op het trottoir botste ze bijna tegen Lucien Lestrade op.

'Ik ben blij dat ik u zie, ik moet met u praten over het planten van de bloembollen. Het is al laat in het seizoen, maar ik heb alle bloembollen gekocht, dus aanstaande maandag kom ik bij u. Ik zal niet meer dan één dag nodig hebben, denk ik.'

'Meneer Lestrade...'

Ze herinnerde zich dat hij had gevraagd of ze hem bij zijn voornaam wilde noemen, en ze begon opnieuw.

'Lucien, ik heb al tegen je gezegd dat ik je niet in dienst kan nemen.'

'Ik doe het voor niets!' antwoordde hij. 'Maar het moet nú gebeuren, anders zijn er in de lente geen bloemen.'

'Wat maakt het uit?'

Haar antwoord leek hem te choqueren. Hij sperde zijn ogen wijd open en deed een stap achteruit.

'Hoezo? Beseft u wel wat u zegt? Ik heb het beloofd! En ik hou me aan mijn woord. Ik zal me er tot aan het eind toe om bekommeren. Tegenwoordig heeft iedereen overal lak aan, het is niet te geloven...'

'Wát heb je beloofd? Aan wíé?'

Hij wierp haar een ondoorgrondelijke blik toe alvorens zijn schouders op te halen.

'Ik zal er tegen negenen zijn,' bromde hij.

'Nou, ik niet, want ik werk!'

'Maakt u zich geen zorgen, ik heb de sleutel van de kleine deur.'

Hij tikte tegen zijn pet bij wijze van groet, liep om haar heen en ging de bakkerswinkel binnen. Gedurende twee of drie seconden bleef ze roerloos staan, zich afvragend of ze achter hem aan zou gaan om hem te vragen zich nader te verklaren. Maar uiteindelijk besloot ze het niet te doen. Ze zou proberen maandag vroeg thuis te zijn om een zinnig gesprek met hem te voeren. Ze wilde niet dat hij een sleutel van het park in zijn bezit had, en ook niet dat hij tijdens haar afwezigheid op Peyrolles rondhing. De bloemen... dat was wel het laatste waar ze zich druk om maakte, met welk recht drong die man ze aan haar op? Ze zou nooit het geduld van haar moeder hebben om te wieden, te sproeien en de bloemen te verzorgen... En wie ging die bollen betalen?

Tijdens de terugreis naar Peyrolles kon ze haar ergernis niet van zich afzetten. Ze had een hele lijst gemaakt van werkzaamheden waar haast bij was, en daar behoorde de tuin niet toe. Naast de kas, onder het afdak, had ze een grasmaaimachine, een kleine tractor, een ontginningsmaaier en een kettingzaag zien staan. Dat materiaal hoorde bij het landgoed. Haar vader had het in de loop van de tijd moeten vernieuwen om het onderhoud van het park mogelijk te maken. Lestrade en de huurders hadden de machines gebruikt. Zij kon óók leren hoe dat moest.

Toen ze bij het openstaande hek arriveerde, zag ze de toortsen die Aurore aan de rand van het gazon had neergezet. Hun vlammen doorboorden de schemering en gaven Peyrolles iets mysterieus en feestelijks. Vlak bij het bordes stond een onbekende auto, maar het huis leek verlaten. Pascale haastte zich om het brood in de keuken te leggen. Ze hoopte dat ze nog tijd had om zich vóór de komst van de andere gasten om te kleden.

Terwijl ze de trap op vloog, hoorde ze een kreet en keek naar boven.
'Mijn kleine meisje!'
Ze wierp zich in de armen van haar vader, blij als een kind om hem daar, op de overloop, te zien staan. Precies het beeld dat ze van hem bewaarde, uit de tijd waarin het hele gezin gelukkig was op Peyrolles.
'Wat fantastisch dat je kon komen! En Adrien?'
'Hij zit met je vriendin Aurore in zijn oude kamer. Waar moeten we slapen?'
'In mijn kamer. Nou ja, de kamer die ik vroeger had. Nu is het de logeerkamer, maar als je liever hebt dat ik je de jouwe geef, dan...'
Henry begon te lachen, hij vond het duidelijk een vermakelijke situatie.
'Het is prima zo, lieverd. Jíj bent hier nu de gastvrouw, dit is jóúw thuis.'
'Blijven jullie een tijdje?'
'Tot morgenavond. Op de luchthaven hebben we een auto gehuurd, dat was de snelste manier. Ik heb weinig tijd, maar ik had zo'n zin om je te zien!'
Hij keek haar aan met een liefde die haar week maakte, en ze liet zich gaan, met haar hoofd tegen zijn schouder.
'Ik heb je gemist, papa. Hoe gaat het?'
Ongetwijfeld had het hem moeite gekost dit huis, dat zo vol herinneringen was, binnen te gaan, en ze waardeerde het des te meer.
'Het gaat wel. Je moeder heeft een leegte achtergelaten die ik nooit zal kunnen opvullen, dus probéér ik het niet eens. De kliniek neemt me volledig in beslag.'
Ze wilde zich niet voorstellen hoe zijn leven in het lege appartement in Saint-Germain was.
'Wie heb je allemaal uitgenodigd voor je inwijdingsfeest?'
'Sam en zijn verloofde, collega's van Purpan...'
'Is Sam verlóófd?' vroeg hij verbaasd.
'Nog niet, maar ik hoop dat hij daartoe zal besluiten.'
Met zijn wijsvinger tilde hij haar kin op om in haar ogen te kijken.
'Hoop je dat écht?'

Ze was een beetje in verwarring en zocht naar het eerlijkste antwoord.

'Hij zal uiteindelijk een nieuw leven beginnen, en dat meisje lijkt me geschikt. Ik wil graag bevriend blijven zonder dubbelzinnigheid, snap je?'

Er verscheen een glimlach op Henry's gezicht.

'Wat kunnen mensen zich toch illusies maken... geheel te goeder trouw! Kom, ga je snel omkleden, je ben toch niet van plan je gasten in een spijkerbroek te ontvangen?'

Opgelucht omdat ze aan zijn vragen kon ontsnappen vloog ze naar de badkamer. Het lukte haar om in een paar minuten haar haren op te steken, zich op te maken en een lekker geurtje op te doen. Daarna ging ze naar de klerenkast en haalde pumps en een zwartzijden jurk met een split opzij te voorschijn. Een blik in de spiegel bracht haar aan het twijfelen. Ze vond haar jurk té gekleed, maar ze had geen tijd meer om iets anders aan te trekken.

Toen ze de begane grond bereikte, zag ze dat Aurore al twee artsen had ontvangen die op de afdeling longziekten werkten, en een bevriende verpleegster, die ze aan Adrien voorstelde. Pascale kuste haar broer en daarna sleepte ze iedereen mee naar de wintertuin. Ze schonk een glas sangria in voor degenen die daar zin in hadden en ontkurkte een fles chablis voor haar vader. Zoals hij had gezegd, was ze nu thuis, maar toch leek de rol van vrouw des huizes haar een beetje ongepast.

'Die kinderpartijtjes van je zijn heel lang geleden!' zei Adrien, terwijl hij zijn glas hief. 'Geen ranja meer, geen opgerolde cake met jam...'

Hij dronk zijn glas sangria in één teug leeg en klakte met zijn tong.

'Helemaal niet slecht. Ik neem nóg een glas, als je het goed vindt. Nou, hoe ver ben je? Ik heb gezien dat je een boel oude rommel hebt teruggevonden waarvan je je beter had kunnen ontdoen. Waarom richt je het huis niet met nieuwe spullen in?'

'Wegens geldgebrek. Bovendien stoort het me niet, ik heb alleen de dingen die me dierbaar zijn van de zolder gehaald.'

'Je zou je niet aan het verleden moeten vastklampen, kleintje. Hier wonen moet al zwaar zijn...'

'Zwaar? Nee. Het is geweldig!'

Vanuit haar ooghoek zag ze Laurent Villeneuve arriveren. Hij kwam recht op haar af en stak haar de hand toe, een beetje gehinderd door de twee flessen champagne die hij droeg.

'U ziet er schitterend uit!' riep hij. 'En het huis lijkt hetzelfde niveau te hebben.'

Op haar uitnodigingen had ze duidelijk aangegeven dat het om een inwijdingsfeest ging en dat het een ontspannen avondje zou zijn. Laurent droeg een spijkerbroek, een wit overhemd zonder das en een leren jack. Waarom had zíj zo'n geklede jurk aangetrokken?

'Meneer Villeneuve? Fijn u te zien, we hebben elkaar twee jaar geleden tijdens een congres in Madrid ontmoet.'

Laurent draaide zich om naar Henry, die bij hen was komen staan.

'Dokter Fontanel, natuurlijk... Het is me een waar genoegen u terug te zien.'

Pascale maakte van de aanwezigheid van haar vader gebruik en liep naar de andere kant van de wintertuin om Samuel en Marianne te begroeten.

'Je bent onweerstaanbaar,' fluisterde Sam toen hij haar een kus gaf.

Marianne keek een beetje gespannen om zich heen.

'U hebt een mooi huis,' zei ze, weinig origineel.

Ze had als cadeau een kistje met wierook meegenomen. Waarschijnlijk een idee van Sam, die vaak had gezien dat Pascale wierookstokjes aanstak om hun appartement lekker te laten ruiken.

Aurore voegde zich bij hen, een blad met kaaskoekjes in haar hand.

'Wie wil proeven? Eigen fabrikaat!'

Achter haar liet Adrien een schaal met warme worstjes rondgaan. Pascale stelde Marianne aan hem voor en daarna liet ze hen alleen om nieuwe gasten te verwelkomen. Dankzij Aurore begon het gezellig te worden, het geroezemoes van stemmen nam toe en er werd al luid gelachen. De grote, glazen deuren die de wintertuin van de veranda scheidden waren open, waardoor er één grote ruimte was ontstaan. Pascale ging zich ervan vergewissen dat de elektrische kachels aan waren, want ze had het koud in haar dunne jurk.

'Hulp nodig?' vroeg Laurent.

'Ik geloof dat alles goed gaat, dank u. Maar als u een vuurtje hebt, de kaarsen moeten worden aangestoken...'

Hij doorzocht zijn zakken en haalde er een aansteker uit.

'Ik begrijp dat u voor dit huis bent gevallen, het is fantastisch!'

'Mijn vader was het er niet mee eens, en mijn broer ook niet. Gelukkig ben ik koppig! Eerlijk gezegd zou ik wanhopig zijn geweest als ik wist dat Peyrolles aan iemand anders was verkocht.'

'U heb uw jeugdherinneringen teruggekocht, is het niet?'

'In zekere zin. Maar ik gok ook op de toekomst!'

Toen ze door de ruiten van de veranda naar buiten keek, zag ze dat de toortsen achter in het park nog steeds brandden. Ze herinnerde zich de avonden van de nationale feestdag, Quatorze Juillet waarop Adrien dan vuurwerk afstak. Samen met hun vader bereidde hij alles in het diepste geheim voor, en als het eenmaal donker was geworden, rende hij van de ene plek naar de andere om de lonten aan te steken. Zij had op het bordes gestaan en vreugdekreten geslaakt en in haar handen geklapt. Ze nam zich voor er komende zomer aan te denken en op háár beurt voor vuurwerk te zorgen.

Op het moment dat ze zich omdraaide, merkte ze dat Laurent geamuseerd naar haar keek. Zijn glimlach werd breder, en plotseling vond ze hem erg aantrekkelijk.

'Hebt u professor Clément niet uitgenodigd?' schertste hij.

'Als ik dat had gedaan, zou niemand anders willen komen! Ze is gewoon onuitstaanbaar. Weet u nog dat geval waar we het laatst over hadden, de oude man die zijn hele leven stevig heeft gerookt? Nou, op de scan was een laesie te zien die anders onaantoonbaar was geweest. Ik schrijf geen onderzoeken voor uit onkunde, die bedekte toespelingen zijn...'

'U hoeft u niet te rechtvaardigen,' zei hij zacht. 'U zou het ziekenhuis een beetje moeten vergeten.'

Hij glimlachte niet meer, toch was er nog steeds een warme blik in zijn ogen. Pascale keek hem een paar seconden zwijgend aan, en ineens begon ze te beseffen dat haar houding iets dubbelzinnigs kon hebben.

'Laten we wat gaan drinken,' stamelde ze.

Oké, ze was vrijgezel, ze had het recht een man te tonen dat ze hem leuk vond, maar als directeur van het UMC stond Laurent Villeneuve buiten spel. Hem proberen te versieren zou wel het stomste zijn wat ze kon doen.

'Pascale?'

Ze voelde dat hij zijn hand op haar schouder legde en haar tegenhield. Tot nu toe had hij haar voornaam niet gebruikt. De manier waarop hij hem zojuist had uitgesproken was heel charmant.

'Mijn excuses als ik u heb geërgerd.'

Het contact van zijn vingers op haar blote huid deed haar huiveren. Hij liet haar onmiddellijk los, hij voelde zich net zo opgelaten als zij. God, begeerde ze hem wérkelijk? Ze had hem drie keer gezien!

'Absoluut niet, maar ik moet weer naar mijn gasten, ik...'

'Wat spoken jullie tweeën uit?' vroeg Samuel op spottende toon. 'Zal ik jullie ter plekke even bevoorraden?'

Hij had twee glazen sangria bij zich, die hij hun aanreikte.

'Aurore wacht op je in de keuken, Pascale. Ze heeft me opgedragen voor muziek te zorgen, maar die cd's van jou zijn bedroevend. Laurent, heb jij niet een stuk of drie goede cd's in je auto liggen? Engelse pop of...'

'Natuurlijk. Ik ga ze meteen halen.'

Samuel wachtte tot hij de veranda had verlaten en toen begon hij te lachen.

'Het lijkt wel of hij indruk op je maakt.'

'Hou je commentaar voor je, Sam.'

Het idee dat ze was betrapt irriteerde haar minstens zo erg als de begeerte die ze zojuist had gevoeld.

'Ik maakte maar een grapje, lieverd. Trouwens, je hebt vaak genoeg tegen me gezegd dat je niet van blauwe ogen hield... Was dat alleen om mij een genoegen te doen?'

Hij legde met een bezitterig gebaar een arm om haar middel en nam haar mee naar de wintertuin.

'Laat me los, Marianne stelt dit vast niet op prijs.'

'Ik ben niet met haar getrouwd!' protesteerde hij, terwijl hij zijn arm terugtrok.

'Met mij evenmin!'

Ze zag hem verstijven, alsof ze hem had beledigd, en hoorde nauwelijks wat hij zachtjes tegen haar zei: 'Neem van me aan dat ik dat betreur.'

Hij liep naar het buffet met de uitgestalde lekkere hapjes.

'Sam! Heb je je gevoel voor humor verloren?'

Waarom reageerde hij zo raar? Omdat hij had gezien dat ze een onderonsje met Laurent had? Ze liep naar hem toe en ging vóór hem staan.

'Zal ik je het huis laten zien? Ik heb je zo vaak lastig gevallen met mijn verhalen over Peyrolles! En het is aan jóú te danken dat we vanavond allemaal hier zijn, ik kan je niet genoeg bedanken.'

'Doe niet zo mal, het zou je in je eentje heel goed zijn gelukt.'

'Ja, zeker,' riep Henry, 'ze zou het voor elkaar hebben gekregen, want ze is zo koppig als een ezel, maar toch heb je me wat dit betreft niet geholpen, Samuel. Nu woont mijn dochter in een te groot huis, zevenhonderd kilometer van haar oude vader verwijderd...'

Het leek of hij gekheid maakte, maar Pascale liet zich niet bedotten, het ging wel degelijk om verwijten, en haar vader was blij dat hij ze zijn ex-schoonzoon onder de neus kon wrijven.

'Geef me een rondleiding, Henry, zodat ik me er een beeld van kan vormen.'

Die twee konden altijd goed met elkaar opschieten, zelfs als ze het niet eens waren. Samuel gaf Pascale een knipoog en volgde Henry. Toen hij haar passeerde bleef hij even staan om in haar oor te fluisteren: 'Als een man écht van een vrouw heeft gehouden, gaat het nooit over.'

Verbluft pakte ze het eerste het beste glas dat binnen handbereik was en dronk het in één teug leeg. Nooit over? Had hij net een soort liefdesverklaring tegen haar afgelegd, terwijl Marianne zich in dezelfde ruimte bevond? Ze liet haar blik ronddwalen, op zoek naar de jonge vrouw. Ze zag dat Marianne in gesprek was met Georges Matéi, een charmante jongen, een weergaloze fysiotherapeut voor mensen met ademhalingsproblemen. Blijkbaar had Marianne niets gemerkt, ze leek zich te vermaken, des te beter.

Pascale vloog naar de keuken waar Aurore druk in de weer was, nog steeds bijgestaan door Adrien.

'Deze party is uitermate succesvol!' zei haar broer plechtig.

Pascale wierp hem een onderzoekende blik toe. Ze vroeg zich af of hij te veel had gedronken of dat de aanwezigheid van Aurore maakte dat hij hoogdravende taal uitsloeg. Zolang ze zich kon herinneren was Adrien altijd bezweken voor de charme van knappe meisjes.

'Breng dit even naar binnen,' zei ze, terwijl ze hem twee grote schalen met salade aanreikte.

Aurore haalde de taarten uit de oven en Pascale zette ze op een vensterbank om af te koelen.

'Je broer lijkt me een echte rokkenjager...'

'Dat is eufemistisch uitgedrukt!'

Na een blik te hebben gewisseld barstten ze in lachen uit.

'Geef toe dat het een goed idee van me was je te dwingen uitnodigingen rond te sturen. Je huis is ideaal om gasten te ontvangen.'

Ze hoorden het geroezemoes van stemmen, met muziek op de achtergrond.

'Is onze directeur in een dj veranderd?' zei Aurore spottend. 'Een halve minuut geleden zag ik hem passeren, met een stapel cd's...'

'Hoe vind je hem?'

De vraag was eruit voordat Pascale het wist. Ze beet zich op de lippen, terwijl Aurore haar aankeek.

'Villeneuve? Hartstikke leuk natuurlijk! Maar onbereikbaar. Ik waarschuw je, er zijn veel meisjes in Purpan die hun tanden erop hebben stukgebeten. Hij heeft gelijk om buiten bereik te blijven, anders wordt het een zootje...'

Ze verlieten de keuken, beladen met schalen die ze op het buffet gingen neerzetten.

'Bedien u zelf en gaat u zitten waar u wilt!' riep Pascale.

Gedurende bijna een kwartier schepte ze borden op, ontkurkte flessen en babbelde met iedereen zonder van plaats te veranderen, totdat haar vader en Samuel zich bij haar voegden.

'Ik ben overal geweest en ik kan je één ding zeggen, lieverd: je hebt een uitstekende investering gedaan!'

Sam glimlachte haar vriendelijk toe, zonder enige dubbelzinnigheid.

'Ik blijf het tegenovergestelde geloven,' verzuchtte Henry. 'Ik heb hier lang genoeg gewoond om het beter te weten dan wie ook. Alleen al het onderhoud...'

'Over onderhoud gesproken,' onderbrak Pascale, 'je tuinman wil hier per se blijven werken. Ik heb tegen hem gezegd dat ik hem niet kan betalen, maar hij geeft niet op.'

'Lestrade? Stuur die vent toch weg! Welk recht heeft hij om zich aan je op te dringen?'

Haar vader was zo boos, dat hij te hard had gesproken. Hij beheerste zich en ging op zachtere toon verder, maar even fel: 'Hij is niet helemaal goed wijs! Luister niet naar wat hij vertelt en laat hem nooit binnenkomen!'

'Jij hebt hem een sleutel gegeven,' bracht ze hem in herinnering. 'En hij is al meer dan twintig jaar bij jou in dienst.'

'Omdat die rothuurders de tuin zouden hebben verwaarloosd of helemaal kaal geplukt.'

'Ik heb evenmin verstand van tuinieren.'

'Nou, leer dat dan! Maar niet van Lestrade, alsjeblieft!'

Waarom wond hij zich zo op? Adrien liep naar hem toe en pakte hem stevig bij de arm.

'Kom mee, papa, we gaan ergens zitten om een hapje te eten.'

Henry volgde hem met tegenzin, Pascale ontredderd achterlatend. De tuinman gaf haar ook een onbehaaglijk gevoel met zijn opdringerigheid en zijn raadselachtige woorden, maar ze begreep niet waarom haar vader zich zo druk maakte.

'Wat een felheid...' fluisterde Sam achter haar. 'Is jullie meneer Lestrade een sater?'

'Nee, alleen maar een beste, brave man die een beetje zonderling is.'

Samuel stak een hand uit en stopte een haarlok terug die was ontsnapt.

'Je vader heeft een probleem met Peyrolles. Hij is hier gekomen om je een plezier te doen en omdat hij je heel erg miste, maar hij vindt het verre van prettig om op Peyrolles te zijn.'

In de veranda stond Marianne druk te gebaren dat Samuel naar haar toe moest komen.

'We praten er nog wel over,' zei hij, terwijl hij wegliep.

Het buffet was geplunderd, de schalen waren zo goed als leeg. Pascale begon ze op te stapelen. Ze zou morgen de hele dag nodig hebben om de boel op te ruimen, maar dat deed er niet toe. Op dit moment voelde ze zich heerlijk: op haar gemak, gelukkig, thuis. Want zíj had geen enkel probleem met Peyrolles.

Ze bracht de vuile vaat naar de keuken en pakte twee kaasplateaus, die ze op het buffet neerzette. Daarna ging ze naar de veranda, waar iedereen zich goed leek te amuseren.

'Waarom stop je niet vijf minuutjes?' opperde Laurent toen ze langs hem liep.

Hij zat aan een tafel tussen George, de fysiotherapeut, en Aurore in. Tegenover hen zat een chirurg, die met wrange humor over zijn recente vakantie in de Club Méditerranée vertelde. Pascale ging op de armleuning van Aurores stoel zitten en luisterde verstrooid naar het einde van het verhaal, zich ervan bewust dat Laurent zijn ogen niet van haar afhield. Toen ze besloot hem recht aan te kijken, wierp hij haar een schuldbewust glimlachje toe. Ze was opnieuw in verwarring, zoals twee uur eerder, maar deze keer was ze niet in staat zijn blik te weerstaan. Die man trok haar absoluut aan. Misschien was ze te lang alleen. Na haar scheiding van Sam had ze soms gedacht dat ze zich nooit meer zo tot iemand aangetrokken zou voelen, dat geen enkele ontmoeting dezelfde intensiteit zou hebben. Sam was haar eerste echte liefde geweest, en later hadden haar – schaarse – avontuurtjes haar een beetje ontgoocheld achtergelaten. Betekende haar reactie op Laurent Villeneuve dat ze eindelijk genezen was van Sam en het mislukken van hun huwelijk?

Ze haalde diep adem om de moed te vinden tegen hem te praten, maar ze slaagde er slechts in te mompelen dat ze een fles wijn ging halen.

'Nee, blijf zitten, ík ga wel.'

Terwijl Laurent opstond legde hij heel even zijn hand op haar pols, een gebaar dat zacht was als een liefkozing.

4

NERVEUS KEEK HENRY NAAR DE STEWARDESS DIE IN HET GANGPAD stond en de gebruikelijke demonstraties gaf: reddingsvest, zuurstofmasker, nooduitgang. Hij had de pest aan vliegen en vroeg zich vol verbijstering af hoe zijn dochter het leuk kon vinden om een vliegtuig te besturen. Maar voorlopig vloog ze niet, God zij dank, ze had het te druk met Peyrolles en haar werk in Purpan.

Adrien, die naast hem zat, was verdiept in zijn krant. Hij toonde geen enkele belangstelling voor het opstijgen. Henry sloot zijn ogen en kauwde op de kauwgom die zou moeten verhinderen dat zijn oren kraakten. Oké, het weekend was voorbij, hij had zijn plicht gedaan, de volgende keer zou Pascale naar hém toe moeten komen. En daarna zou hij wel smoesjes verzinnen om geen voet meer op Peyrolles te hoeven zetten. De hele nacht had hij aan Camille gedacht, en toen hij eindelijk, tegen het ochtendgloren, in slaap was gevallen, had hij van haar gedroomd.

Camille, die naakt naast hem lag, zacht, kwetsbaar, verlaten, soms met een traan die tussen haar wimpers parelde. Zelfs in haar slaap huilde ze. Als hij de liefde met haar bedreef, klampte ze zich als een drenkeling aan hem vast. Vergat ze haar verdriet in het genot?

Het vliegtuig moest zijn kruissnelheid hebben bereikt, want het leek gestabiliseerd. Henry waagde het een blik door het raampje te werpen: er was helemaal niets te zien. Gisteravond op Peyrolles had hij ook niets gezien toen hij voor het raam naar het donkere park stond te kijken en zich afvroeg waarom Lucien Lestrade zijn dochter lastig viel. Wilde hij haar iets zeggen? Wat wist hij van het drama dat indertijd aan de Fontanels had geknaagd? Lestrade kon alleen maar twijfels koesteren, veronderstellingen doen, want Camille zou iemand als de tuinman nooit in vertrouwen hebben genomen.

Hoe het ook zij, Henry was vastbesloten Lestrade de volgende dag op te bellen. Hij wilde per se niet dat Lestrade zijn neus nog eens op Peyrolles liet zien, het was afgelopen, dat moest hij goed begrijpen. Henry zou hem geld aanbieden, zowel voor de dertig jaar van bewezen diensten als voor het kopen van zijn stilzwijgen. Voor het geval dat.

Terwijl hij met zijn hoofd tegen de hoofdsteun leunde, vroeg hij zich voor de duizendste keer in zijn leven af of hij gelijk of ongelijk had. Een vraag waarop hij ongetwijfeld nooit het antwoord zou weten, maar die hem bleef achtervolgen.

Het karretje met drank verscheen in het gangpad, voortgeduwd door de stewardess. De vlucht van Toulouse naar Parijs was kort: je had nauwelijks de tijd om je glas leeg te drinken of het vliegtuig begon al te dalen. Des te beter. Hoe sneller Henry zijn werk in de kliniek zou hervatten, hoe minder hij zich in zijn herinneringen zou verliezen. In Saint-Germain waarde de geest van Camille nog rond in het appartement, maar minder voelbaar dan op Peyrolles. Gelukkig voor Pascale wist ze van niets en Henry zou niet toestaan dat Lucien Lestrade argwaan bij haar wekte. Ze moest van dat huis genieten, want ze was er dol op! En aangezien hij niet in staat was geweest haar van haar plan af te brengen...

'Waar denk je aan, papa?'

Adrien wierp hem een bezorgde blik toe. Henry gaf hem het eerste het beste antwoord dat in hem opkwam.

'Aan de volgende vergadering van de raad van bestuur.'

'Maak je geen zorgen, er is geen specifiek probleem,' zei zijn zoon, met een klopje op Henry's hand.

Natuurlijk niet. Hij had de problemen achter zich gelaten toen hij de startbaan van het vliegveld van Toulouse verliet. Henry bestelde jus d'orange en keek op zijn horloge, hij had haast om zijn plaats van bestemming te bereiken, hij had haast om te vergeten.

Aurore zette voorzichtig de laatste vaas neer die ze net naar boven had gebracht.

'Ziezo! Je wilde ze niet beneden hebben, dus...'

Pascale, die in het achterste deel van de zolder stond, begon te lachen.

'Wat heb je nou aan vazen zonder bloemen?'

Ze snuffelde in de oude koffers die met stof waren bedekt en in een donkere hoek waren opgestapeld. Op sommige koffers zaten etiketten, beschreven in het handschrift van haar moeder. 'Gordijnen van de studeerkamer'. 'Sprei van de logeerkamer'. Had Camille gedacht dat die spullen op een dag nog eens gebruikt zouden kunnen worden? Was ze van plan geweest na de pensionering van haar man weer op Peyrolles te gaan wonen?

Pascale tilde een deksel op en rook de vage geur van naftaleen, een mottenwerend middel. Krantenpapier bedekte keurig opgevouwen gordijnen die door de motten leken te zijn gespaard. Ze wierp een blik op Aurore en besloot niets van haar vondst te zeggen, anders zouden de gordijnen door het hele huis worden opgehangen.

'Ik vind het enig om op je zolder rond te snuffelen, het is net zo spannend als met een ongelimiteerde waardebon in een antiek- en rariteitenwinkel rondlopen,' riep Aurore. 'Moet je deze schattige kaptafel zien... Als je de gebroken poot repareert en de spiegel door een nieuwe vervangt, kun je hem heel goed gebruiken, vind je niet?'

Pascale liet de koffers voor wat ze waren en voegde zich bij haar.

'We hebben genoeg gewerkt voor vandaag,' besloot ze. 'In elk geval was het feestje gisteravond geweldig, je had helemaal gelijk.'

Dat meende ze oprecht, hoewel ze een deel van de middag in de keuken hadden moeten staan afwassen, zoals ze hadden verwacht.

'Je moet je ontspannen, Pascale. Je werkt keihard in het ziekenhuis en je maakt werkdagen van twaalf uur. Bovendien sta je voortdurend onder druk, vanwege Nadine Clément. Zo erg, dat je niet eens beseft wat voor verwoestingen je aanricht! Georges, de fysiotherapeut, kijkt je met grote, verliefde ogen aan... Wat mij niet uitkomt, want ik zie hem wel zitten. Ten eerste, hij is geen arts. Die stop ik allemaal in dezelfde zak met een zware steen onderin en hup, de Tarn in! Ten tweede, ik ben dol op zijn humor, hij... Hé, wat is dat?'

Ze had de lade van de kaptafel opengedaan en er automatisch haar hand in gestoken. Nu haalde ze er een grijs, plastic verfomfaaid zakje uit dat ze even bekeek alvorens het aan Pascale te geven.

'Volgens mij zitten er schatkistbiljetten in, of liefdesbrieven!'

'Wat Georges betreft,' zei Pascale, 'je hebt vrij spel, hij is echt niet mijn type.'

Het plastic was een beetje gesmolten door de tijd en de warmte van de zolder, maar het lukte haar er iets uit te halen dat een oud trouwboekje bleek te zijn.

'Ik herinner je eraan,' zei Aurore spottend, 'dat als Laurent Villeneuve wél je type is, je niet moet...'

'Ja, ja, ik weet het.'

Met gefronste wenkbrauwen las Pascale drie keer de paar regels die in het boekje stonden.

'Wat betekent dat?' mompelde ze.

Aurore kwam een blik over haar schouder werpen.

'Uittreksel uit het huwelijksregister de dato 16 april 1966. Echtgenoot, Coste Raoul; echtgenote, Montague Camille Huong Lan...'

Verbijsterd keerde Pascale naar de eerste bladzijde terug.

'Parijs, stadhuis van het twaalfde arrondissement. Het is belachelijk, mama en papa zijn in 1970 getrouwd, in Albi.'

Ze deed het boekje dicht en bekeek het kritisch. Jammer genoeg leek het absoluut authentiek. Ze opende het opnieuw, las de tekst nogmaals en sloeg een bladzij om. De overlijdensakte van de echtgenoten waren blanco, maar in het vakje 'eerste kind' stond een naam, met de handtekening van een ambtenaar van de burgerlijke stand.

'Op 3 augustus 1966 om kwart over negen is Julia Nhàn Coste geboren.'

Ook hier stond niets in het vakje 'overleden'.

'Ik heb trouwfoto's van mijn ouders,' zei ze met toonloze stem. 'In de kerk. En tenzij je weduwnaar bent, zoals papa toen was, kun je maar één keer in de kerk trouwen!'

'Behalve als je je voor de eerste keer tevreden hebt gesteld met het stadhuis...'

De avond viel en het begon steeds donkerder te worden op de zolder, ondanks het elektrische peertje.

'Raoul Coste. Julia Coste. Grote genade, wie zijn die mensen?'

Het eenvoudigst was haar vader te bellen, dat zou ze meteen gaan doen. Er was vast en zeker een simpele verklaring waaraan Pascale, te geschokt door haar ontdekking, niet dacht. Henry zou haar die verklaring geven. Nou, ja, misschien... Misschien, want op welke manier zou hij dit mysterie rechtvaardigen? Waarom hadden hij en Camille er nooit op gezinspeeld?

Pascale werd overvallen door de overweldigende aandrang om te huilen, haar keel kneep dicht. Ze voelde dat Aurore haar elleboog vastpakte.

'Kom, laten we naar beneden gaan.'

Met het trouwboekje in haar vingers geklemd liet Pascale zich meevoeren naar de begane grond. Toen ze aan de keukentafel zat, leunend op haar ellebogen, met haar handen onder haar kin, probeerde ze alles op een rijtje te zetten. Aurore begon zwijgend water te koken. Dus haar moeder zou getrouwd zijn geweest, net eenentwintig jaar geworden en al zwanger, want de baby was drie maanden later geboren. Een klein meisje, Julia genaamd, en daarna volgde een Vietnamese voornaam, zoals Camille zelf ook had gehad. Die Julia moest nu negenendertig zijn. De oudste dochter van haar moeder, over wie Pascale nooit had horen praten. Geen woord, zelfs geen vage toespeling. Die Julia Coste bestond niet in de familie Fontanel. Natuurlijk, het was mogelijk dat ze op jonge leeftijd was gestorven, maar waarom hadden ze dat geheimgehouden?

'Bel je vader op, dan weet je tenminste hoe het zit,' stelde Aurore voor terwijl ze twee kopjes dampende thee op de tafel zette.

Behalve haar levensvreugde, was vriendelijkheid een van de belangrijkste goede eigenschappen van Aurore. Wat zou er zonder haar van Pascale zijn geworden? Ja, Peyrolles was te groot voor een vrouw alleen, zoals tot vervelens toe tegen haar was gezegd, en de aanwezigheid van een vriendin veranderde alles.

Met z'n tweetjes hadden ze het huis in een mum van tijd ingericht. Ze hadden de slappe lach gekregen, ze hadden hele nachten zitten praten onder het opknappen van de spullen die ze van de zolder hadden gehaald. Ze hadden plezier gehad, hun hart bij elkaar uitgestort. Als het winter werd, zouden ze zondags samen onder een deken voor de televisie zitten, en in het komende voorjaar zouden ze samen tuinieren om het park te verfraaien. Onvervangbare Aurore, zonder wie Pascale misschien nooit de lade van de kaptafel zou hebben geopend.

'Als jij er niet was geweest,' mompelde ze, 'zou ik nu vast en zeker zitten huilen... Ik voel dat ik de vraag niet aan papa kan stellen, omdat hij me geen antwoord zal geven. Of niet de waarheid. Het gaat duidelijk om een goed bewaard geheim, waarom zou hij dat vandaag onthullen?'

'Je hebt het recht om het te weten! Het gaat om je moeder, om je zus! Nou ja... je halfzus...'

Het hoge woord was eruit. Ergens in de wereld leefde een vrouw die haar halfzus was. Dezelfde familieband als met Adrien, niets meer, niets minder.

'Als ze nog leeft,' mompelde Pascale, 'ga ik naar haar op zoek en ik zal haar vinden!'

Ze had geen andere oplossing, want ze wist van tevoren dat ze pas rust zou hebben als ze de waarheid kende.

'Denk je dat je broer ervan op de hoogte is?'

'Ik denk het niet. Ondanks ons leeftijdsverschil hadden wij een zeer hechte band, Adrien en ik, totdat ik met Samuel trouwde. Ik kan me niet voorstellen dat hij zoiets voor me zou verbergen.'

Maar ze was er niet zeker van. Een uur eerder zou ze hetzelfde van haar vader hebben gezegd, en toch...

'Ik zal naar het stadhuis van het twaalfde arrondissement in Parijs schrijven. Als Julia Coste is overleden, zal dat in hun registers staan. Je kunt niemand begraven zonder in contact te treden met het stadhuis waar zijn of haar geboorte is aangegeven, dat is de gebruikelijke procedure. En daarna zie ik wel wat ik moet doen.'

Aurore keek haar zwijgend aan. Toen stond ze op om het licht aan te doen. Meteen werd de sfeer in de keuken warmer. Pascale onderdrukte opnieuw die stomme aandrang om te huilen. Haar moeder was een zachtaardige, lieve vrouw geweest, die zich helemaal aan de opvoeding van Adrien en Pascale had gewijd. Ze was dol op kinderen geweest, ze had absoluut van die Julia gehouden. Wanneer en hoe had ze haar verloren? Had de vader, Raoul, Julia meegenomen, ontvoerd? En wat was er van hém geworden? Maar vooral – en die vraag was de meest pijnlijke – waarom was er zo'n geheim van dat deel van Camilles leven gemaakt? Natuurlijk, Camille had weinig gepraat en vrijwel nooit over zichzelf. Ze was heel karig geweest met vertrouwelijkheden en had nooit iets verteld over haar jeugd of haar familie, met wie ze was gebrouilleerd. Ze had alleen maar gezegd: 'Slechte mensen,' met uitzondering van haar vader, die haar had meegenomen uit Hanoi en naar Frankrijk had gebracht. Aan Vietnam had ze natuurlijk geen enkele herinnering bewaard, ze had slechts de naam van haar moeder gekend: Lê Anh Dào. Dat alles had niets te maken met een zekere Raoul Coste.

'Hoe kun je nou zo weinig over je familie weten?' zei Pascale met een zucht.

De geschiedenis van haar vaders kant, van het artsengeslacht waar Henry een telg van was, kende ze daarentegen door en door. Adrien en Pascale hadden, zoals alle Fontanels, de eed van Hippocrates afgelegd, en zo de traditie voortgezet. In Albi was zelfs een straat die de naam droeg van Edouard Fontanel, heelmeester in de negentiende eeuw. Maar over de Montagues was er niets. Alleen de officier die uit Indochina was teruggekeerd, met een militaire onderscheiding en een uit overspel geboren kind. Meer had Camille er niet over gezegd, behalve dat ze slechts van twee mannen had gehouden in haar leven: kapitein Abel Montague en Henry. Geen woord over een zekere Raoul! Een jeugdzonde die ze had willen verdoezelen? Niet door een baby in de steek te laten, dat zou ze nooit hebben kunnen doen. Ze had altijd oneindig liefdevol gezegd: 'Mijn twee kinderen. Ik heb twee kinderen.' Adrien, die ze als haar eigen zoon beschouwde, en Pascale. Maar soms had ze gezegd: 'Ik heb twee kinderen gehád.' Natuurlijk had niemand daar aandacht aan geschonken.

'Ik ga met het avondeten aan de slag,' verkondigde Aurore. 'En zeg niet dat je geen honger hebt!'

Niets kon Pascale haar eetlust ontnemen, dat was legendarisch. Ze had dan ook niet de moed tegen Aurore te zeggen dat ze op dit moment misselijk werd bij de gedachte aan eten.

Samuel verliet fluitend de uitslaapkamer. Zijn laatste patiënt was zojuist zonder problemen en met een bevredigend ritme van de hartslag en de ademhaling ontwaakt.

Bij de uitgang van het operatieblok had hij een douche genomen, in gezelschap van de chirurgen, en er was geen enkele reden meer waarom hij in het ziekenhuis moest blijven. Gelukkig, want hij werkte absoluut niet graag op zaterdagmorgen, maar hij werd er steeds vaker toe gedwongen vanwege het gebrek aan anesthesist-reanimisten. Een logisch tekort door de uit Amerika afkomstige mode om rechtszaken tegen artsen of ziekenhuizen aan te spannen. Zodra er iets misging bij een operatie, werd de anesthesist aansprakelijk gesteld, meestal ten onrechte. Samuel betreurde de situatie. Hij hield van zijn werk, maar hij was zwaar overbelast.

Hij wierp een blik op zijn horloge en zag dat hij nog net tijd genoeg had om naar de vliegclub te rijden, waar hij met Pascale had afgesproken. Sinds het feestje op Peyrolles, een week geleden, waren ze elkaar niet één keer tegengekomen in de gangen van Purpan, en uiteindelijk had hij haar moeten bellen om haar voor een lunch uit te nodigen. Hij wilde niet de indruk wekken dat hij van de afwezigheid van Marianne profiteerde, maar hij stierf van verlangen om Pascale onder vier ogen te zien en te spreken. Hij had haar zo mooi gevonden in die zwartzijden jurk! Elegant, sensueel, exotisch... Naast haar was Marianne bijna onbeduidend geworden. Arme Marianne, die elke avond belde om uitvoerig te vertellen wat ze die dag had gedaan en het telefoongesprek eindigde met lieve woordjes en een hartstochtelijke liefdesverklaring. Als hij dat hoorde, voelde hij zich ongemakkelijk, schuldig door de lauwheid van zijn eigen gevoelens en het feit dat hij niet met haar kon breken. Maar ondanks alles was hij tóch ontroerd. Als het erop aankwam, zou hij niet kunnen zeggen wat hij voor haar voelde. Maar wat zijn ex-vrouw betrof, had hij – helaas! – niet de geringste twijfel: hij was nog steeds gek op haar en zou dat waarschijnlijk tot aan zijn dood toe blijven. Moest hij proberen een tweede kans van haar te krijgen of moest hij zich, integendeel, dwingen haar niet meer te zien en niet meer aan haar te denken? Verstrikt in zijn innerlijke conflicten verweet hij zichzelf dat hij alles had gedaan om te zorgen dat ze zich hier kon vestigen. Achter zijn bereidwilligheid om haar te helpen zat slechts een egoïstisch verlangen, hij hield zichzelf niet voor de gek.

Pascale zat lachend op een van de hoge barkrukken. Nadat ze ruim op tijd voor haar afspraak met Sam was gearriveerd, was ze Laurent Villeneuve tegen het lijf gelopen, die net uit een sportvliegtuig was geklommen, een Robin DR 400. Hij had meteen voorgesteld haar een complete rondleiding op de vliegclub te geven, van de start- en landingsbanen via de hangaars naar de verkeerstoren, alvorens haar mee te nemen naar de bar. Blijkbaar was hij net zo blij als zij dat ze elkaar buiten het ziekenhuis ontmoetten. Hij maakte grapjes en stelde haar op haar gemak.

Ze was nog niet helemaal hersteld van de ontdekking van het trouwboekje. Ze was moe. Sinds een week sliep ze slecht en als ze eindelijk in slaap viel, had ze last van nachtmerries. Behalve de brief naar het Parijse stadhuis, had ze niets ondernomen, niets besloten. En ze had vooral haar vader niet gebeld, want ze wist niet wat ze tegen hem moest zeggen.

'Wat voert u hierheen?' vroeg Laurent met een ontwapenende glimlach. 'Is het de nostalgie van de pilote zonder machine? Ik neem u mee voor een tochtje, als u dat wilt, maar ik weet dat u de voorkeur geeft aan helikopters.'

'Als je daar eenmaal van hebt geproefd, wordt het algauw een passie, dat zult u zien.'

'Ik ben al verkocht! Samuel is een voortreffelijke leraar, ik hoop over twee of drie maanden het brevet te halen.'

'Hij is ook míjn instructeur geweest. Met hem lijkt alles makkelijk.'

Toen Sam haar les gaf, in Issy-les-Moulineaux, waren ze nog niet zo lang getrouwd geweest, én smoorverliefd. De gedachte eraan maakte haar plotseling melancholiek. Ging Sam met Marianne trouwen? Kinderen bij haar verwekken, heel vanzelfsprekend, zonder zich een en ander af te vragen?

'Als u zin hebt om te vliegen, Pascale, doe het dan. Steek niet al uw geld in Peyrolles, neem de tijd om u te amuseren.'

Hij vergiste zich in de trieste uitdrukking die zonder dat ze het wilde op haar gezicht was verschenen, maar zijn bezorgdheid was erg opbeurend.

'Ik wil u iets vragen,' zei ze abrupt. 'Hoe moet je het aanpakken om iemand terug te vinden van wie je slechts de naam, de geboortedatum en de geboorteplaats kent?'

Zich tot hem wenden verplichtte haar tot niets, terwijl ze vastbesloten was haar ontdekking voor Sam te verzwijgen. Hij kon goed opschieten met haar vader, hij zou in staat zijn haar vader op te bellen als ze vertelde wat ze had gevonden.

'Schrijft u een detectiveroman of bent u bezig met een persoonlijk onderzoek?'

Laurent glimlachte opnieuw, belangstellend en heel charmant. Toen hij zag dat ze niet antwoordde vervolgde hij: 'U zou het op internet kunnen zoeken. Maar neem eerst contact op met de burgerlijke stand en vraag om een uittreksel uit het bevolkingsregister van de betreffende persoon.'

'Ja.'

'Verder is er ook nog de familie, de naasten...'

Uit zijn mond klonk dat simpel, hij zou niet door administratieve moeilijkheden worden afgeschrikt. Opgelucht wierp ze hem een dankbare blik toe. Tot haar verbazing zag ze hem blozen. Ze had niet gedacht dat hij verlegen kon zijn, en ook niet dat ze een man als hij kon imponeren.

'Het was ontzettend druk op de weg!' riep Samuel, terwijl hij plotseling achter hen opdook. 'Het spijt me dat ik zo laat ben, maar je hebt je tenminste niet verveeld, je bent in goed gezelschap...'

Hij gaf haar een kusje alvorens op schalkse toon voor te stellen: 'Lunch je met ons mee, Laurent?'

'Nee, ik laat jullie alleen, want ik wil jullie niet storen.'

Teleurgesteld door zijn afwijzing gaf Pascale hem een hand en bedankte hem voor de rondleiding. Daarna volgde ze Sam naar het restaurant. De inrichting was volledig aan de luchtvaart gewijd. Aan de betimmerde muren hingen prachtige foto's van een Mirage, een Rafale, een Super Etendard, landend op het vliegdekschip *Charles-de-Gaulle*.

'Ik had graag jachtvlieger willen zijn. Ik ben mijn roeping misgelopen!' grapte Samuel.

Hij leek zich lekker in zijn vel te voelen, en Pascale benijdde hem om zijn zorgeloosheid.

'Heb je nieuws van Marianne?'

'Het gaat uitstekend met haar. Ze geniet enorm van haar vakantie... en ik ben blij dat ik weer een beetje alleen ben.'

'Dat is niet erg aardig ten opzichte van haar.'

'Ik moet bekennen dat ik niet meer geschikt ben om mijn leven met iemand te delen.'

Een beetje verbaasd herinnerde ze zich dat hij juist heel makkelijk was om mee te leven. Hij was bijna altijd in een goed humeur en sloot zich nooit af.

'Met jou vond ik het heerlijk, maar sindsdien is het afgelopen,' voegde hij er zacht aan toe.

'Denk dat niet. Ik heb zo vaak tegen je gezegd dat je een uitstekende vader zou zijn, en daar ben ik nog steeds van overtuigd. Je moet snel een gezin stichten, Sam!'

Hij glimlachte raadselachtig en schudde zijn hoofd.

'Henry vindt het allemaal heel jammer, volgens hem was ik de ideale schoonzoon.'

'Natuurlijk, een arts, een van de onzen, wat dacht je? Als ik zou komen aanzetten met een architect of een loodgieter, zou hij raar opkijken.'

'Denk je er dan aan?'

'Waaraan?'

'Om de goede raad die je me geeft zelf ook op te volgen, dat wil zeggen: te hertrouwen?'

'Ik zal eraan denken op de dag waarop ik verliefd zal zijn.'

'Ik heb niet zoveel zin om jou verliefd te zien op een ander.'

'Sam! Je maakt een grapje, hoop ik. Wij zijn gescheiden, weet je nog? We hebben elkaar zelfs een paar keer beledigd in de kamer van de rechter! Ik wilde dolgraag kinderen van jou, ik móést me wel afschuwelijk gedragen... Maar de bladzijde is omgeslagen, in tegenstelling tot wat jij zaterdagavond op Peyrolles tegen me zei.'

Haar openhartige antwoord leek tot Samuel door te dringen. Hij sloeg zijn ogen neer en begon naar zijn bord te staren. Er was in eigen vet ingemaakte, heerlijk geurende eend voor hen opgediend, toch trok hij een zuur gezicht. Na ruim een minuut stilte slaakte hij een zucht.

'Het spijt me... dat is niet de reden van mijn uitnodiging. We gaan lunchen, en daarna neem ik je mee voor een vliegtochtje en laat ik je de helikopter besturen. Mijn eerste les begint pas om vier uur, dus we hebben alle tijd.'

Het vooruitzicht dat ze ging vliegen bracht Pascale onmiddellijk in verrukking.

'Mag je de helikopter zomaar mee te nemen of gaat dat ons een bom duiten kosten?'

'Als instructeur mag ik gratis vliegen.'

'Geweldig!'

Voor het eerst sinds een week voelde ze zich écht vrolijk en kon ze even het familiemysterie vergeten. Nadat ze een stuk schuimtaart naar binnen had gewerkt, zag ze af van de koffie, om sneller te kunnen opstaan. Samuel leek zijn mislukte poging om haar hart opnieuw te veroveren te zijn vergeten. Hij glimlachte toen hij zag dat ze zo ongeduldig was als een kind. Ze gingen samen de Jet Ranger zoeken in een van de hangaars.

'We hebben ook een Hugues 300 en een 500,' zei Samuel toen ze zich even later in de Jet Ranger installeerden en naar buiten reden.

Hij keek naar haar, terwijl ze haar gordel vastmaakte en haar helm opzette.

'Hoor je me? Goed, waar wil je heen?'

'Naar Peyrolles!'

'Oké.'

Met de kaart op zijn knieën bestudeerde hij het vliegplan en maakte een paar aantekeningen. Toen startte hij de motor en begonnen de propellerbladen te draaien. Met een tevreden glimlach zakte Pascale weg in haar stoel. Zoals alle helikopters was de Jet Ranger uitgerust met een dubbele stuurinrichting, en spoedig zou ze de stuurknuppel onder haar vingers voelen trillen. Met een gelukzalig gevoel keek ze toe, terwijl Sam de helikopter foutloos liet opstijgen, en ze hoorde hem zijn plannen aan de verkeersleider van de toren bekendmaken. Onder hen taxiede een Robin over een startbaan. Ze vroeg zich af of Laurent opnieuw ging vliegen.

Toen Nadine Clément maandagmorgen op haar afdeling arriveerde, gaf ze eerst haar secretaresse een fikse uitbrander en riep daarna een verpleeghulp op het matje. Daarna richtte ze haar woede op de fysiotherapeuten, waarbij ze Georges Matéi als zondebok uitkoos. Toen Pascale om halfelf een beker koffie naar Aurore bracht in de kamer van de verpleegkundigen, hing er een gespannen sfeer op de afdeling longziekten.

'Blijf bij haar uit de buurt,' fluisterde Aurore. 'Ze heeft een humeur om op te schieten!'

'Dat is toch elke dag zo?'

Met een zucht van vermoeidheid plofte Pascale neer op een stoel.

'De kleine jongen van kamer zeven durft zijn morfinepomp niet te gebruiken. Hij moet absoluut worden geholpen.'

Het kind had een paar dagen eerder een zware operatie ondergaan, en had nu veel pijn.

'Ik zal om het uur een kijkje bij hem nemen,' beloofde Aurore.

Georges Matéi kwam binnengestormd. Hij bleef abrupt staan toen hij Pascale in het oog kreeg.

‘O, neem me niet kwalijk! Stoor ik?’

‘Nee, we hebben pauze,’ antwoordde Aurore haastig, ‘je kunt met ons meedoen.’

‘Dan ga ik ook koffie halen. Willen jullie er nog eentje?’

Ze knikten van ja en wachtten tot hij was verdwenen voordat ze in lachen uitbarstten.

‘Hij zocht jóú,’ zei Aurore, met een pruillip.

‘Ik denk dat hij niet weet wie hij moet kiezen, en als je hem een beetje aanmoedigt...’

‘Hij is erg verlegen.’

‘Dat zijn alle mannen,’ zei Pascale. Ze dacht terug aan de manier waarop ze Laurent Villeneuve met slechts één blik aan het blozen had gebracht.

Buiten stortregende het sinds de vroege ochtend en de wind rukte aan de ramen.

‘Wat een snertweer!’ zuchtte Aurore.

‘We zullen vanavond de open haard aandoen.’

‘Heb je hout?’

‘Er ligt een enorme stapel houtblokken bij de omheiningsmuur achter de kas. Trouwens, over de kas gesproken, in het dak zitten heel wat kapotte ruiten. Je hebt er geen erg in vanwege de vegetatie, maar ik kon het heel goed zien toen ik eergisteren met Sam over Peyrolles vloog.’

‘Hoe is het vanboven af?’

‘Heel klein. Een poppenhuis... omringd door een oerwoud! We moeten hoognodig in het park aan het werk, het lijkt nergens meer op.’

Georges kwam terug, met drie bekers die in wankel evenwicht op een dienblad stonden.

‘Goed, ik drink snel mijn koffie op en dan ga ik terug,’ besloot Pascale, terwijl ze opstond.

Op dat moment werd de deur met kracht opengeduwd en plantte

Nadine Clément zich in de deuropening, haar armen voor haar borst gekruist. Haar blik bleef een seconde op het dienblad rusten, waarop koffie was gemorst, en vervolgens op Pascale.

'U hebt zeker niets anders te doen?'

Zonder Pascale de tijd te geven te antwoorden, sprak ze Georges luid toe.

'Ik dacht dat u het zo druk had! Dat was toch de uit de lucht gegrepen verklaring die u me zojuist gaf? Hoe het ook zij, u heeft niets in deze kamer te zoeken. Wegwezen!'

Ze deed een stap opzij om hem door te laten, voordat ze zich opnieuw tot Pascale richtte. Ze negeerde Aurore, als iemand die er niet toe deed.

'Het is zinloos hierheen te vluchten, ik weet dat het uw favoriete schuilplaats is om lijn te trekken. Op mijn afdeling zijn de artsen op hun post. Als u het idee hebt dat u daartoe niet in staat bent, ga dan ergens anders een baan zoeken.'

Heel kalm verzette Pascale zich, vastbesloten zich niet te laten intimideren.

'Ik heb al mijn patiënten bezocht, mevrouw. Ik drink een kopje koffie en wacht hier tot het tijd is om de ronde te doen.'

De ronde van professor Clément vond elke morgen om klokslag elf uur plaats. Nadine stond erop dat haar hele ploeg dan in haar kielzog liep. Maar het was nog maar tien voor elf.

'Ik hoop dat uw dossiers bijgewerkt zijn en dat mijn secretaresse al uw rapporten heeft!'

'Absoluut.'

Met fonkelende ogen van woede nam Nadine Pascale op, maar het lukte haar niet Pascale haar blik te doen afwenden. Tijdens de ronde ging ze haar waarschijnlijk bij elke patiënt aan de tand voelen, maar Pascale was zeker van zichzelf. Herhaaldelijk had Nadine haar in het nauw willen drijven met ingewikkelde vragen waarop Pascale altijd goed had geantwoord. Ze was nauwgezet, perfectionistisch en sterk door de degelijke ervaring die ze in het Necker ziekenhuis had opgedaan. Ze behandelde elke zieke zo goed mogelijk en had geen enkele reden om ongerust te zijn.

‘Ik heb geen waardering voor u, dokter Fontanel,’ zei Nadine plotseling met een minachtend spotlachje. ‘Het is maar dat u het weet.’

‘Ik neem er nota van,’ antwoordde Pascale op effen toon.

Verbluft door de achteloosheid van het antwoord, aarzelde Nadine even, en toen koos ze ervoor de deur met een klap achter zich dicht te slaan. Ze stormde door de gang, zodat de co-assistenten die ze tegenkwam op de vlucht sloegen. Toen ze eenmaal in de beschutting van haar kamer was, pakte ze een presse-papier die haar door een farmaceutische fabriek was aangeboden, en smeet het ding zo hard mogelijk tegen een muur. Waarom had ze zich tot zo’n persoonlijke opmerking laten verleiden? En nog wel in het bijzijn van een verpleegster! Het nieuws van de woordenwisseling zou vóór het middaguur rondgaan op de afdeling, en vóór het avond was in het hele ziekenhuis. ‘Ik neem er nota van.’ Wat een verwaandheid! Ze moest die stomme trut kapotmaken, als ze haar gezicht niet wilde verliezen. Ze zou heus wel een professionele fout vinden, en desnoods zou ze er eentje verzinnen. Ze kon haar niet langer verdragen. Ze werd al ziek als ze naar haar keek, want dan leek het of ze Camille terugzag.

Ze dwong zich te gaan zitten en langzaam adem te halen. Ze sloot haar ogen. In werkelijkheid waren haar herinneringen aan Camille in de loop der tijden erg verbleekt. Hoe oud was zij, Nadine, geweest toen die malloot haar Raoul naar Parijs was gevolgd? Vijfentwintig? Ze had haar toen al in geen jaren gezien, niet geïnteresseerd in haar lot. De Montagues hadden de schandelijke bastaard die in hun familie was gekomen uit hun leven gebannen. Het had hun niets kunnen schelen wat er van haar zou worden, en ze waren haar bestaan snel vergeten. Veel later hadden ze tot hun stomme verbazing gehoord dat ze terug was in de regio en met Henry Fontanel was getrouwd, nota bene! En zijzelf was in het huwelijk getreden met Louis Clément. Dat huwelijk had haar er niet van weerhouden haar medische carrière voort te zetten. Op veertigjarige leeftijd was ze weduwe geworden en toen had ze zich helemaal aan haar beroep kunnen wijden en zich tot de hoge positie van hoofd van de afdeling kunnen opwerken.

Ze deed haar ogen weer open en keek op haar bureauklokje. Drie minuten voor elf. Ze had slechts drie minuten om helemaal te kalmeren. Klaarblijkelijk wist Pascale Fontanel niet met wie ze te doen had, waardoor Nadine in het voordeel was. Toen ze merkte dat Villeneuve de baan écht aan Pascale wilde geven – en dat alles om zijn vriend Samuel Hoffmann een plezier te doen! – had Nadine gedacht dat er een onvermijdelijke confrontatie tussen Pascale en haar zou plaatsvinden. Maar kennelijk zei de naam Clément Pascale niets. Het zou daarbij kunnen zijn gebleven als er niet aan het meisje te zien was geweest dat ze een halfbloed was. Zonder haar grote, donkere ogen, haar te steile haren, haar Aziatische gelaatskleur, zou Nadine haar misschien hebben kunnen negeren. Jammer genoeg was haar gelijkenis met Camille te irritant, en haar arrogante manier van antwoorden was volstrekt ondraaglijk!

Nadine zag plotseling het beeld van haar vader in uniform voor zich. Mooie man, mooie officier, die een militaire onderscheiding had gekregen voor de manier waarop hij in Indochina had gevochten. Hij had er nauwelijks over gesproken. Slechts één keer had hij haar iets verteld over de verovering van het fort van Lang Son, waarbij een handjevol Fransen een bittere strijd tegen de Japanners hadden gevoerd. Hij had deel uitgemaakt van de soldaten tegen wie de vijand de wapens had opgenomen... alvorens hen gevangen te nemen. Hij vertelde er niet graag over. Hij had zich tevreden gesteld met een trieste en tedere blik op de kleine Camille, terwijl Nadine door jaloezie werd verteerd. Ze had gestampvoet en geëist dat ze op haar vaders schoot mocht klimmen. Hij had haar zwijgend haar gang laten gaan. Wat had hij kunnen zeggen? Ze was zijn oudste dochter, zijn échte dochter, ze had alle rechten.

Nadine zette deze ongewenste herinneringen van zich af en ging staan. Ze was geen klein meisje meer en Abel Montague was geen held geweest. Had hij niet zijn vrouw en zijn wettige kinderen verraden? Trouwens, hij was gewoon in zijn bed gestorven, zoals iedereen.

Ze trok haar witte doktersjas uit en haar colbertjasje aan. Als ze de ronde deed droeg ze altijd gewone kleren om zich van haar artsen te onderscheiden, omdat ze de baas was. De grote baas.

Beschaamd en berouwvol verontschuldigde Samuel zich terwijl Marianne gelukzalig lachte. Het feit dat hij zich niet langer kon beheersen was meer vleiend dan frustrerend voor haar. Hij drukte haar tegen zich aan, een beetje buiten adem, en daarna kuste hij haar schouder, haar borsten, haar buik. Ook al was hij te vroeg klaargekomen, te snel, niet in staat zich in te houden, ze wist dat hij zich nu om háár zou bekommeren. Hij was een fantastische minnaar en in bed maakte hij haar gek, maar ze had nooit gedacht dat ze hetzelfde effect op hém zou hebben. Tijdens haar vakantie was ze een beetje slanker geworden, door Sams afwezigheid had ze geen trek in eten gehad. En twee weken zon hadden haar huid een mooie, bruine kleur gegeven en haar blonde haren nóg lichter gemaakt. Ze had zich mooi gevoeld onder de bewonderende mannenblikken, en Samuel had het haar bevestigd toen ze zich op het vliegveld van Blagnac in zijn armen had geworpen.

De handen van Sam waren buitengewoon zacht, zijn mond ook. Ze onderdrukte een kreun, en stelde zich nog meer open voor zijn liefkozingen. Werd hij eindelijk verliefd op haar? Dat idee was zo opwindend, dat ze zich aan haar orgasme overgaf en het uitschreeuwde.

Ze had een paar minuten nodig om weer bij te komen. Leunend op een elleboog lag Sam vriendelijk naar haar te kijken. Niet met oprechte tederheid, alleen maar vriendelijk.

'Je bent beeldschoon... Ben je goed uitgerust?'

Geen passie, geen liefdesverklaring, een vriendelijke, ontmoedigende bezorgdheid. Wanneer zou hij opstaan, zich van haar losmaken en aankondigen dat hij ging vliegen? O, ongetwijfeld had hij haar niet bedrogen, gezien zijn dringende begeerte! Nee, waarschijnlijk was hij trouw, behalve in zijn geest, want hij dacht nog steeds aan zijn ex-vrouw zonder daar een geheim van te maken.

'Heb je Pascale nog gezien de laatste tijd?'

De vraag overviel hem, maar hij knikte van ja. Omdat ze op het vervolg wachtte, zei hij met tegenzin: 'Afgelopen zaterdag heb ik in de club met haar geluncht en haar meegenomen voor een vlucht. Ze had zin om zelf te vliegen.'

En natuurlijk, de wensen van Pascale waren heilig.

'Fijn voor haar. Ik zou dat ook wel eens willen.'

Nooit had ze het hem durven vragen, maar omdat Pascale geaccepteerd was in de vliegclub, wilde zij niet achterblijven.

'Wil je het leren?' vroeg hij glimlachend. 'Het is onbetaalbaar...'

'Echt waar? Te duur voor een eenvoudige secretaresse, en te ingewikkeld voor mij?'

Woedend sprong ze overeind en rende naar de badkamer, waar ze zich opsloot. Waarom was ze zo dom om hun weerzien te verpesten? Alles was zo goed begonnen!

'Marianne...'

Ze sloot de deur af en legde haar handen op haar oren. Als ze naar hem luisterde, zou hij haar uiteindelijk overhalen naar buiten te komen en in zijn armen te schuilen. Hij kon troosten, maar hij kon niet liefhebben. Háár niet, in elk geval. Hij had het trouwens nooit gewaagd dat tegen haar te zeggen, hij was geen leugenaar.

Ze bleef lang op de rand van de badkuip zitten, terneergeslagen. Toen ze eindelijk besloot in beweging te komen om een blik door het raam te werpen, zag ze dat Sams auto was verdwenen.

'Je verdiende loon, sufferd,' zei ze zachtjes.

Een man als Samuel was niet met tranen, scènes en drama's te veroveren. Dat had hij vanaf het begin tegen haar gezegd. Hij bewaarde een nachtmerrieachtige herinnering aan zijn scheiding en was er niet van genezen. Wat had het voor zin te vragen om iets wat hij niet kon geven?

Ze ging voor de spiegel staan en dwong zich tot kalmte. Toen bekeek ze zichzelf kritisch, van voren, van opzij. Ze was inderdaad beeldschoon. Dus in plaats van zich gewonnen te geven moest ze doorgaan met vechten. Ze wilde Sam hebben, ze zóú hem krijgen!

Pascale zwaaide terwijl de achterlichten van Aurores auto zich over de oprijlaan verwijderden. Het was al vroeg donker, en er waaide een gure wind, een voorproefje van de winter. Ondanks haar coltrui van ongebleekte wol huiverde Pascale. Ze haastte zich naar binnen en vroeg zich af waar Georges Matéi met Aurore ging eten. Voor dit eerste onderonsje hadden ze afgesproken in Père Louis, een wijnbar aan de rue des Tourneurs, in het centrum van Toulouse. Jammer dat ze op en neer moest rijden, maar Aurore had erop gestaan naar huis te gaan om andere kleren aan te trekken en haar haar te wassen.

Pascale was helemaal niet bang geweest bij het vooruitzicht alleen in het huis achter te blijven. Ze had besloten ervan te profiteren om de studeerkamer op te ruimen. Zoals haar vader destijds, had ze er haar bureau neergezet, maar de stapel papier was één grote chaos, en sommige dozen met boeken die uit de Parijse meubelopslag kwamen waren nog steeds niet uitgepakt.

Ze begon met het afstoffen van de kersenhouten boekenrekken en vroeg zich af hoe ze haar boeken zou rangschikken. Langs de grote muur de algemene literatuur, en de wetenschappelijke werken dicht bij haar, binnen handbereik, om haar kennis op te frissen, zodat ze altijd een goed antwoord op de gemene raadseltjes van Nadine Clément had! Nadine had de vorige dag haar woede laten varen en zich tijdens de ronde niet meer voor Pascale geïnteresseerd, maar de vraag bleef: waarom was ze zo kribbig en geïrriteerd?

Terwijl Pascale over een open doos gebogen stond, las ze de titels, met een verdrietig gevoel. Sam had haar die boeken na haar blindedarmoperatie gegeven, een goed voorwendsel om haar te komen bezoeken en tien minuten naast haar bed te zitten. Ze wist nog heel goed hoe hij die dag naar haar had gekeken, vol adoratie en ongeloof.

Ze schrok op toen ze buiten geknars en gepiep hoorde. Ze ging rechtop staan, op haar hoede en met bonzend hart. De ruiten van de twee openslaande deuren waren donker, ze kon niet zien wat er in het park gebeurde. Automatisch zocht ze een voorwerp om zich te verdedigen als dat nodig was, en ze pakte de briefopener die op haar bureau lag. Een bespottelijk gebaar, waardoor ze tóch haar zelfbeheersing herkreeg. Zonder haar noodwapen los te laten liep ze met resolute stappen door de kamer, draaide de sleutel van de eerste openslaande deur om en duwde de deur open.

'Wees niet bang, ik ben het maar!' zei een schorre stem.

'Meneer Lestrade?'

'Lucien, dat heb ik al tegen u gezegd...'

Hij verscheen in het lichtschijnsel van de studeerkamer. Op zijn ribfluwelen broek zat aarde, ter hoogte van de knieën. Pascale, nog steeds waakzaam, nam hem wantrouwig op.

'Wat doet u daar?'

'Nou... werken!'

'In het donker?'

'Nee, nu berg ik mijn gereedschap op. Het is te vroeg donker.'

'Met welk recht komt u hier binnen?' zei ze verontwaardigd. 'We hebben het er al over gehad, Lucien, ik wil niet dat u...'

'Ja, maar u doet níéts! Helemaal níéts! Het is een puinhoop. Overal onkruid, dorre bladeren, verwelkte bloemen.

'Nou en?'

'Nou én? Grote genade, begrijpt u het dan niet?'

Geagiteerd deed hij twee stappen in haar richting. Ze deinsde instinctief terug, terwijl ze de briefopener stevig omknelde.

'Neem me niet kwalijk,' zei hij en bleef abrupt staan. 'Ik wilde u geen schrik aanjagen. Niet ú, vooral niet ú... ik ga nu meteen weg, morgen kom ik terug.'

'Nee! Alstublieft, Lucien, kom níét terug.'

'Ik zal geen geluid maken, ik heb alleen maar een schoffel nodig. Maakt u zich geen zorgen, ik vraag u niet om geld. Ik zal zelfs niet in de buurt van het huis komen, als u dat liever heeft.'

Zijn vasthoudendheid had iets bizars, om gek van te worden. Pascale durfde hem niet tegen te spreken, maar ze wilde hem niet meer op Peyrolles zien rondlopen. Hij verdween in het duister. Waarschijnlijk haalde hij zijn kruiwagen op, want ze hoorde het geknars en gepiep opnieuw.

'Ik zal hem invetten,' riep hij.

Ze wachtte een paar ogenblikken, teleurgesteld dat ze zich niet standvastiger had kunnen tonen, en daarna ging ze het huis weer in. Ze legde de overbodig geworden briefopener terug op het bureau en luisterde aandachtig. Ze hoorde niets meer. Was hij eindelijk vertrokken?

Angstig liep ze door het hele huis en deed alle lampen aan. De brutaliteit van Lestrade maakte haar boos, te meer daar het park inderdaad verwaarloosd leek. Maar als hij langskwam, wijdde hij zich aan een karwei waarvan het resultaat nauwelijks zichtbaar was. Wat deed hij precies? Ze nam zich voor het komende weekend niets anders te doen dan schoffelen en harken, want als ze zich van Lestrade wilde bevrijden moest ze beginnen orde op zaken te stellen en hem bewijzen dat ze hem niet nodig had.

'Maar waarom ben ik verplicht dat te doen? Waar bemoeit hij zich mee?' zei ze hardop.

Wat had hij twee weken terug tegen haar gezegd? 'Ik heb het beloofd.' Een weddenschap, een eed? Aan wie? Daar kon ze onmogelijk achterkomen, aangezien Lestrade niet op directe vragen reageerde. Ook niet op het uitdrukkelijke bevel om op afstand te blijven!

Pascale werd overweldigd door een gevoel van onbehagen. Voor de zoveelste keer had ze zin haar vader te bellen, om zijn hulp in te roepen, om een verklaring voor al die mysteries te eisen. Jammer genoeg was híj ermee begonnen. Zodra er sprake van Peyrolles was geweest had hij zich vijandig getoond, zonder ook maar één goed argument tegen de wens van zijn dochter te kunnen aanvoeren.

Impulsief nam ze de hoorn van de haak en begon het nummer van haar vader in te toetsen, maar ze bedacht zich en toetste dat van Adrien in. De telefoon ging zes keer over voor hij opnam. Zijn stem was hees.

'Stoor ik?' vroeg ze.

'Nee, nee... Ik ben altijd blij je te horen, zusje.'

Als hij haar zo noemde, betekende dat dat hij niet alleen was.

'Ik zal je niet lang lastigvallen, ik wil alleen dat je een paar vragen beantwoordt.'

'Doe je mee aan een spel?'

Ze hoorde duidelijk het geluid van zijn aansteker. Als hij een sigaret opstak, had hij niet al te veel haast.

'Ik meen het serieus, Adrien. Allereerst, herinner jij je de exacte reden die papa ertoe heeft gebracht Peyrolles te verlaten? Jij was twintig, jíj moet toch zeker dingen weten die ík niét weet.'

'Nou... hij droomde van de Parijse regio. Hij begon het benauwd te krijgen op het platteland. En mama ging achteruit, ze sprak steeds minder en had alleen maar belangstelling voor haar bloemen. Papa maakte zich daar zorgen om.'

Voor haar moeder waren de bloemen ongetwijfeld een manier geweest om aan de werkelijkheid te ontsnappen. Pascale dacht aan de platte mand met langstelige rozen of lelies. Was er enig verband tussen de obsessie van Camille voor haar bloemperken en de dwanggedachten van Lucien Lestrade?

'Waarom denk jíj, Ad, dat er zoveel meubilair op de zolder is opgeslagen? Het was de bedoeling dat het huis werd verhuurd. Onze ouders hadden ter plekke kunnen verkopen wat ze niet naar Saint-Germain meenamen, nietwaar?'

'Mama was overdreven gevoelig wat de spullen betrof, dat kun je je vast nog wel herinneren! Ze besloot dat de huurders de zolder niet nodig zouden hebben, en op die manier kon ze alles opbergen waarvan ze geen afscheid wilde nemen. Ik ben die trap ontelbare keren opgeklommen! Ze zei tegen me dat ik dit en dat naar boven moest brengen... En jij vond het nota bene leuk om alles weer naar beneden te sjouwen met je vriendin Aurore! Tussen haakjes, hoe is het met haar?'

'Goed, ze is naar Toulouse vertrokken om daar in gezelschap van een charmante jongen te eten.'

'Jammer...'

'Voor wie? Voor jou? Je bent hier zevenhonderd kilometer vandaan, Adrien, dus maak je maar niet druk om Aurore. Vertel me liever waarom papa en jij zo terughoudend waren toen ik Peyrolles wilde kopen. Nu de koop is gesloten is het onderwerp geen taboe meer, lijkt me zo.'

'Dat is het nooit geweest,' protesteerde Adrien.

Ze hoorde hem de rook van zijn sigaret uitblazen, alsof hij zijn afkeuring wilde benadrukken, en daarna liet hij een korte stilte vallen voordat hij vervolgde: 'Aan de ene kant was het niet zo sympathiek van je om vlak na het overlijden van mama weg te gaan. Aan de andere kant brengt dat huis niet echt geluk.'

'Dat beweert papa ook, maar toch zijn we er erg gelukkig geweest, als ik het me goed herinner.'

'Jij misschien, maar híj niet. De brand waarbij mijn... mijn moeder, mijn eerste dus, levend is verbrand is een afschuwelijke herinnering voor hem. Weliswaar heeft hij wat er over was van het atelier met de grond gelijk laten maken, maar hij is het niet vergeten.'

De hele herfst door had er op die plek purperen hibiscus gebloeid, bracht Pascale zich huiverend in herinnering.

'Hij had Peyrolles op dat moment kunnen verkopen, als het ondraaglijk voor hem was.'

'Aan wie? De mensen zouden Peyrolles al gauw hebben omgedoopt tot huis van het drama, huis waar een vloek op rust, en dan zou niemand het hebben willen kopen! Ik was nog erg klein, hij wilde niet op goed geluk vertrekken met een jong kind.'

'Goed, laten we daar maar even van uitgaan, maar verder? Er is geen ander drama geweest, voor zover ik weet.'

Nieuwe stilte, nieuwe zucht. Toen vervolgde Adrien: 'Luister, kleintje, ik geloof dat papa grote zorgen om mama heeft gehad. Hij verborg het zo goed mogelijk, maar toen hij besloot Peyrolles te verlaten, had hij er zijn buik vol van. Vóór het vertrek heeft hij een paar keer een lang gesprek met me gevoerd. Hij bracht mijn studie ter sprake en beweerde dat de medische faculteit van Parijs de allerbeste was... in werkelijkheid maakte hij zich vreselijk ongerust over mama.'

'Waarom? Ze was toen nog niet ziek.'

'Niet ziek, maar zó triest! Ze zei haast niets meer en at heel weinig. Volgens hem kwijnde ze weg op Peyrolles.'

De aandrang om Adrien het bestaan van het oude trouwboekje te onthullen was plotseling zo sterk, dat Pascale op haar tong moest bijten. Haar vader en haar broer hadden altijd een hechte band met elkaar gehad, en Adrien moest haast wel op de hoogte zijn van gebeurtenissen die ze voor het kleine meisje dat ze toen was hadden verzwegen.

'Het spijt me dat ik mama niet meer vragen heb gesteld. Ik ben me ervan bewust geworden dat ik wat haar betreft vrijwel niets weet. En jij?'

'Waarover?' vroeg Adrien verbaasd.

'Over haar jeugd, haar familie...'

'Ze had er een streep onder gezet.'

'Waarom?'

'Wat héb je toch?'

Adriens stem klonk plotseling hard, hij zou wel genoeg hebben van het gesprek. Pascale herinnerde zich dat hij waarschijnlijk niet alleen was.

'Als je het goedvindt,' stelde ze voor, 'bel ik je morgen terug.'

'Hebben we over dit onderwerp dan niet alles gezegd wat er te zeggen valt?'

Nu werd hij zenuwachtig en had haast het gesprek te beëindigen.

'Bel papa maar op, ik ben niet geïnteresseerd in al die dingen. Nou, het is al laat. Ik geef je een zoen, zusje.'

Teleurgesteld nam zij op haar beurt afscheid en hing op. Adrien had zich niet erg welwillend getoond. Hij begreep natuurlijk niets van dat spervuur van vragen. Wat zou hij hebben gezegd als ze over het trouwboekje was begonnen? En waarom had ze gezwegen? Waarom had ze geen vertrouwen in haar broer? Sinds ze het eerste huwelijk van haar moeder en de geboorte van die Julia Nhàn had ontdekt, wilde ze in haar eentje de waarheid vinden, dat wil zeggen zonder dat ze werd ontzien of belogen.

Terwijl ze bij de telefoon stond dacht ze nog even na. Daarna maakte ze een kopje instantkoffie voor zichzelf en nam het mee naar de studeerkamer, waar de lampen nog aan waren. Ze schonk geen aandacht aan de dozen met boeken, die voor de helft waren uitgepakt, maar ze zette haar computer aan en maakte verbinding met het internet. Er was in elk geval één heel simpel ding waarop ze onmiddellijk antwoord kon krijgen. Ze bekeek verschillende sites voordat ze vond wat ze zocht.

'De voornamen van vrouwen verwijzen in het algemeen naar de schoonheid... De eenvoudige voornamen bestaan altijd uit één woord, eenlettergrepig... Aziaten geven de voorkeur aan samengestelde voornamen, omdat ze dan een rijkere betekenis kunnen toekennen. De voornaam van een kind drukt meestal de droom van de ouders uit.'

Ze liet de lange lijst voornamen op het scherm voorbijtrekken, tot de letter N, en ontdekte dat Nhàn 'zonder zorgen' betekende. Julia zonder zorgen...

Ze deed de la van haar bureau open, haalde er het trouwboekje uit en bladerde het door. Haar moeder, Camille, heette ook Huong Lan, dat wil zeggen 'orchideeëngeur' en de voornaam van de moeder van Camille was Anh Dào, 'kersenbloesem'. Bloemen, altijd bloemen, behalve die kleine Julia zonder zorgen. Was het Camilles diepste wens geweest dat haar baby volstrekt zorgeloos was? Toen ze aangifte deed van de geboorte van haar eerste dochter, had ze gedacht dat het goed was er een Vietnamese voornaam aan toe te voegen, terwijl ze dat bij Pascale niet had gedaan. Waarom had ze na de geboorte van Julia teruggedacht aan haar wortels, aan haar eigen moeder, Anh Dào, aan dat verre land waar ze vandaan kwam?

Met een diepe zucht zette Pascale de computer uit. Even gaf ze zich over aan de stilte die haar omringde, daarna stak ze haar hand uit naar de envelop die 's ochtend was gearriveerd, afkomstig van het stadhuis van het twaalfde arrondissement van Parijs.

Zoals ze al hoopte – omdat ze het diep in haar hart wíst – was Julia Nhàn Coste niet overleden.

Ze stopte de envelop in het trouwboekje en legde het weer achter in de la. Een onderzoek dat ze met behulp van een van de minitels van het ziekenhuis had uitgevoerd, had haar geleerd dat er een groot aantal Costes in het departement voorkwam, maar het deed er weinig toe, ze zou Raoul heus wel op het spoor komen. Trouwens, ze kon contact opnemen met de familie van haar moeder, de Montagues met wie Camille niets te maken wilde hebben.

Ze ging staan en rekte zich uit. Ze was te moe om op Aurore te wachten. Ze hoopte trouwens dat haar vriendin laat zou thuiskomen, dat zou betekenen dat de avond met Georges Matéi gezellig was geweest! Pascale ging terug naar de keuken, waar ze roereieren met toast klaarmaakte. Waarom had Laurent Villeneuve haar nog niet voor een lunch uitgenodigd? Omdat zijn positie als directeur van het UMC het hem verbood of uit respect voor zijn vriend Samuel? Spraken ze over haar als ze samen waren? Het idee dat Sam misschien het gevoel had dat hij zeggenschap over haar had was ergerlijk... en aandoenlijk.

Toen ze bezig was de koekenpan af te wassen, sloeg ergens in het huis een deur dicht. Ze schrok ervan. Had ze soms een raam open laten staan? Ze draaide de kraan uit, zette de koekenpan op het aanrecht en luisterde gespannen. Buiten was het hard gaan waaien. Het gevoel van onbehagen van twee uur daarvoor overweldigde haar opnieuw. Tot dan had ze zich lekker gevoeld op Peyrolles, helemaal niet geïmponeerd door de afmetingen van het huis dat ze als haar broekzak kende, en ook niet door de eenzame ligging ervan. Waarom was ze dan plotseling bang voor een beetje tocht?

Ze dwong zich langzaam adem te halen om te kalmeren, en toen begon ze een rondje langs de vertrekken van de begane grond te maken. Alles was dicht, geen ruit gebroken, niets abnormaals. Ze ging de trap op naar de eerste verdieping. Op de overloop zag ze dat de deur van Aurores kamer gesloten was, wat nooit voorkwam. Na een lichte aarzeling deed ze de deur open. Het was koud in de kamer, er lagen al een paar dorre bladeren op het parket en er klapperde een raam. De verklaring was daar, vlak voor haar ogen, heel stom, toch rilde Pascale en moest ze haar angst overwinnen voordat ze het raam dicht kon doen. Het geluid van de wind nam onmiddellijk af, maar het leek of hij het huis nog steeds verraderlijk omringde.

Toen ze naar haar eigen kamer was gevlucht, bleef ze lang op het voeteneinde van haar bed zitten, met gespitste oren. Ze was niet zo gauw bang. Tijdens nachtdiensten had ze angstaanjagende nachten in afgelegen klinieken doorgebracht. Ze had onvergetelijke, panische angsten gekend tijdens haar eerste solovluchten als piloot. Ze was tweeëndertig en kon haar emoties onder controle houden en haar zelfbeheersing bewaren, maar vanavond slaagde ze er niet in haar angst te verjagen.

Toen ze eenmaal onder haar dekbed lag, met de twee bedlampjes aan, deed ze een vergeefse poging zich te ontspannen. De regen sloeg tegen de ruiten, voortgedreven door de storm die was losgebarsten, en met regelmatige tussenpozen trilde het ijzeren scherm van de schoorsteen.

'Ik wil me niet onprettig voelen op Peyrolles... Ik ben thuis, ik ben veilig.'

Die zin herhaalde ze diverse keren, eerst zachtjes en toen hardop. Maar pas op het moment dat ze twee uur later Aurores auto over het grind van de oprijlaan hoorde rijden, slaakte ze een diepe zucht van verlichting.

5

BENJAMIN MONTAGUE HAD ONLANGS ZIJN TWEEËNZEVENTIGSTE verjaardag gevierd. Vriendelijk en elegant zat hij rechtop in zijn stoel en gaf bereidwillig antwoord op Pascales vragen.

Toen ze de *Nabuchodonosor* was binnengekomen, de wijnbar waar hij op haar zat te wachten, had hij haar onmiddellijk herkend. Hij was naar haar toe gekomen. Nadat hij had gevraagd wat ze wilde drinken, had hij haar naar een rustig tafeltje gebracht, blijkbaar geamuseerd door de onverwachte situatie die het hem mogelijk maakte zijn nicht te ontmoeten.

'Uiteindelijk is mijn vader uw grootvader!' had hij lachend gezegd.

Ze had zijn persoonlijke gegevens in het telefoonboek gevonden en was stomverbaasd geweest dat hij zo makkelijk had toegestemd in een afspraak. Maar nu begreep ze vrijwel meteen dat hij haar niet écht kon helpen.

'Familieverhalen zijn altijd verwarrend, hè? Natuurlijk, ik herinner me Camille heel goed, want op mijn leeftijd zijn de oude herinneringen het meest levendig. Als u wilt dat ik u over haar vroege jeugd vertel, zou ik dat moeiteloos kunnen doen. Ik was twaalf toen mijn vader met die baby uit Hanoi terugkeerde. De sfeer in huis is lang zeer gespannen geweest, dat kunt u zich wel voorstellen... Toen is mijn vader gestorven en is Camille op kostschool gedaan.'

'Hield uw moeder niet van haar?'

'Dat is toch onmogelijk? Denk eens goed na. Ze had zes jaar op mijn vader zitten wachten en zich grote zorgen om hem gemaakt, en toen bracht hij een kleine bastaard mee die hij bij een Tonkinese had verwekt! En geloof me, zestig jaar geleden was "wat zouden de mensen ervan zeggen" belangrijk. Kortom, vanaf het moment waarop Camille bij de nonnen was ondergebracht, heb ik haar vrijwel niet meer gezien. Ikzelf ben vertrokken om in Londen te studeren.'

'Maar tijdens de vakanties moeten jullie elkaar toch hebben gezien?'

Benjamin Montague haalde zijn schouders op, met een ongeïnteresseerd lachje.

'Ik had geen haast om terug te keren. Mijn moeder was erg... streng. Ik had een oudere broer, die niet meer thuis woonde, en een hysterische zus. Ik heb heel veel gereisd.'

Teleurgesteld nam Pascale een paar slokken wijn. De droge, witte wijn was zo lekker, dat ze ondanks alles even glimlachte.

'Deze bar is dé favoriet van de echte wijnliefhebbers,' fluisterde Benjamin terwijl hij zich naar haar toe boog.

Hij ging weer rechtop zitten, keek haar een tijdje aan en slaakte daarna een zucht.

'Ik had geen enkele moeite om u te herkennen, u lijkt op Camille. Tenminste, op het beeld dat ik nog van haar heb. Maar ze was minder vrolijk dan u, dat is zeker! Ze voelde zich niet prettig bij ons, en zodra haar schooljaren voorbij waren, vroeg ze of mocht vertrekken. Mijn moeder stemde onmiddellijk in, dat kunt u zich wel voorstellen! Ze stuurde Camille naar Parijs met de boodschap dat ze zich maar moest zien te redden. Mijn moeder maakte zich niet druk over wat er van Camille terecht zou komen. Eerlijk gezegd, ook al is het hard om te zeggen, vooral tegen u, hadden we geen enkele belangstelling voor haar. Trouwens, ze heeft heel lang niets van zich laten horen. Mijn moeder, die haar wettelijke voogdes was, had Camille laten vrijstellen van voogdij om van haar af te zijn.'

Hij sprak op afgemeten, bijna trieste toon. Was hij zich er nu, vijftig jaar later, van bewust dat hij iets voor dat verguisde zusje had moeten doen? Met dichtgeknepen keel vroeg Pascale: 'En heeft u nooit meer iets over haar gehoord? Dat is onmogelijk!'

'Het is wél mogelijk... Maar uiteindelijk kwam ze opdagen. Ik geloof dat ze op dat moment in de problemen zat. Mijn moeder heeft me geen details verteld, ik was toen in Oostenrijk en belde zelden naar huis. Ik meen te hebben begrepen dat Camillie was getrouwd, een kind had gekregen, en daarna door haar echtgenoot was verlaten. Mijn moeder triomfeerde, en vond dat je niets anders van zo'n meisje kon verwachten.'

Pascale ging rechtop zitten en keek Benjamin minachtend aan. Hij voegde er snel aan toe: 'Mijn moeder was onrechtvaardig, bekrompen, stijf, vormelijk, vul maar in! Maar in het Toulouse van die tijd vormde Camille een onuitwisbare schandvlek op de familie Montague. Hoe dan ook, ze vroeg niets, ze maakte ruzie met mijn moeder en ditmaal trok ze de deur voorgoed achter zich dicht. Ze leek onderdanig, maar ze had wel degelijk een eigen willetje, zoals u vast wel weet. Veel later hoorde ik dat ze met een dokter uit Albi was getrouwd, en ik zweer u dat me dat genoegen deed voor haar.'

'Voor haar of omdat het uw geweten ontlastte?'

Pascales gegronde verontwaardiging maakte de oude man nóg triester. Hij maakte een machteloos gebaar en sloeg zijn ogen neer.

'Ik heb nog nooit zoiets cynisch gehoord als wat u me zojuist hebt verteld. Ze was uw halfzus, en als ik het goed begrijp is niemand van u ooit voor haar opgekomen. Uw vader zou zich in zijn graf hebben omgedraaid als hij had gezien wat jullie deden. Of liever, wat jullie níét voor haar deden...'

Hoewel Pascale harder was gaan praten, had Benjamin het fatsoen om niet te kijken of er op hen werd gelet. Wat voor ongevoelige, egoïstische jongeman was hij wel niet geweest?

'Ik wist dat u gekwetst zou zijn door dit hele verhaal,' mompelde hij. 'Maar begrijp me goed, ik ben niet trots op dat verleden, noch op mijn familie. We hebben Camille slecht behandeld en mijn vader is te vroeg gestorven. Hij zou die dingen niet hebben toegestaan, maar ik ben er ook niet zeker van dat hij erg aan Camille gehecht was. Hij had alleen gedaan wat hij als zijn plicht beschouwde, ondanks alle problemen die het hem zou opleveren... Mijn moeder was geen edelmoedige vrouw. Ze heeft hem zijn ontrouw, zijn verraad, zijn bastaard niet vergeven, en al die opeengestapelde wrok heeft zich tegen Camille gericht. Maar ze heeft haar nooit geslagen'.

'Wat een mazzel!'

Om zich niet door haar woede te laten meeslepen dronk Pascale haar glas in één teug leeg. Het glas van Benjamin was al leeg. Hij gaf de ober een teken hun glazen nogmaals te vullen. Na een tamelijk lange stilte keek Pascale opnieuw naar de man tegenover haar, die haar oom was.

'Mijn moeder heeft uw hele familie uit haar geheugen gebannen. Ik weet niets van de Montagues, u bent de eerste Montague die ik ontmoet.'

'Vermoei u niet met de anderen, mijn broer en mijn zus zouden vast en zeker niet met u willen praten. Ze hebben Camille als een schandelijk onrecht ervaren en steunden mijn moeder in alle opzichten. Ik vraag me zelfs af of ze niet erger waren dan zij.'

'Maar ú niet?' zei Pascale, met bijtende spot.

'Ik was ver weg en, zoals ik al zei, ik beperkte me tot onverschilligheid, wat evenmin lofwaardig is.'

'En wat is er geworden van het kind dat ze in Parijs heeft gekregen?'

'Het kind?' vroeg hij, duidelijk in verwarring.

Hij keek haar onderzoekend aan, alsof hij haar vraag niet begreep.

'Nou, dat is op jonge leeftijd gestorven, nietwaar? Dat heb ik in elk geval gehoord... U weet het natuurlijk beter dan ik!'

'Nee, dat is níét zo. Daarom heb ik een probleem, meneer Montague. De jeugd van mijn moeder was een onderwerp waar niet over gesproken mocht worden. Ze heeft haar eerste huwelijk en haar eerste kind altijd voor me verzwegen. Kortgeleden ben ik er door toeval achtergekomen.'

'Uw vader moet op de hoogte zijn, neem ik aan...'

Steeds weer kwam Pascale op hetzelfde uit: ze moest haar vader ondervragen. Waarom aarzelde ze zo om dat te doen? Was ze bang voor zijn antwoorden of was ze bang om hem te horen liegen?

'Kan ik u nog van dienst zijn, Pascale?'

Benjamin boog zich naar haar toe, met een droef glimlachje.

'Ik denk van niet... Bedankt dat u tijd voor me hebt vrijgemaakt. Ik ben niet veel opgeschoten, maar...'

Ze had zich heel veel van hun gesprek voorgesteld en was des te meer teleurgesteld omdat de oude man oprecht leek. Hij had haar alles verteld wat hij wist, en in de familie Montague was híj degene die zich het meest bij de zaak betrokken voelde. Ze had absoluut geen zin de anderen te ontmoeten, die haar niets wijzer zouden kunnen maken en haar misschien nog meer zouden kwetsen.

'Het leven zit vreemd in elkaar,' voegde hij eraan toe. 'In andere omstandigheden zouden we blij zijn geweest om kennis met elkaar te maken, niet? Jammer genoeg hebben wij uw moeder zo slecht behandeld, dat u nooit behoefte zult hebben u een van de onzen te voelen. Weet u, ik was dat verhaal een beetje vergeten, wat onvergeeflijk is.'

Vergeten! Een afschuwelijk woord dat Camille naar het niets terugstuurde. Haar familie had haar vergeten, en zíj had op háár beurt haar kleine Julia Nhàn vergeten. Alleen Henry Fontanel had haar uit de helse, onverdraaglijke cirkel van onverschilligheid gehaald.

Pascale zag dat Benjamin discreet een bankbiljet op tafel legde. Voordat ze opstond keek ze hem nog een laatste keer aan, om er zeker van te zijn dat ze zijn gezicht niet zou vergeten.

Nadine verliet de collegezaal in doodse stilte. Het was traditie geworden. Geen enkele student bewoog zich, zolang ze nog niet door de deur aan het eind van het podium was verdwenen. Haar hoorcolleges, gegeven met een stem die krachtig genoeg was om het zonder microfoon te kunnen stellen, hadden altijd succes. Andere professoren wekten meer enthousiasme, lachsalvo's en vragen op. Ze hadden een goede band met hun publiek, maar Nadine maakte zich daar niet druk om. Ze deed geen poging om populair te zijn en ook niet om kennis over te dragen: ze ontvouwde op strenge wijze een wetenschappelijke werkelijkheid.

Die dag had ze, zoals gebruikelijk, twee uur lang gesproken, zonder de hulp van aantekeningen, en er was aandachtig naar haar geluisterd. Maar toen ze het gebouw van de medische faculteit verliet, keerde haar woede terug. Dat die stomme broer van haar had ingestemd Pascale Fontanel te ontmoeten maakte haar razend. Wat had hij haar kunnen vertellen? Benjamin was de afvallige van de familie, altijd afwezig, altijd ver weg, en hij had Camille helemaal niet goed gekend. In elk geval was de kleine Fontanel niet zo dwaas – en vooral niet zo dom – om genegenheid bij de Montagues te zoeken. Nee, ze wilde waarschijnlijk inlichtingen hebben, misschien over de erfenis. Behalve dat daar niets over te vertellen viel! Na het overlijden van haar moeder had Nadine gevreesd voor de verplichte verdeling die zou volgen, aangezien Camille op dezelfde wijze erfgename was als Nadine en haar twee broers. Het was allemaal heel anders gegaan: de notaris had laten weten dat Camille van alles afzag en zelfs niet in zijn kantoor zou verschijnen, want ze wenste niemand van de Montagues terug te zien. Ze was kort daarvoor met Henry Fontanel in het huwelijk getreden en dacht waarschijnlijk dat ze op rozen zat. Dus had de ontmoeting niet plaatsgevonden.

Nadine bleef hijgend staan. Ze liep te snel en ze was te dik. Waarom at ze zoveel, terwijl ze al haar patiënten op het hart drukte niet zwaarder te worden? Tussen het eten dat in het ziekenhuis in het restaurant van de artsen werd opgediend, en de kant-en-klaarmaaltijden die ze 's avonds als ze thuiskwam gulzig naar binnen propte, met haar neus in een medisch tijdschrift, verwaarloosde ze alle voedingshygiëne.

'Ik zal fruit en verse groenten voor mezelf kopen...'

Een vrome wens, maar ze zou nooit tijd hebben om naar de markt te gaan. Haar hele leven was gewijd aan de afdeling longziekten van Purpan, en het was goed zo. Als Abel Montague lang genoeg had geleefd om getuige van het succes van Nadine te zijn, zou hij erg trots op zijn dochter zijn geweest. Ze had hem zo graag willen laten zien waartoe ze in staat was! Hem bewijzen dat zij verreweg de beste was, omdat Camille niets van haar leven had gemaakt, zich alleen maar door de eerste de beste zwanger had laten maken. Een tweede huwelijk had haar op het nippertje gered van het kleinburgerlijke leven waarvoor ze was bestemd, dat was alles. Schoonheid had grenzen, God zij dank!

Als kind had Nadine het niet kunnen verdragen als hun vader Camille een vertederde blik toewierp. En als hij zei dat hij haar mooi vond, had Nadine zich afgewezen gevoeld. Mooi, met haar gele gelaatskleur, haar supersteile haren en haar grote, zwarte ogen die haar hele gezicht domineerden? Nadine had die vraag verschillende keren aan haar moeder gesteld, die haar had gerustgesteld: nee, zeker niet, de *niakoué*, de bastaard, was niet mooi, haar gezicht leek net een citroen. Wat Nadine zelf betrof, haar lelijke uiterlijk was aangeduid als interessant... Wat een eufemisme! Ze had al heel vroeg gemerkt dat de natuur haar niet echt had verwend en dat ze iets anders moest vinden om te worden bewonderd.

Hijgend en puffend bereikte ze ten slotte haar auto. Ze had in geen jaren zo intensief aan haar jeugd teruggedacht, maar de aanwezigheid van Pascale Fontanel op haar afdeling voerde haar voortdurend terug naar haar herinneringen.

'Ik zal straks Benjamin bellen, ik wil weten wat hij heeft gezegd.'

Haar broer had ten minste de beleefdheid gehad haar te waarschuwen, en ze had geëist dat hij niet over haar sprak, dat hij haar naam niet zou noemen. Zolang Pascale geen verband legde tussen professor Nadine Clément en de familie Montague, was het uitgesloten dat Pascale zou uitroepen: 'In zekere zin bent u mijn tante!'

Grote genade, ze moest die vrouw echt kwijt zien te raken voordat zich een dergelijke ramp voltrok.

In het midden van de week sloeg het weer om. De zon keerde terug, vergezeld van een ijzige kou en een snijdende wind. In de ongelijke strijd die Pascale tegen Lucien Lestrade voerde, had de laatste ten slotte gewonnen. Hij spitte de grond van de bloemperken naar eigen goeddunken om en plantte zijn bloembollen waar *híj* wilde. Op een zaterdag, halverwege november, verklaarde hij dat zijn werk af was, zonder echter de sleutel van het kleine deurtje terug te geven. Hij beweerde hem te zijn kwijtgeraakt. Pascale trapte er niet in. Ze legde zich erbij neer dat ze hem in de lente weer zou zien verschijnen, maar tot dan zou ze eindelijk rust hebben op Peyrolles.

Daar had ze heel veel behoefte aan. Ze was moe door haar onophoudelijke aanvaringen met Nadine Clément, en ze maakte zich veel zorgen over de naderende kerst. Ze had haar vader en haar broer uitgenodigd, maar ze had nog geen definitief antwoord gekregen, alsof ze beiden geen zin hadden om twee dagen op Peyrolles door te brengen. Maar ze hadden wél zin om bij elkaar te komen, zoals elk jaar, en Pascale weigerde absoluut om naar Saint-Germain te gaan. Kerst vieren in een echt huis, met een knapperend haardvuur en sneeuw op het gazon, leek haar veel aangenamer dan zich in een appartement op te sluiten. Bovendien wilde ze van de aanwezigheid van haar vader gebruik maken om het gesprek met hem te voeren dat ze al veel te lang had uitgesteld. Het was haar gebleken dat ze het niet telefonisch kon afhandelen. Voordat ze 's avonds in slaap viel, herhaalde ze soms een lijst met duidelijke vragen die ze tactvol zou formuleren en die allemaal zouden betekenen: 'Waarom heb je tegen me gelogen?'

Nu de winter in aantocht was en de dagen te kort waren, werd de reis naar Toulouse 's ochtends, 's avonds en 's nachts afgelegd. Pascale en Aurore probeerden hun rooster te laten samenvallen, meestal tevergeefs, en vaak zaten ze alleen in hun eigen auto. Zoals verwacht werd de vermoeidheid van het op en neer gereis merkbaar en werd Pascale gedwongen over haar toekomst na te denken. Was het verstandig om het hele jaar door zoveel kilometers af te leggen om onder iemand als Nadine te werken?

Als ze vrij was, wat niet vaak gebeurde, had Pascale tevergeefs geprobeerd Raoul Coste op te sporen. Of ze was niet geschikt voor het instellen van een politieonderzoek, of ze had geen geluk gehad, maar onder alle Costes die ze had gesproken was er niemand geweest die Raoul kende. Ze was ontmoedigd, maar verloor toch haar doel niet uit het oog. Op een dag zou ze, hoe dan ook, de waarheid over Julia zonder zorgen ontdekken.

Toen ze op de eerste vrijdag van december op haar afdeling arriveerde, gaf een secretaresse haar een briefje dat ondertekend was door de directeur van het ziekenhuis. Het was heel beleefd geformuleerd, maar toch ging het om een oproep, ze werd ontboden!

'Villeneuve wil me om elf uur op zijn kantoor spreken,' fluisterde ze in de pauze tegen Aurore. 'Denk je dat het een slecht teken is?'

'Het kreng heeft waarschijnlijk wéér een goede reden gevonden om te klagen!'

Pascale had nog steeds de gewoonte koffie te drinken in de kamer van de verpleegkundigen, waarbij Aurore zorgvuldig de deur sloot.

'Vanavond ga ik met Georges uit eten,' zei ze met stralende ogen.

'Alwéér? Dat is geweldig!'

'Het is nog niet echt serieus tussen ons, maar ik ben dol op zijn gezelschap. Hij is ongelooflijk vriendelijk, wat zelden voorkomt.'

'Zelden? Gelukkig zijn er zat vriendelijke mensen.'

'Ik heb nog nooit iemand ontmoet die zo aardig is. Ik wil het graag geheimhouden, je weet hoe er gekletst wordt op de afdeling...'

Het was beter niet over je privé-leven te praten als je geen gespreksstof voor de afdeling wilde leveren.

'Ik hoop dat je gesprek met Laurent Villeneuve goed zal verlopen,' voegde Aurore eraan toe.

Ze hadden het een paar keer over Laurent Villeneuve gehad. Pascale was er openlijk voor uit gekomen dat ze zich tot hem aangetrokken voelde.

'Ik zie hem liever in de vliegclub, in zijn werkkamer verstijf ik helemaal!' zei ze lachend.

'Ik denk dat jij het omgekeerde effect op hem hebt,' antwoordde Aurore, 'maar vergeet toch maar niet met wie je te maken hebt.'

'Die kans is nihil!'

Pascale keek haar met een begrijpend lachje aan alvorens te vertrekken. Toen ze de kleedkamer van de artsen bereikte, verwijderde ze haar stethoscoop en haar doktersjas. Daarna trok ze haar parka aan over haar zwarte coltrui. Ze moest een deel van het ziekenhuis doorkruisen om het administratiegebouw te bereiken, en buiten was het erg koud.

In de gang ontmoette ze een van haar patiënten die een test uitvoerde waarbij hij tien minuten moest lopen om zijn longinhoud te meten en de tijd die hij nodig had om zich van de inspanning te herstellen. Georges Matéi volgde hem gewillig met het apparaat dat de gegevens registreerde.

'Prettige wandeling!' zei Pascale met een bemoedigend knikje.

Ze was lang niet de enige die allerlei onderzoeken verlangde. Waarom zou je niet van die geavanceerde mogelijkheden gebruikmaken? Dat Nadine Clément de voorkeur gaf aan de ouderwetse geneeskunde en alleen maar vertrouwde op haar diagnoses, kwam doordat ze tot een andere generatie behoorde.

Terwijl Pascale zich nog steeds afvroeg wat de reden van haar oproep was, meldde ze zich bij de secretaresse van Laurent Villeneuve, die naar een dubbele deur wees.

'Meneer de directeur verwacht u.'

Een beetje gespannen betrad Pascale een grote, zonnige kamer met blankhouten boekenkasten en bruinleren stoelen. Laurent zat achter zijn bureau. Hij ging staan om haar te verwelkomen.

'Het spijt me dat ik u zo'n gebiedend briefje heb gestuurd, maar het was de enige manier om er zeker van te zijn dat Nadine Clément u zou toestaan de afdeling te verlaten!'

Hij wierp haar een schalkse blik toe en glimlachte vluchtig.

'Ga zitten, Pascale. Er zijn twee dingen waarover ik met u wil praten, niets ernstigs...'

Ze zag de volmaakte pasvorm van zijn donkerblauwe pak, zijn perfect geknoopte das. In zijn rol van directeur was hij iets afstandelijker, maar even aantrekkelijk. Hij ging weer zitten, pakte een envelop uit zijn bureaula en haalde er een vel papier uit.

'Een tijdje geleden hebt u bij het regionale ziekenfonds een verzoek om inlichtingen ingediend. Het antwoord hebben ze naar míj gestuurd.'

Pascale zat roerloos op haar stoel. Waarom hadden die vervloekte ambtenaren haar niet rechtstreeks geantwoord?

'Het gaat niet om een van uw patiënten, hè?' voegde Laurent er met vriendelijke stem aan toe.

Ze schudde haar hoofd, en zocht haastig naar een plausibele verklaring.

'Werkt u nog steeds aan uw detective?'

'Nou... u weet dat ik probeer het spoor terug te vinden van een persoon die... Eerlijk gezegd is het een beetje gecompliceerd, het is...'

'Het gaat om een zekere Julia Coste, geboren op 3 augustus 1966 in Parijs.'

Hij boog naar voren en reikte haar de brief aan.

'U kunt zien dat die vrouw bij het plaatselijke ziekenfonds van de Tarn staat ingeschreven.'

'Mijn God...' mompelde Pascale.

Ontsteld keek ze naar het papier zonder het te zien.

Julia leeft. Ik heb ergens een zus, en niet ver hiervandaan!

'Pascale? Is er iets?'

Ze keek hem aan, met de dringende behoefte om hem haar verhaal te vertellen.

'Het is iemand van mijn familie, wier bestaan voor me verborgen is gehouden. Ik had mijn status als arts van het UMC niet moeten gebruiken om die inlichting te krijgen, maar...'

'Ik neem aan dat het erg belangrijk voor u was.'

'O, ja! Ja!'

Laurent ging staan, liep om zijn bureau en ging naast haar zitten. Met een beschermend gebaar legde hij zijn hand op haar pols.

'Wilt u erover praten?'

Zijn bezorgdheid had niets kunstmatigs of geforceerds. Als er iemand was bij wie Pascale haar hart kon luchten, was dat déze man. In een paar zinnen legde ze de situatie uit, terwijl ze ervoor zorgde dat ze zich niet door haar emoties liet meeslepen.

'Ik heb nog niet de moed gehad er bij mijn vader over te beginnen,' eindigde ze.

'Waarom niet?'

'Omdat er absoluut een reden voor zijn stilzwijgen moet zijn, een reden die ik niet zo graag wil weten. Zoals ik me mijn moeder herinner, zou ze nooit een kind in de steek hebben kunnen laten.'

Met gefronste wenkbrauwen keek Laurent haar aan, zonder iets te zeggen. Toen trok hij langzaam zijn hand terug en kruiste zijn armen voor zijn borst.

'Gaat u contact opnemen met die vrouw?' vroeg hij ten slotte.

'Uiteraard! Tenminste...'

Opnieuw las ze het antwoord van het ziekenfonds. De brief bevatte geen enkele persoonlijke aanwijzing over Julia Coste, behalve de bevestiging dat ze was ingeschreven bij het ziekenfonds.

'Ik kan u aan haar personalia helpen,' zei Laurent bedachtzaam.

'Echt waar? Dat zou geweldig zijn!'

Ongetwijfeld zou hij er slechts één simpel telefoontje voor hoeven te plegen. Maar het feit dat hij het spontaan had voorgesteld was een extra bewijs van zijn vriendelijkheid.

'Als u er helemaal zeker van bent dat u haar wilt ontmoeten. Naar mijn mening zult u eerst met uw vader moeten praten.'

'Misschien.'

Alles voerde haar terug naar het beginpunt, ze zou het gesprek niet langer kunnen uitstellen. Laurent knikte voordat hij weer achter zijn bureau ging zitten, alsof hij plotseling een beetje afstand tussen hen wilde scheppen. Had hij haar bij zich laten komen voor iets heel anders? Hun blikken kruisten elkaar, en ze bleven elkaar een tijdje aankijken.

'Het tweede punt waar ik het met u over wil hebben is veel... onbeduidender.'

'Nadine Clément?'

'Ja. Ze heeft werkelijk een hekel aan u, maar ik weet dat haar klachten ongegrond zijn. Het lukt haar niet eens ze te onderbouwen.'

'Ik heb geen enkele professionele fout gemaakt,' verdedigde Pascale zich, 'en ik vind het moeilijk om in deze omstandigheden te werken. Als er een baan in Albi was geweest, zou ik hem graag hebben aangenomen, geloof me! Ik ben er niet aan gewend dat ik stelselmatig in de gaten word gehouden of tegengewerkt, dat is zelfs niet gebeurd tijdens mijn co-assistentschap. In de houding van professor Clément zit iets heel persoonlijks, iets wat niets met mijn vakbewaamheid te maken heeft.'

Hij stak een hand op om haar tot kalmte te manen en een einde aan haar stortvloed van woorden te maken, maar ze bleef doorgaan.

'Je hebt geluk als je in een ziekenhuis als dit kunt werken en ik zou u eigenlijk moeten bedanken, maar ik heb slechts één wens: vertrekken. U kunt zich niet voorstellen wat voor uitwerking het op me heeft om te weten dat alles wat ik doe wordt gecontroleerd en bekritiseerd. Erger nog: mevrouw Clément aarzelt niet me in aanwezigheid van mijn patiënten te vernederen en me voor een onbekwame arts te laten doorgaan!'

Ze zweeg eindelijk, een beetje beduusd omdat ze zich zo had laten gaan. Laurent begon te glimlachen.

'Zou Albi u hebben aangetrokken? Echt waar?'

'Het was mijn eerste idee, ja, maar Sam zei dat er hier plaats voor me was...'

De glimlach van Laurent werd groter. Vond hij dat ze dom was of zonder enige ambitie omdat ze een klein ziekenhuis prefereerde boven een universitair, medisch centrum van het kaliber van Purpan? Zijn intercom begon te zoemen. Hij wierp er een geërgerde blik op zonder te antwoorden.

'Goed,' zei hij met een zucht, 'u kunt gaan.'

Daar had ze helemaal geen zin in. Ze kwam schoorvoetend overeind. Aangezien ze nog steeds de brief vasthield voegde hij eraan toe: 'Maakt u zich geen zorgen, ik zal mijn best voor u doen.'

Hij stond op om haar naar de deur te brengen. Toen hij zijn hand op de deurkruk legde leek hij te aarzelen.

'Er is nóg iets... Ik weet niet zo goed hoe ik het moet formuleren, maar ik zou u graag... uitnodigen om een dezer dagen met me te gaan eten. U bent niet verplicht mijn aanbod te accepteren, het is beslist erg ongepast en...'

'Graag! Wanneer?'

Ze beet op haar onderlip. Ze voelde zich opgelaten omdat ze zo vlug had geantwoord.

'Zaterdag?'

'Uitstekend,' mompelde ze.

Nu voelden ze zich beiden ongemakkelijk en durfden ze elkaar niet eens aan te kijken. Zodra hij de deur opendeed, maakte ze zich uit de voeten, zonder eraan te denken hem een hand te geven.

'Mijn hemel, ik dacht dat hij ertussenuit zou knijpen...'

Samuel verwijderde zijn masker en zijn handschoenen, terwijl hij de brancard nakeek die de patiënt naar de uitslaapkamer bracht.

'Je was fantastisch!' bevestigde een van de chirurgen. Hij gaf Samuel een schouderklopje.

'Zou je geen gezóndere mensen kunnen opereren?' grapte Sam.

De zieke had hem veel last bezorgd tijdens de drie uur durende operatie. Plotselinge dalingen van de bloeddruk, ritmestoornissen, instabiliteit: Sam had met alle denkbare tegenslagen te kampen gehad, terwijl de chirurgen bezig waren een longgezwel te verwijderen.

'Een echt schoolvoorbeeld,' zuchtte hij. 'Ik zal hem heel goed in de gaten houden tot hij weer in zijn bed op de afdeling ligt.'

Nadine Clément, die per se bij de operatie aanwezig had willen zijn, mompelde een complimentje alvorens het operatieteam gedag te zeggen. Ze wierp Samuel iets toe wat, in het uiterste geval, voor een glimlach zou kunnen doorgaan.

'Dat mens is altijd even vriendelijk!' fluisterde een van de instrumenterende operatiezusters.

In gedachten verzonken volgde Sam de brancard op afstand. De patiënt werd behandeld door dokter Fontanel. Dat stond in het dossier waarin Sam alle informatie had gevonden die hij nodig had om zijn narcose voor te bereiden. Pascale was altijd zo helder en nauwgezet in haar rapporten, dat het een plezier was om met haar te werken.

Toen hij in de uitslaapkamer was aangekomen ging hij naast het bed van de patiënt zitten, die langzaam bij begon te komen.

'Meneer Valier, hoort u mij? Meneer Valier?'

Er klonk gegrom als antwoord, maar Samuel hield vol, met krachtige stem, totdat hij een verstaanbaar antwoord kreeg.

'Alles is heel goed gegaan,' loog hij. 'Ze zullen u spoedig terugbrengen naar uw kamer...'

Na enkele vruchteloze pogingen sprak Antoine Valier een onverstaanbare zin uit, waarvan alleen het woord 'Fontanel' te verstaan was. Zijn bewustzijn keerde terug en hij vroeg om zijn arts, dat was een goed teken. Met een vertederde glimlach herinnerde Samuel zich dat Pascale altijd een goede relatie met haar patiënten had. Ze was eerlijk tegen hen, behandelde ze niet als een klein kind en gaf hun de energie en de kracht die ze nodig hadden om tegen hun ziekte te strijden.

Hij controleerde de monitoren, nam de bloeddruk van Antoine Valier op en riep daarna een zuster.

'Hij mag nog niet naar zijn afdeling. Ik kom over een halfuurtje terug, piep me op als er iets is.'

Op dit moment wilde hij alleen maar zwarte koffie en een muesli-reep. Hij ging naar het restaurant. Even later verliet hij het gebouw, hij verlangde ernaar een beetje frisse lucht in te ademen. De lucht was wel héél fris, maar de hemel was blauw. Terwijl hij flink doorstapte om de stress van de lange operatie kwijt te raken, probeerde hij een cadeau te bedenken.

Als hij daar te laat mee begon, zou hij zomaar wat kopen, maar Marianne rekende vast en zeker op iets speciaals voor de kerst. Maar wát? Een horloge misschien... Hoe zag dat van haar eruit? Mijn God, hij kon zich niet eens herinneren wat ze om haar pols droeg! Toch veranderden zijn gevoelen voor haar geleidelijk aan. Hij voelde zich beter als hij bij haar was en zocht minder vaak voorwendsels om alleen te blijven. Zelfs als ze hem overviel, ontroerde ze hem uiteindelijk. Werd hij zich bewust van de voordelen van een zachte, kwetsbare vrouw? In tegenstelling tot Pascale, die een ijzersterk karakter had en een ontembare wil, was Marianne kwetsbaar en overgevoelig, en had je absoluut zin om haar te beschermen. Bij Pascale had hij nooit het absurde idee gehad haar te willen beschermen!

Hij keek op zijn horloge en maakte rechtsomkeert. De verpleegster had hem niet opgepiept, maar hij moest Antoine Valier eerst weer controleren voordat hij toestemming gaf om hem naar zijn afdeling te laten terugkeren. Even overwoog hij zijn patiënt te begeleiden, waardoor hij de kans zou krijgen Pascale te zien. Op dit tijdstip was ze op de afdeling, en ze zouden heus wel kans zien om even met elkaar te praten. De laatste tijd belde ze hem niet meer. Telkens wanneer hij haar was tegengekomen, had ze er bezorgd uitgezien. De samenwerking met Nadine Clément leverde duidelijk problemen op, maar Pascale leek in staat ze te overwinnen. Had ze soms andere zorgen, waar ze liever niet met hem over praatte? De gedachte dat ze hem niet meer in vertrouwen nam deed hem verdriet. Maar wat deed hem geen verdriet als hij aan haar dacht? Onder andere en bijvoorbeeld de toestemming waarom Laurent hem de dag ervoor impliciet had gevraagd, toen hij zei dat hij van plan was haar voor een etentje uit te nodigen, als Sam er geen bezwaar tegen had, natuurlijk. Wat was er schokkender dan je Pascale voor te stellen tijdens een intiem dineetje met een man als Laurent? Hij zou haar laten schaterlachen, hij zou haar weten te boeien, hij bezat alle eigenschappen waar ze van hield. Ze zouden elkaar aardig vinden, trouwens, dat wás al het geval. Bovendien moest ze er genoeg van hebben om alleen te zijn, ook al beweerde ze het tegenovergestelde.

Een intiem dineetje met Laurent... Kaarsen en zachte muziek, waar zou hij haar mee naartoe nemen? Zou ze de eerste avond al zwichten? Nee, ze was bepaald niet een vrouw die meteen toehapte. Laurent zou eerst moeten tonen wat hij waard was. Zonder twijfel zou hij dat ook graag willen. Ook híj was al veel te lang alleen, ontgoocheld door zijn twee laatste liefdesrelaties, die nogal rampzalig waren geweest. Eerlijk gezegd had hij het slecht getroffen, de arme man, wat erg onrechtvaardig was, want hij zou gelukkig moeten zijn in de liefde. Sam had medelijden met hem en wenste oprecht dat Laurent de ideale vrouw zou vinden, maar... Pascale?

Na de scheiding had Sam de rol van vriend op zich genomen, omdat hem niets anders restte en omdat hij Pascale per se niet uit het oog wilde verliezen. Ze hadden zelfs de gewoonte aangenomen om samen wekelijks te lunchen of in elk geval samen wat te drinken. Helaas! Samuel had al heel snel gemerkt dat hij niet in de buurt van zijn exvrouw moest blijven, anders zou het hem nooit lukken van haar te genezen. Daarom was hij naar Toulouse vertrokken en had zich beperkt tot regelmatig telefonisch contact. Hij had gevraagd hoe het met haar ging, ze had hem over haar leven, haar werk in Necker en over haar weinige avontuurtjes verteld. Hij had naar haar geluisterd, bang voor de dag waarop ze tegen hem zou zeggen dat ze verliefd was op een ander, maar dat was niet gebeurd. Zou hij het nú kunnen verdragen? Zou hij erin slagen zich Pascale voor te stellen in de armen van Laurent zonder hen te haten?

Toen hij terug was in de uitslaapkamer gaf hij toestemming Antoine Valier, die klaarwakker was en begon te klagen, naar zijn afdeling te brengen, maar hij besloot hem niet te begeleiden.

'Dokter Fontanel zal de zorg voor u overnemen en u kalmerende middelen geven...'

Hij zelf zou een toverdrank van vergetelheid nodig hebben. Hij had alleen aan Pascale gedacht, en daarom had hij nog steeds niets kunnen verzinnen om Marianne cadeau te doen.

'Weet je zeker dat ik het goed heb gedaan, wat de kleur betreft?' vroeg Pascale bezorgd, terwijl ze met grote snelheid een bocht nam.

'Absoluut,' antwoordde Aurore op besliste toon. 'Dat rood staat je heel goed! En hou op je zorgen te maken. Het is een gewonnen race, waar of niet?'

Ze keerden terug naar Peyrolles nadat ze alle chique kledingzaken van het oude Albi hadden afgestruind. Pascale had Aurores enthousiaste raad opgevolgd en was gevallen voor een rode rok met een bijpassende trui. Ze wilde haar nieuwe kleren diezelfde avond dragen.

'Laurent Villeneuve... ik kan het haast niet geloven! Als iemand van het ziekenhuis jullie ooit samen ziet, zal het nieuws zich als een lopend vuurtje verspreiden.'

'We eten bij hem thuis.'

'Bij hem thuis?' riep Aurore uit. 'Kan hij ook nog koken?'

'Geen idee. Maar hij moet hetzelfde hebben gedacht als jij, wat roddelen betreft.'

Toen ze ongeveer een kilometer bij Peyrolles vandaan waren, zag Pascale een oude vrouw die vlak bij de weg stond en de dorre bladeren voor haar poort verwijderde. Haar kruiwagen stond midden op de rijbaan, de steel van een hark stak gevaarlijk uit. Pascale ging zachter rijden, aarzelde even en parkeerde toen haar auto in de berm.

'Oude mensen, je krijgt er wat van...' zei Aurore met een zucht.

Toch gaf ze er, net als Pascale, dag in dag uit blijk van dat ze engelengeduld met de zieken had. Ze stapten beiden uit, een glimlach om de lippen.

'Straks wordt u nog aangereden door een auto,' zei Pascale vriendelijk terwijl ze de oude vrouw gedag zei. 'Zullen we u een handje helpen?'

Terwijl Aurore de kruiwagen voor de poort zette, stelde Pascale zich voor.

'We zijn zo goed als buren, ik woon...'

'Ik weet waar u woont, dokter Fontanel. Het is grappig om u zo te noemen, voor iedereen hier was uw váder dokter Fontanel. Maar het uitoefenen van de geneeskunde moet bij u in de familie zitten, want uw grootvader heeft mijn grootmoeder nog behandeld!'

In haar door rimpels getekende gezicht leken de zeer blauwe ogen van de oude vrouw te lachen.

'Ik heet Léonie Bertin, en het verheugt me u de hand te kunnen schudden. Ook ben ik blij dat er weer mensen op Peyrolles zijn, want we wonen hier nogal afgelegen. Hebt u het naar uw zin?'

'Heel erg. Het is het huis van mijn jeugd.'

'Ja, maar...'

Léonie zweeg abrupt en keek Pascale aandachtig aan. Daarna vervolgde ze met een gelaten gebaar: 'Ik had niet gedacht dat u er ooit naar zou terugkeren. Ik verwachtte dat het zou worden verkocht.'

'Waarom?'

'O, u bent te jong...'

Uit een ooghoek keek ze naar Aurore, die begonnen was de kruiwagen met bladeren te vullen.

'Het is heel aardig van u om me te helpen!' zei ze tegen Aurore.

'Te jong voor wát?' drong Pascale aan.

'Om onaangename herinneringen te hebben. Ik heb de eerste mevrouw Fontanel gekend, een mooie, ietwat hooghartige vrouw die zo'n afschuwelijke dood niet verdiende. Die brand, wat een tragedie... Onmiddellijk erna was er uw moeder, en eerlijk gezegd lijkt u heel veel op haar, behalve dat ze er altijd zo triest uitzag! Ik weet dat je nooit écht herstelt van de rouw over een kind, vooral niet als het een klein kind is...'

Léonie schudde haar hoofd, terwijl ze haar handen op haar onderrug legde, die waarschijnlijk pijn deed. Pascale zweeg stomverbaasd. Wat voor rouw? Als het om Julia ging – en wie zou het anders kunnen zijn? – Julia leefde. Trouwens, Léonie Bertin had een slecht gekozen woord gebruikt: onmiddellijk erna. Alsof haar vader haast had om te hertrouwen, terwijl zijn eerste vrouw amper was begraven.

'En uw broer? Ik herinner me hem als een erg mooie jongeman!'

'Hij maakt het goed. Hij is ook arts.'

'Ziezo, ik heb de kruiwagen en de hark onder het afdakje gezet,' zei Aurore. 'Het is erg koud. Als u buiten blijft, vat u nog kou.'

De avond viel al en de temperatuur daalde nog meer. Léonie trok haar dikke, verschoten omslagdoek dichter om zich heen.

'Bedankt, jongedames. Jullie zijn heel vriendelijk, allebei. Kom eens bij me langs, tegen de kerst maak ik altijd maïskoek en bloemencake.'

'We zullen komen, dat beloof ik,' zei Pascale, terwijl ze zich tot een glimlach dwong.

De oude vrouw had haar vast en zeker veel te vertellen en Pascale was van plan haar aan de praat te krijgen.

Ze stapten weer in de auto en legden de laatste kilometer naar het hek van Peyrolles af.

'Wat een lief omaatje. Heeft ze je veel interessante dingen verteld?' zei Aurore.

'Wat denk je... Telkens wanneer het over mijn familie gaat sta ik perplex!'

Die constatering voerde Pascale terug naar haar obsessie: Julia. Dat hele mysterie waarvan ze de sleutel wilde vinden voordat ze eindelijk het onvermijdelijke gesprek met haar vader zou voeren. Eerst Julia ontmoeten en de waarheid van haar horen.

Ze waren amper thuis of Pascale liep de trap op naar de badkamer, waar ze de elektrische kachel aandeed alvorens de kranen van de badkuip open te draaien. Ze dacht aan het etentje bij Laurent, en kreeg plotseling zin om mooi te zijn. Ze nam de tijd om haar haar te wassen en te föhnen. Toen haar haren glansden als zijde, maakte ze zich een beetje op, deed twee druppeltjes parfum op haar hals en kleedde zich aan. In de rode rok en dito trui kwam haar slanke figuur heel goed uit. Ze trok zwarte pumps aan, die pasten bij de kasjmieren mantel, die ze het jaar daarvoor van haar vader had gekregen.

Toen ze de trap afliep riep Aurore vanuit de hal: 'Je bent prachtig! Onze directeur zal met stomheid zijn geslagen...'

'Moest jij ook niet weg?' vroeg Pascale. Aurore droeg nog steeds een spijkerbroek, een coltrui en gymschoenen.

'Georges heeft kou gevat, hij weet nog niet zeker of hij zijn bed wil verlaten. Ik denk dat ik een kant-en-klaarmaaltijd neem en vroeg mijn bed induik. Ik wens je de heerlijkste avond van het hele decennium toe.'

'Op zijn minst.'

'En rij voorzichtig!'

De dagelijkse ritten naar en van haar werk ergerden Pascale, maar vanavond voelde ze zich zorgeloos, vrolijk en klaar voor een prettige avond in gezelschap van een man die ze heel aantrekkelijk vond. Ze nam de autosnelweg tot aan Toulouse. Daarna reed ze naar het stadscentrum en liet haar auto achter in de parkeergarage van het place Saint-Etienne. De wijk bestond uit smalle, rustige straten met statige herenhuizen. In de rue Ninau stopte ze voor een koetspoort die zo indrukwekkend was, dat ze het adres controleerde voordat ze aanbelde.

Twee minuten later kwam Laurent een kleine zijdeur opendoen, en even later betraden ze een geplaveide binnenplaats. Daarachter verhief zich een fraai, bakstenen huis. Ongetwijfeld een van de woningen die in de tijd van de Renaissance door de leden van de vroedschap van Toulouse waren gebouwd.

'Het ministerie van Volksgezondheid zorgt dat u goed bent gehuisvest,' grapte ze, terwijl ze een grote hal met een fraaie tegelvloer binnenging.

'Eerlijk gezegd is het een familiehuis, mijn grootouders zijn in Toulouse geboren en getogen.'

Hij ging haar voor naar een kleine salon, waar een knapperend vuur brandde in een donkere open haard en twee grote, blauwfluwelen zitbanken tegenover elkaar stonden. Hij nodigde haar uit op een ervan plaats te nemen, nadat hij haar uit haar jas had geholpen.

'Het probleem in mijn beroep is dat die benoemingen je van het ene eind van Frankrijk naar het andere sturen. Toen ze me aanboden het UMC van Purpan te leiden, was ik dolblij met de terugkeer naar de bron, maar ik weet niet hoe lang het zal duren.'

'Bent u verplicht te accepteren wat ze u voorstellen?'

'Het gaat altijd om een promotie, en in principe weiger je niet. Enfin, alles hangt af van de manier waarop je tegen je carrière aankijkt!'

Hij glimlachte ontspannen. Hij droeg een zwarte broek en een wit overhemd met open kraag. Op de salontafel stonden een fles champagne in een ijsemmer, zilveren schaaltjes met gevulde olijven en blokjes in dille gemarineerde zalm, en twee glazen van Boheems kristal.

'Het doet me veel genoegen u te ontvangen, en niet alleen omdat u me indertijd op Peyrolles hebt uitgenodigd,' zei hij, terwijl hij de champagne ontkurkte.

Een directe manier om haar zijn bedoelingen duidelijk te maken. Ze nam de tijd om hem goed te bekijken, en vond hem nog steeds aantrekkelijk. Daarna hief ze haar glas.

'Op vanavond dan...'

De warmte van het haardvuur maakte de sfeer in de kleine salon bijzonder aangenaam. Pascale nestelde zich tegen de zachte rugleuning van de zitbank en nipte van haar champagne. Het ontbrak haar niet aan zelfvertrouwen, maar het samenzijn met Laurent maakte haar een beetje onzeker. Als een man en een vrouw elkaar aantrekkelijk vinden en dat weten, zijn de eerste woorden het moeilijkst te vinden.

'Ik heb jonge hoen, poularde à la Toulouse, voor u klaargemaakt,' zei hij.

'Hebt u dat zelf gedaan?'

'Natuurlijk! Anders is het toch niet leuk? Ik kook niet vaak, maar dit recept heb ik van mijn grootmoeder, en het is verrukkelijk. Tenminste, dat hoop ik.'

'Vertel het recept eens.'

'Nou, voor de garnituur heb je nodig: ganzenlever, truffels, champignons en kalfszwezerik...'

Pascale barstte in lachen uit, geamuseerd door de wending die hun gesprek nam. Bij wijze van romantiek koos Laurent voor gastronomie, een minder conventionele benadering dan ze had verwacht.

'Mag ik u een onbescheiden vraag stellen?'

'Ga uw gang.'

'Hoe komt het dat een man als u alleen door het leven gaat?'

'Een man als ik, wat bedoelt u daarmee? De baan? Het herenhuis?'

'Nee, eerder de vriendelijkheid, de charme,' verbeterde ze, terwijl ze hem recht aankeek.

Het compliment scheen hem een ongemakkelijk gevoel te geven, maar toch deed hij zijn best om te glimlachen.

'Bedankt voor "de charme". In elk geval heeft de vriendelijkheid me tot nu toe niet echt geholpen bij de vrouwen. Ik heb slechte ervaringen en dat maakt me nogal... wantrouwend.'

'Liefdesverdriet?'

'Laten we zeggen twee grote desillusies.'

Hij stond op om een houtblok op het vuur te leggen, en bleef even met zijn rug naar haar toe staan, terwijl hij het vuur opporde. Toen hij zich omdraaide keek hij Pascale doordringend aan met zijn staalblauwe ogen.

'En u?'

'Samuel heeft u vast wel van onze scheiding verteld.'

'Ja, in grote lijnen. Maar hij is altijd erg gespannen als hij over u praat. Volgens mij is hij er nog niet over heen. Ik heb hem verteld dat ik u voor een etentje had uitgenodigd. Ik hoop niet dat u me dat kwalijk neemt.'

'Bent u bang dat hij er boos om zal zijn?' zei Pascale verbaasd.

'Hij ís er boos om.'

Het idee dat Sam nog steeds verliefd op haar was vertederde en ergerde haar tegelijkertijd, maar ze weigerde eraan te denken. Ze waren uit elkaar, nu had hij Marianne.

'Kom mee,' zei Laurent zachtjes.

Met tegenzin verliet ze de bank om hem te volgen. Ze liepen door een andere salon, minder intiem, en daarna volgden ze een donkere gang die naar een ruime keuken leidde, die door een grote eetbar van de eetkamer was gescheiden.

'Ik had alleen geld om dít vertrek naar mijn smaak in te richten. Bevalt het u?'

Het meubilair van gelakt grenenhout was warm en paste goed bij de zachtgeel geschilderde muren, maar het geheel was iets té kaal, té nieuw.

'Ik vind de keuken erg mooi, maar het moet allemaal wat rommeliger! Als ik denk aan de keuken van Peyrolles...'

Waar het voortdurend een gezellige chaos was. Aurore en zij brachten er nu hun vrije avonden door. Sinds half november zaten ze niet meer in de wintertuin, omdat die moeilijk te verwarmen was. Terwijl de een een nieuw recept uitprobeerde, zat de ander aan de oude tafel haar bankzaken af te handelen. De talrijke, metalen kasten, ouderwets maar onverwoestbaar, waren gevuld met serviesgoed dat van zolder kwam en niet bij elkaar paste. Er stonden allerlei huishoudelijke apparaten op de grote, eikenhouten werkbladen die de sporen van duizend en een messteken droegen. Op de vensterbanken slingerden constant tijdschriften, pocketboekjes en sleutelbossen rond.

'U hebt het huis waar iedereen van droomt, het is magisch,' zei Laurent serieus.

'Ik vind het soms een beetje verontrustend. Ik heb altijd gedacht dat we er heel gelukkig zijn geweest, maar dat gold niet voor mijn moeder, naar het schijnt. Als ik praat met mensen die haar in die tijd hebben gekend, zeggen ze allemaal dat ze zo'n trieste indruk maakte... Ik ben er zeker van dat huizen doortrokken zijn van herinneringen en goede en slechte vibraties weerkaatsen. Als er ergens een aangrijpende gebeurtenis heeft plaatsgevonden, kun je dat bijna altijd voelen.'

'Het geheugen van de muren?'

'Misschien. De eerste vrouw van mijn vader is levend verbrand in een van de bijgebouwen. Mijn vader heeft het later met de grond gelijk laten maken.'

Laurent draaide zich naar haar om, het deksel van een pan in zijn hand, en keek haar onderzoekend aan.

'Als u zich dat soort ideeën in het hoofd haalt, zult u het uiteindelijk niet meer naar uw zin hebben op Peyrolles, en dat zou jammer zijn. Hier, in dít huis, moeten heel veel dingen zijn gebeurd sinds de Renaissance! Moord, groot verdriet, duels, weet ik veel! Nou, de stenen praten niet tegen me, ze laten me rustig slapen.'

Een verrukkelijke geur verspreidde zich door de keuken. Pascale liep naar het fornuis om een blik te werpen op de poularde, die zachtjes lag te sudderen. Op een dientafeltje stond een slabak met rucula, bestrooid met gepelde noten en bieslook. Laurent leek zich veel moeite te hebben gegeven om alles zélf klaar te maken. Wilde hij haar behagen of wilde hij alleen maar aan roddelpraatjes ontsnappen door thuis te blijven? Toen hij een stuk keukengerei in een lade zocht, deed hij een stap achteruit en botste tegen Pascale op.

'O, het spijt me!'

Hij had haar automatisch bij de arm gepakt, als om haar tegen te houden, maar in plaats van haar los te laten trok hij haar tegen zich aan.

'Pascale...'

Laurent sloot haar in zijn armen. Daarna streelde hij haar haren, wat haar deed beven. De omhelzing duurde slecht een paar seconden, en toen maakte hij zich van haar los.

'U bent zo mooi,' zei hij met een verontschuldigende glimlach.

Een beetje teleurgesteld – en tegelijkertijd geërgerd omdát ze dat was – liep ze naar de gedekte tafel. Ook daar had hij alles voorbereid: veldbloemen in een vaas, diverse soorten brood in een zilveren schaal, placemats en donkerrode, linnen servetten.

Hij voegde zich bij haar en zette de dampende schaal dicht bij hun borden.

'Wat wilt u drinken? Een fris wijntje uit de Loirestreek? Ik heb tevens een uitstekende bourgogne, maar we kunnen ook champagne drinken tijdens het eten.'

'Ja, ik drink liever geen dingen door elkaar.'

De afstand van hier naar huis was zo'n tachtig kilometer, en ze wilde niet onder invloed rijden.

'Als u zich zorgen maakt over de terugreis, u kunt hier logeren, of ik breng u naar huis.'

'Dat is aardig van u, maar...'

'Ik ben niet zo erg aardig, Pascale, ik doe een poging u te behagen, dat weet u heel goed.'

Zijn oprechtheid bracht Pascale in verwarring. Hij haastte zich dan ook eraan toe te voegen: 'De eerste avond is belangrijk voor mij, ik wil graag dat alles volmaakt is.'

'Nou, dat is het!' antwoordde ze glimlachend.

'Maar er zijn twee problemen, gróte problemen! Het eerste is dat ik als stelregel heb mijn werk en mijn privé-leven gescheiden te houden. Welnu, u bent een arts van Purpan, en als zodanig had ik u niet moeten uitnodigen. Het tweede is dat ik geen vrouwen kan versieren, ik zou niet weten hóé! U ziet hoe ons dineetje me zorgen baart...'

Deze keer barstte ze in lachen uit. Ze vond Laurent grappig, vertederend, en altijd even aantrekkelijk. Twee minuten eerder, in zijn armen, had ze zin gehad om zich tegen hem aan te vlijen. Ze had ernaar verlangd dat hij haar kuste en aanraakte.

'Vertel eens iets over uzelf,' stelde ze voor, terwijl ze hem haar bord aanreikte.

Hij haalde met zorg een stuk poularde uit de pan, legde het op haar bord en overgoot het met saus.

'Zeer klassieke levensloop. Hogeschool voor de handel, politieke wetenschappen. Ik heb het ene diploma na het andere gehaald alvorens me op een bestuursfunctie te storten. Ik hou van organiseren, besturen, verantwoordelijkheden hebben, maar ik wilde niet onder aan de ladder beginnen. Mijn grootouders waren burgers, mensen uit de middenklasse, en mijn ouders dachten dat ze revolutionairen waren, omdat ze in 1968 met de studentenstaking hadden meegedaan. Wat mijn privé-leven betreft, ik heb een uitstekende relatie gehad met een meisje dat ik in mijn eerste studiejaar had ontmoet. Na vijf jaar verliet ze me, zonder enige uitleg, om een Australiër te volgen. Vervolgens wachtte ik tot ik dertig was om opnieuw in de liefde te geloven. Jammer genoeg viel ik voor iemand, type wolf in schaapskleren, die me heel veel geld kostte en me met vrijwel al mijn vrienden bedroog. Achttien maanden geleden heb ik een einde aan onze relatie gemaakt.'

Hij ging tegenover haar zitten, schonk een glas champagne voor haar in en wenste haar smakelijk eten.

'U vertelt het allemaal een beetje... luchtig,' zei Pascale.

'Waarom zou ik medelijden willen opwekken met mijn eigen stommiteit? Daar ben ik veel te trots voor!'

Pascale proefde een hapje, onmiddellijk verleid door de verfijnde geuren.

'Het is verrukkelijk... Geeft u me het recept?'

'Nee, dat denk ik niet.'

'Familiegeheim?'

'Nee, maar we kunnen over interessantere dingen praten dan over het bereiden van een hoen! Ik heb u mijn levensverhaal verteld, nu bent ú aan de beurt.'

'Nee, dat denk ik niet,' antwoordde ze. Met opzet herhaalde ze zijn woorden. 'Volgens mij weet u alles al van Sam. Of vergis ik me?'

Hij kon goed tegen zijn verlies. Hij knikte van ja, met een opgelaten gevoel, omdat ze het had geraden. Maar hij had zelf bekend dat Sam vaak over haar sprak. Een tijdje zaten ze zwijgend te eten. Pascale wilde graag een tweede portie, ze zat te smullen.

'Het is een genoegen u als tafelgenote te hebben,' zei hij. 'Gewoonlijk eten vrouwen met lange tanden, zo'n type bent u niet. Maar u bent helemáál niet een bepaald type, u bent... uniek.'

Die constatering leek hem te verheugen, want hij wierp haar een stralende glimlach toe.

'De laatste keer dat we elkaar zagen, in mijn werkkamer, zei u dat u liever in Albi zou willen werken. Is dat zo?'

'Ja. Hoe verbazingwekkend het ook is, ik wil dolgraag een baan in het ziekenhuis van Albi of in de Claude-Bernard kliniek.'

'Vanwege het heen en weer gereis?'

'Ja, omdat het steeds drukker en dus gevaarlijker wordt op de weg en het pendelen me heel veel tijd kost, maar dat is niet het enige. Albi is de stad van mijn jeugd, waar ik op school heb gezeten, waar mijn vader en mijn grootvader vóór mij de geneeskunde hebben uitgeoefend. Als ik daar zou kunnen werken, zou ik het idee hebben dat ik ben thuisgekomen, dat ik op mijn plaats ben. En ongetwijfeld zou ik me meer op mijn gemak voelen in een minder logge, minder starre organisatie. Hoe dan ook, Albi is het tweede medisch centrum van de streek, dus is het ziekenhuis voorzien van de nodige technische middelen.'

'U bent erg overtuigend. Waarom stelt u zich daar niet kandidaat?'

'Dat héb ik gedaan, er was geen vacante post.'

'O, wilt u zeggen dat het UMC van Purpan voor u slechts een noodsprong is?' zei hij spottend.

'Dat zou ik nooit tegen mijn directeur zeggen,' antwoordde ze op dezelfde toon.

'Dat zou u wél moeten doen, want als er íémand is die u kan helpen te krijgen wat u wenst...'

Hij was weer serieus geworden. Pascale keek hem aandachtig aan.

'Zou u dat doen?'

'Te meer daar een van mijn problemen dan zou zijn opgelost.'

'Hoezo?'

'Als u geen deel meer uitmaakt van het personeel van het ziekenhuis dat ik leid, zal ik het recht hebben om u openlijk het hof te maken.'

Pascale was even met stomheid geslagen, maar toen begon ze te lachen. Tot dan was de gedachte dat Laurent voor haar kon bemiddelen niet bij haar opgekomen, maar ze zou het hem toch niet hebben gevraagd.

'Ik zou het graag willen,' zei ze voorzichtig.

Haar antwoord gaf bedekt aan dat ze ook niet ongevoelig was voor zijn toenaderingspogingen. Plotseling voelde ze zich opgelaten, ze zat te wiebelen op haar stoel. Hij maakte er gebruik van om te gaan staan en schone borden neer te zetten. Daarna zette hij een chocoladetaart op tafel.

In het volgende uur praatten ze over koetjes en kalfjes, alsof ze er behoefte aan hadden om weer een beetje afstand te nemen. Laurent bleef een attente gastheer. Hij zette koffie, die hij opdiende met een bonbon. Even voor middernacht, toen Pascale besloot naar Peyrolles terug te keren, trok hij een jas aan om haar naar haar auto te brengen.

Buiten werden ze verrast door de Siberische kou. Ze haastten zich naar de parkeergarage van van het place Saint-Etienne, waar Laurent erop stond om haar tot aan haar auto te begeleiden. Hij wachtte tot ze achter het stuur zat en haar raampje had opengedraaid. Toen boog hij zich naar haar toe.

'Zien we elkaar weer?' vroeg hij.

Zijn gezicht was vlak bij dat van Pascale. Met een berekenende traagheid kwam hij nóg dichter bij en kuste haar mondhoek. Impulsief sloeg Pascale een arm om zijn nek en toen gaven ze elkaar een échte zoen. Daarna draaide Pascale zwijgend het contactsleuteltje om en vertrok.

6

VERMOEID LIET HENRY ZIJN LAATSTE PATIËNT UIT. HIJ HIELD NOG maar twee dagen per week spreekuur, want hij had zijn patiënten beetje bij beetje aan Adrien toevertrouwd. Sinds een paar jaar droeg hij de macht geleidelijk aan over aan zijn zoon. Als het moment van het definitieve vertrek was gekomen, zou de kliniek niet te lijden hebben onder de afwezigheid van Henry, die eindelijk zou kunnen uitrusten. Maar had hij daar wel zin in? Zoals hij had gevreesd, interesseerden de zondagse golfwedstrijdjes hem slechts matig. En met uitzondering van een paar oude, trouwe vrienden, hield hij er niet meer van om thuis gasten te ontvangen of om uit te gaan.

Hij ging weer achter zijn bureau zitten en legde het dossier in een van de talrijke metalen laden, die nu bijna leeg waren. Het uitoefenen van de geneeskunde, wat hem zo lang had bevredigd, boeide hem niet meer. In feite kon niets hem afleiden van de afwezigheid van Camille. Zolang hij voor haar had kunnen zorgen, al was ze ziek, al was ze spraakgestoord, had zijn leven een bepaalde zin gehad. Nu ervoer hij een intellectueel en affectief vacuüm dat hem verbijsterde. Zijn minnares van dat moment, een vrouw van vijfenveertig die nog erg mooi was, deed veel moeite om hem te behagen. Hij was hoffelijk, stuurde haar vaak bloemen en ging een paar keer per maand met haar dineren in een chic restaurant. Maar daarna, als hij in haar bed lag, had hij de grootst mogelijke moeite om de liefde met haar te bedrijven.

Terwijl hij een blik wierp op de agenda die open voor hem lag, las hij op de datum van 23 december: 'Vertrek Peyrolles.' Over vier dagen. Alles was gepland, inclusief dat Adrien hem bij de ingang van het flatgebouw met de taxi kwam ophalen. De plaatsen in de TGV waren gereserveerd, en in Toulouse zou er een huurauto voor hen klaarstaan. In verband met de kerstcadeaus had Henry een bezoek aan Parijs gebracht. Hij had wat rondgelopen, en ten slotte was bij Hermès naar binnen gegaan. Hij had er een tas voor Pascale gekocht en een horloge voor Adrien. Dwaasheid, misschien, maar hij kon nu alleen nog maar zijn twee grote kinderen verwennen. Voordat hij de luxueuze winkel had verlaten, had hij zich herinnerd dat de vriendin van Pascale, Aurore, de kerst met hen zou doorbrengen, en daarom had hij een sjaal voor haar gekocht.

Gedurende vele jaren was Kerstmis in huize Fontanel een geweldig feest geweest. Camille had altijd een enorme kerstboom gewild. Ze had hem urenlang staan optuigen, en ze had een massa pakjes aan de voet van de boom gelegd. Ze had in het hele huis goudkleurige ballen opgehangen, de ramen versierd, aan het kerstmenu geschaafd en nieuwe luchters gekocht. Henry had haar vertederd haar gang laten gaan, terwijl Adrien en Pascale in hun handen hadden geklapt, opgewonden door al die voorbereidingen... Zou Pascale de tradities van haar moeder in stand houden? Haar kennende, was dat waarschijnlijk het geval, ze zou onvermijdelijk de sfeer van haar jeugd aan Peyrolles willen teruggeven.

Voor hém was het een nachtmerrie om naar Peyrolles te gaan. Waarom had hij het niet verkocht zonder het iemand te vertellen? Zijn dochter zou dan niet zijn vertrokken om daar in ballingschap te gaan en hij zou niet gedwongen zijn geweest ernaar terug te keren! Hij deed opnieuw een poging een goede smoes te vinden om onder die reis uit te komen. Tevergeefs. Pascale zou het niet begrijpen, en Adrien evenmin. Maar het was toch zo simpel! Peyrolles bevatte te veel herinneringen, sommige waren afschuwelijk en andere waren heerlijk. Peyrolles was te beladen met de geschiedenis van de Fontanels in het algemeen en met de geschiedenis van hem, Henry, in het bijzonder. Peyrolles voerde hem meedogenloos terug naar zijn verleden en dwong hem zich te herinneren wat hij had misdaan.

Een fout? Een misdaad? Welke naam moest je geven aan het besluit waarvoor hij nog steeds boette? Camille had ten slotte met afschuw naar hem gekeken, terwijl ze er vrijwillig in had toegestemd.

Vrijwillig? Hij lachte schamper. In die tijd was Camille verloren geweest, ze had geen enkel houvast meer, haar enige zekerheid was voortgekomen uit haar liefde voor Henry, hij had haar alles kunnen laten accepteren. De mensen rondom hen hadden gedacht dat ze hun beider eenzaamheid oplosten. Hij was weduwe en zocht een moeder voor zijn kleine jongen, en zij, de eeuwig verlatene, zij vond een schuilplaats bij een betrouwbare man die haar met open armen ontving. Maar de waarheid was heel anders geweest dan dat stereotiepe beeld! Allereerst hadden ze elkaar al geruime tijd gekend. Ze hadden met een onmogelijke liefde van elkaar gehouden. En was het niet Camilles lot geweest om op onmogelijke dingen te stuiten? De Montagues hadden haar verstoten, Raoul Coste had haar verstoten...

Met een woedend handgebaar gooide Henry zijn agenda weg, die aan het andere eind van het bureau op de vloer belandde. Hij was volledig verantwoordelijk, hij had geen enkel excuus. Geen enkel! Door Camille te willen beschermen, had hij vooral zichzelf beschermd, egoïstisch als hij was, en ten slotte had hij de enige vrouw van wie hij ooit had gehouden veroordeeld.

Wat moest hij op Peyrolles doen om zich niet te laten verstikken door herinneringen, gevoelens van spijt en schuld? Waarom legde Pascale hem die zware beproeving op?

Het klokje dat voor hem stond gaf aan dat het zeven uur was. Hij moest nog zijn gebruikelijke ronde door de kliniek doen voordat hij naar huis kon gaan. Steeds vaker bleef hij op elke verdieping hangen. Hij praatte met de dienstdoende artsen en maakte grapjes met de verpleegsters. Hij had geen zin om naar zijn lege appartement terug te keren. Trouwens, hij had nergens meer zin in.

Ineens besefte hij dat hij nog een eetafspraak had die hij bijna was vergeten. Hij stond op en raapte zijn agenda van het tapijt op. Ja, hij had afgesproken zijn minnares vandaag mee uit eten te nemen, maar hij had nergens een tafeltje gereserveerd en moest zich eerst nog omkleden. Moe bij de gedachte aan de avond die hem wachtte, haalde hij tweemaal diep adem, maar dat bood geen enkele verlichting.

'Ik val om van de slaap!' verklaarde Aurore, terwijl ze haar wijnglas opnieuw vulde.

'Met wat jij hebt gedronken is dat normaal,' zei Pascale spottend.

Zoals gewoonlijk zaten ze in de keuken. Ze hadden lang nagetafeld en plannen voor Kerstmis gemaakt. Aurore rekende erop dat Georges op kerstavond bij het nachtelijk feestmaal aanwezig was, maar zou hij zich niet opgelaten voelen tijdens die te intieme familiereünie? Pascale had dat opgelost door Sam en Marianne ook uit te nodigen, en nu vroeg ze zich af of ze Laurent eveneens zou vragen. Tenminste, als hij geen andere verplichtingen had.

'Volgens mij zal hij heel hard hiernaartoe komen rennen,' voorspelde Aurore. 'Je weet heel goed dat hij gek op je is!'

Ze wees naar de witte rozen die in een Chinese vaas prijkten. Pascale had ze de dag ervoor gekregen. Het begeleidende kaartje lag nog op tafel. Aurore pakte het om het nogmaals te lezen.

'*Bedankt dat u gekomen bent, en bedankt dat u ú bent.*' Dat u ú bent... Is dat niet schattig? Ik vind het een fantastische vent, ook al regelt hij in Albi een baan voor je en ben ik veroordeeld om in mijn uppie naar en van mijn werk in Toulouse te rijden. Georges heeft me nog nooit bloemen gestuurd. Ik heb vanmorgen veel ophef over jouw bloemen gemaakt, zonder de naam van de bewonderaar te noemen, wees maar niet bang. Ik hoop dat hij de hint heeft begrepen en dat hij de weg naar Interflora zal vinden...'

Haar glas was alwéér leeg, ze keek er verbaasd naar.

'Ik stop voor vanavond, anders heb ik morgenochtend hoofdpijn. In elk geval hebben we het probleem nog niet opgelost, ik blijf erbij dat kalkoen een te fantasieloos gerecht is, en bovendien ontzettend droog, met of zonder vulling.'

Ze ging staan, rekte zich uit en wankelde een beetje onder de toegeeflijke blik van Pascale.

'Ik ga naar bed, lieverd, het is de hoogste tijd. O, wat is die sancerre een lekkere wijn!'

Ze boog zich over de tafel en pakte haar tas die ze op de bank had gelegd.

'Hé, toen ik thuiskwam heb ik de post uit de brievenbus gehaald. Ik ben vergeten het aan je te geven, maar er zit niets belangrijks bij,' verontschuldigde ze zich en overhandigde Pascale twee enveloppen.

Ze gaf haar een zoen, terwijl ze zwaar op haar leunde. Daarna liep ze onvast naar de deur. Pascale hoorde haar door de bijkeuken lopen en zich aan een kast stoten, en barstte bijna in lachen uit. Aangezien Aurore zelden dronk, kon ze niet zo goed tegen alcohol. Vanavond had ze zich laten gaan. Eén nachtje goed slapen en ze was weer in orde.

In tien minuten ruimde Pascale de tafel af en maakte de keuken aan kant. In tegenstelling tot Aurore voelde ze zich lekker. Ze besloot naar de studeerkamer te gaan, een plek waar ze graag zat om haar administratie te doen, rekeningen te betalen of medische tijdschriften te lezen. Ze deed de bureaulamp aan, die het grootste deel van de kamer donker liet, en ging achter haar bureau zitten. Het was zo stil in het slapende huis, dat de plotselinge schreeuw van een uil haar deed opschrikken. Het was te koud om een raam op een kier te zetten en de geluiden van de nacht binnen te laten komen. Pascale spitste even haar oren, maar ze hoorde niets anders dan het gekraak van de lambrisering en het parket. De eenzame ligging van Peyrolles was af en toe drukkend, op sommige avonden bijna verontrustend, en toch hield Pascale steeds meer van dit te grote huis.

Ze pakte de twee enveloppen waarvan de een het poststempel van het ziekenhuis droeg en de ander het logo van een winkelier uit Albi. Ze schonk geen aandacht aan de reclame en opende de post van Purpan, ervan overtuigd dat het iets administratiefs was. In feite bevatte de envelop een andere, kleinere envelop, gewikkeld in een met de hand beschreven vel papier. Nieuwsgierig vouwde Pascale het papier open en herkende onmiddellijk het handschrift van Laurent.

Beste Pascale, hierbij het antwoord dat ik heb ontvangen en dat ik onmiddellijk doorstuur. Het valt mij zwaar om u te laten weten dat het om slecht nieuws gaat. Ik vermoed en begrijp wel dat u er veel belang aan gaat hechten, maar neem de tijd erover na te denken alvorens stappen te ondernemen. Als u behoefte heeft erover te praten, ik sta geheel tot uw beschikking. Aarzel niet me te bellen, op welk tijdstip ook. Ik zal blij zijn uw stem te horen. Vele groeten.

Angstig keek Pascale naar de envelop die afkomstig was van het plaatselijke ziekenfonds en gericht aan de heer Laurent Villeneuve, directeur van het Purpan ziekenhuis. Slecht nieuws? In welk opzicht? Langzaam haalde ze een getypt vel papier uit de envelop, die al open was gemaakt. Eerst zeiden de zinnen haar niets en was ze gedwongen ze te herlezen.

In de stilte van de studeerkamer hoorde ze haar eigen ademhaling die sneller en luider werd. Toen barstte ze in huilen uit.

Lange tijd bleef ze moedeloos zitten, de ellebogen op het bureau en het hoofd in haar handen. De gevolgen van wat ze net had ontdekt waren ontzettend groot en absurd. Julia Nhàn Coste, geboren met een afwijking, werd al haar leven lang in verscheidene instellingen voor gehandicapten verzorgd.

Verzorgd? Julia Nhàn, haar halfzus, Julia zonder zorgen, lijdend aan trisomie 21, had nooit een normaal leven gekend. Pascale probeerde haar tranen te bedwingen. Ze had het gevoel dat ze stikte en vloog overeind. Gehandicapt... In welke mate? En hoe had haar moeder een ziek, weerloos kind in de steek kunnen laten? Het was volstrekt onbegrijpelijk!

Terwijl Pascale heen en weer liep, probeerde ze na te denken, maar dat lukte niet. Chaotische gedachten verdrongen elkaar in haar hoofd. De triestheid van Camille waar iedereen het over had, haar laatste jaren van stilzwijgen, die haar aan de rand van dementie hadden gebracht... Was ze verteerd geweest door wroeging totdat ze, veertig jaar later, niets deed om in leven te blijven? Nee zíj niet, vooral zíj niet, zij die zoveel had geleden omdat ze haar eigen moeder, Anh Dào, niet kende. Dat zou ze haar dochter toch niet wíllen en kúnnen aandoen? Maar Julia had ook een vader, wat was er van die Raoul Coste geworden?

Te opgewonden om te blijven zitten, rende Pascale de studeerkamer uit en vloog de trap op naar de eerste verdieping. Als ze nu niet met iemand sprak, zou ze gek worden! Ze klopte en ging de kamer van Aurore binnen. Die sliep als een marmot, de lamp op haar nachtkastje brandde nog. Pascale stond even naar haar te kijken en zag er toen vanaf haar wakker te maken. Gezien alles wat ze vanavond had gedronken, had Aurore haar slaap nodig. Trouwens ze zou niet in staat zijn een zinnig gesprek te voeren.

Na het licht te hebben uitgedaan, verliet Pascale de kamer zo stil mogelijk en ging weer naar beneden. Het was te laat om Laurent te bellen. Ze kon proberen Adrien te bereiken, maar was het niet beter te wachten tot hij bij haar was, samen met hun vader, om dit alles aan de orde te stellen?

Ze maakte een omweg door de keuken, zocht in de kast waar ze een fles armagnac bewaarde, bestemd voor sausen, en schonk een glaasje in dat ze in één keer achteroversloeg. Daarna ging ze weer naar de studeerkamer, waar ze opnieuw begon te ijsberen tussen de donkere ramen en de schoorsteen. Sinds de ontdekking van dat vervloekte trouwboekje had ze heel veel uren doorgebracht met denken aan Julia, met zich voorstellen hoe hun eerste ontmoeting zou zijn. Ze had zich afgevraagd hoe Julia Nhàn eruit zag, waarschijnlijk had ze dezelfde Aziatische gelaatstrekken die zíj, Pascale, van Camille had geërfd. Bij alle veronderstellingen en schattingen had ze zich voorgenomen eventueel onrecht weer goed te maken als Julia aan wat dan ook gebrek zou hebben. Bespottelijk!

Opnieuw stroomden de tranen over haar wangen. Ze voelde walging bij de gedachte dat Julia aan haar lot was overgelaten. Met een waas van tranen voor haar ogen pakte ze de telefoon en toetste het nummer van Samuel in. Ondanks het late uur nam hij vrijwel meteen op.

'Sam, ik ben het... Sorry dat ik je bel, ik hoop dat ik je niet wakker heb gemaakt?'

'Nee,' antwoordde hij zachtjes, 'ik sliep nog niet. Wat is er aan de hand?'

'Luister... Maak je geen zorgen, maar ik... ik ben zojuist iets vreselijks te weten gekomen en ik... ik weet niet met wie ik erover kan praten...'

Ze snoof, slikte en probeerde tevergeefs verder te gaan.

'Pascale? Mijn God, huil je? Wil je dat ik naar je toe kom?'

'Ik móét het gewoon tegen iemand zeggen! O, Sam...'

'Ben je op Peyrolles?'

'Ja.'

'Goed, ik kom eraan, en dan kun je me alles vertellen. Kalmeer intussen een beetje, oké? En vergeet niet het hek voor me open te zetten!'

Ze begon te protesteren, maar hij had al opgehangen.

Natuurlijk was Marianne er boos om geworden. Terwijl Samuel zich snel aankleedde, was ze wakker geworden. En toen ze hoorde dat hij midden in de nacht naar Peyrolles ging om zijn ex te hulp te schieten, terwijl hij niet eens wist wat het probleem was, had ze een woedeaanval gekregen. Een aanval van woede of van jaloezie, dat deed er weinig toe, hij was niet bereid geweest naar haar te luisteren.

Terwijl hij over de autosnelweg voortraasde, zag hij Marianne weer voor zich, zittend op haar kussen, woedend, met verwarde haren, er domweg van overtuigd dat ze hem zou kunnen beletten weg te gaan. Op het laatste moment had ze het ultimatum dat ze hem wilde stellen, ingeslikt. Maar het kwaad was geschied: Samuel had zojuist geconstateerd dat hij niet meer écht vrij was.

Met open jas was hij zonder een woord te zeggen vertrokken. En nu, achter het stuur van zijn Audi, voelde hij zich bijna los van Marianne, alsof ze al tot zijn verleden behoorde.

Wat had hij gezegd of gedaan op grond waarvan Marianne dacht dat ze iets over hem had te zeggen? Geen liefdesverklaringen, geen beloftes en verplichtingen – daar had hij wel voor uitgekeken. Zeker, sinds een tijdje waren ze closer met elkaar en zagen ze elkaar vaker. Op verraderlijke wijze bouwde Marianne een soort huwelijksleven tussen hen op, en hij, Samuel, liet haar haar gang gaan. Uit lafheid, omdat hij haar niet wilde zien huilen. Maar ook uit egoïsme, omdat hij ontegenzeglijk blij was een mooie, liefhebbende vrouw in zijn bed te hebben in plaats van in zijn eentje in bed te liggen piekeren en aan Pascale te denken.

Hij nam de afslag naar Marssac, stak de Tarn over en sloeg B-weg nummer 18 in. Pascale legde die afstand elke morgen en elke avond af, het was waanzin. Toen Laurent had gezegd dat hij kon proberen een baan in Albi voor haar te krijgen, had Sam een steek van jaloezie gevoeld.

Nee, dat was niet te sterk uitgedrukt: het feit dat een andere man Pascale kon helpen stemde hem bitter. Had hij haar enige redder, haar enige vriend willen zijn? Hij was voor haar niets anders meer dan een steunpilaar, een vertrouweling, en hij klampte zich aan die rol vast, de laatste rol die hij aan haar zijde kon spelen.

In elk geval had ze zich vanavond tot hém gewend, niet tot Laurent. Wat kon er toch zijn gebeurd dat haar roep om hulp rechtvaardigde? Pascale was een verstandige vrouw, sterk, ze liet hem niet midden in de nacht komen om een vleermuis te verjagen!

Hij reed langs de omheiningsmuur, zag dat het hek openstond en reed de oprijlaan op. Peyrolles fascineerde hem. Hij begreep heel goed waarom Pascale daar per se had willen wonen. In principe interesseerde hij zich niet voor landgoederen, hij gaf verreweg de voorkeur aan het besturen van helikopters. Maar Peyrolles bezat een bijzondere aantrekkingskracht die ongetwijfeld voortkwam uit de architectuur, de eenzame ligging en de melancholieke charme van het goed onderhouden park.

In het schijnsel van de koplampen zag hij Pascale staan, boven aan het bordes, warm ingepakt in een gevoerde parka. Ze liep naar beneden, terwijl hij uit zijn auto stapte, en ze wierp zich in zijn armen.

'Lief dat je bent gekomen...'

Hij voelde haar haren langs zijn wang strijken en hij herkende onmiddellijk haar parfum: *Addict.* Dat had hij haar een paar jaar geleden gegeven toen het product net op de markt was, en zij was het trouw gebleven.

'Ik had je niet moeten storen, ik hoop dat Marianne het niet vervelend vindt. Kom, we gaan de warmte opzoeken. Terwijl ik op je wachtte, heb ik heen en weer gelopen op het terras, omdat ik stikte in het huis, maar nu heb ik het koud.'

Ze sprak vlug, met een ietwat hakkelende stem. In het licht van de lantaarns aan de voorkant van het huis zag Sam dat ze er moe uitzag en kringen onder haar ogen had. Hij volgde haar tot in de studeerkamer, waar ze zorgvuldig de deur sloot. Toen ze haar parka uittrok, kon hij zich er niet van weerhouden haar slanke figuur te bekijken. Ze droeg een kabeltrui van ongebleekte wol, een nauwsluitende, grijze spijkerbroek en zwarte laarsjes.

'Wat ik je ga vertellen moet onder ons blijven, Sam...'

Voor de boekenrekken van kersenhout stonden twee verschoten, fluwelen leunstoelen tegenover elkaar. Pascale ging zitten en gebaarde hem hetzelfde te doen.

'Toen ik mijn intrek nam op Peyrolles,' begon ze, 'wilde ik mijn jeugd een beetje terugvinden, zoals je weet. De zolder staat vol oude meubels, en Aurore en ik hebben naar hartenlust in die oude rommel lopen snuffelen...'

Ze zweeg even en hief haar hoofd. Haar grote, donkere, amandelvormige ogen leken van een onpeilbare triestheid. Hij had zin om te gaan staan en haar in zijn armen te nemen, maar hij dwong zich te blijven zitten en te wachten op het vervolg.

'Ik heb achter in een la een trouwboekje gevonden. Het was van mama, haar eerste, afgegeven door het stadhuis van het twaalfde arrondissement van Parijs, bij haar huwelijk met een zekere Raoul Coste, in april 1966.'

Sam was stomverbaasd. Hij dacht even na en toen haalde hij zijn schouders op.

'Goed, je moeder heeft een eerste echtgenoot gehad, wat je niet wist. En verder?'

'Er stond ook de geboorte van hun kind in vermeld, in augustus van datzelfde jaar. Een meisje met de naam Julia Nhàn.'

'Julia wát?'

'Nhàn, dat betekent: zonder zorgen. Dat is het enige dat mama van haar Vietnamese afkomst had bewaard. Zijzelf heette Camille Huong Lan, haar eigen moeder Lê Anh Dào, en klaarblijkelijk wilde ze bij haar eerste kind de traditie voortzetten.'

Deze keer zei Sam niets. Hij had Camille goed gekend, en hij had haar graag gemogen, hoe vreemd ze zich ook kon gedragen. Maar noch zij noch Henry, met wie Sam een uitstekende relatie had, hadden het ooit over het bestaan van die Julia gehad.

'Ik wilde er meer van weten,' zei Pascale met een zucht. 'Allereerst heb ik ontdekt dat Julia nog in leven is, en van toen af aan heb ik een heleboel idiote plannen gemaakt... Ik zag me al kennismaken met mijn halfzus... en de verklaring voor dat mysterie vinden. Niemand heeft er iets over gezegd in de tweeëndertig jaar van mijn bestaan!'

'Wat zei je vader tegen je?'

'Niets! Ik heb hem niet gesproken. Nog niet... Maar dat ben ik wél van plan. Hij is hier met de kerst, overmorgen komt hij aan. Maar er is nog iets anders.'

Pascale haalde een elastiekje uit haar broekzak en bond haar haren samen. Sam had het altijd heel leuk gevonden haar dat te zien doen.

'Ik heb zojuist informatie gekregen die alles verandert. Alles! Weet je, Sam, ik dacht dat er beslist een goede reden moest zijn, een of andere rechtvaardiging... Mama was nog zo jong in die tijd! Haar... man, die Raoul Coste, zou het kind hebben kunnen houden of...

'Dat is ongetwijfeld het geval,' zei Sam op kalme toon.

Hij zag de heftige verontwaardiging van Pascale, haar woede, haar bitterheid, en hij probeerde de stortvloed van woorden die hij voelde aankomen in te dammen.

'Liefje, in die tijd werden jeugdzonden duur betaald. Je moeder moet...'

'Ze heeft het kind in de steek gelaten, Sam! Ze heeft haar baby officieel overgedragen aan de Kinderbescherming. Julia is niet... ze heeft het syndroom van Down.'

Sam was te verbaasd om te antwoorden. Hij zag dat Pascale bijna in tranen was. Maar ze was gewend zich te beheersen, op haar werk maakte ze de hele dag door drama's en wanhoop mee.

'Je hebt me getroost bij de begrafenis van mijn moeder, maar wat voor monster was ze in werkelijkheid?'

'Pascale... wacht met je oordeel, je kent niet alle kanten van dit verhaal. En het is niet jóúw verhaal. Voordat jij ter wereld kwam en voordat ze je vader ontmoette heeft je moeder óók een bestaan gehad.'

'Ze hebben tegen me gelogen!'

'Ze wilden je vast en zeker beschermen.'

'Julia niet, in elk geval! Ze hebben haar zomaar weggegeven.'

'Dat weet je niet.'

'Ik weet dat er dingen zijn die je niet kunt dóén, Sam. Die absolute waarden heeft mijn moeder me trouwens bijgebracht. Besef je dat wel? Zíj!'

Pascale sprong overeind, alsof ze geen seconde langer meer in haar stoel kon zitten en begon door de studeerkamer te ijsberen.

Alleen de bureaulamp verspreidde licht. Samuel keek naar de jonge vrouw, in weerwil van zichzelf werd hij verleid door haar soepele loop, haar lange benen en haar smalle heupen. Maar hij was hier niet om haar te bewonderen, hij moest woorden zien te vinden om haar een beetje te kalmeren.

'Camille had haar moeder niet gekend,' bracht hij haar in herinnering. 'Misschien heeft ze onbewust de geschiedenis herhaald...'

'Waarom verdedig jij haar?'

'Waarom veroordeel jij haar op voorhand?'

Ze bleef staan, leunde tegen de boekenrekken en leek over de vraag na te denken. Na een paar ogenblikken vroeg hij zacht: 'Wat betekent Huong Lan?'

'Orchideeëngeur. Het is merkwaardig dat ze míj niet zo'n Vietnamese voornaam heeft gegeven...'

'Camille heeft vast gedacht dat ze uiteindelijk geen geluk brachten. Noch aan haar moeder, noch aan haarzelf, en nog minder aan die kleine Julia.'

Pascale hield haar hoofd gebogen en gaf geen commentaar. Waarschijnlijk voelde ze zich gekwetst, verraden door haar ouders, aan wie ze tot dan toe nooit had getwijfeld. Henry was een voorbeeldige vader geweest, en Camille een moeder die zeer aanwezig was, zacht, vrouwelijk en liefdevol. Hun beeld paste niet bij het onbegrijpelijke, weerzinwekkende in de steek laten van hun kind.

'Als ik Peyrolles niet, dankzij jou, had gekocht, als de meubels waren verkocht toen we de streek verlieten, als Aurore die la niet open had gemaakt, zou ik niets hebben geweten. Zie je wat voor samenloop van omstandigheden ervoor nodig was? Ik kan niet geloven dat papa achter zoiets afschuwelijks heeft gestaan, het is gewoonweg onvoorstelbaar.'

'Hij zal er heus wel een verklaring voor geven,' zei Sam, die daar helemaal niet zeker van was.

'Ja, dat is waar ik bang voor ben. Wat hij zal zeggen...'

'Is Adrien op de hoogte?'

'Nee. Ik heb geprobeerd hem uit te horen en ik heb hem een paar vragen gesteld, maar het verleden van de familie interesseert hem niet. Tenminste, dat beweert hij... Maar toen ik besloot me hier te vestigen reageerde hij heel heftig. Ik had zelfs de indruk dat papa en hij iets voor me verborgen hielden.'

'Waarschijnlijk niet. Je vader en je broer zijn dol op je. Trouwens, ze hadden dat trouwboekje best kunnen laten verdwijnen.'

'Ja, áls ze wisten dat het bestond. Mama had het bewaard in een oud, grijs, plastic zakje dat niet opviel. Maar het is geen nalatigheid, en ook geen onbewuste verkeerde handeling, ze heeft het wel degelijk bewaard. Misschien als bewijs, zodat Julia niet in de vergetelheid zou raken...'

'Je zit te fantaseren.'

'Ja,' gaf Pascale met een grimas toe. 'En ik heb me nóg ergere dingen voorgesteld. In een poging het te begrijpen bedenk ik van alles en nog wat, alles lijkt me verdacht. Inclusief die brand waarbij de moeder van Adrien levend is verbrand.'

Haar laatste zin, schoorvoetend uitgesproken, gaf aan hoe ellendig ze zich voelde.

'Het is geen beschuldiging, Sam. Alleen een extra vraag.'

'Die moet je aan Henry stellen. Nou ja, déze natuurlijk niet.'

Voor het eerst die avond wierp Pascale hem een vage glimlach toe.

'Natuurlijk...'

Ze probeerde de twijfels die haar overstelpten te verjagen. Plotseling leek ze erg kwetsbaar, terwijl ze meestal als een sterke vrouw overkwam. Hoe zou ze reageren als het ergste ooit werd bewaarheid? Was het mogelijk dat Henry een schoft was? En Camille? Moeilijk te bevatten, maar in feite niet onmogelijk, en in dat geval zou Pascale een teleurstelling ondergaan waaraan hij liever niet dacht.

'Wil je een kopje koffie voor me maken, liefje?'

'Natuurlijk. Je zult me wel heel egoïstisch vinden omdat ik je heb laten komen om je dit allemaal op te biechten!'

'Zolang je mij nodig hebt, zal ik er voor je zijn.'

Ze stond bij de deur, met haar hand op de deurkruk, en draaide zich om.

'O, Sam...'

Wilde ze hem bedanken? Opnieuw tegen hem zeggen dat hij haar beste vriend was? Hij liep naar haar toe en nam haar in zijn armen. Zijn omhelzing was duidelijk die van een verliefde man, en Pascale had hem best kunnen wegduwen. Maar ze drukte zich tegen hem aan. Hoe lang was het niet geleden dat hij haar zo had vastgehouden?

'Laat me niet mijn gang gaan,' fluisterde hij, 'gooi me de deur uit.'

Zonder haar los te laten tilde hij haar kin op en dwong haar hem aan te kijken.

'Pascale? Ik verlang zo erg naar je...'

Een hevige, pijnlijke begeerte maakte zijn stem schor. Hij liet zijn hand onder haar trui glijden, en voelde de zijdezachte huid onder zijn vingers.

'Sam,' fluisterde ze, 'het is niet goed...'

Met een gevoel van trots begreep hij dat ze op het punt stond te zwichten en hij kuste haar hartstochtelijk. Ze haalde moeizaam adem. Vanaf het begin was er een fysieke aantrekkingskracht tussen hen geweest en die was altijd blijven bestaan, ondanks hun ruzies. Op de dag vóór hun scheiding hadden ze nog de liefde bedreven, ze hadden zich wanhopig, als twee drenkelingen, aan elkaar vastgeklampt.

'Ik wil niet, Sam. Daar zullen we te veel spijt van krijgen.'

Het kostte hem heel veel moeite om afstand van haar te nemen. Ze had zojuist naar hem verlangd, wat onmiskenbaar was, hij kende haar te goed om zich te vergissen. Was dat slechts toe te schrijven aan haar eenzaamheid? Ze had beslist niet met Laurent geslapen, ze zou alle tijd nemen voordat ze zich in een serieuze relatie stortte, wat haar niet belette lustgevoelens te hebben. Die gedachte was voldoende om hem een beetje zelfbeheersing terug te geven.

'Je hebt gelijk... En hoe zit het met mijn koffie?'

De stralende glimlach die ze hem toewierp ontmoedigde hem helemaal. Had hij dan geen enkele kans meer om haar te heroveren? Was het geluk dan definitief uit zijn handen geglipt, toen hij drie jaar geleden aanvaardde dat deze vrouw hem verliet? O, hij wilde graag de vader van haar kinderen zijn, twaalf, als ze dat wenste! Hij had het altíjd gewild...

'Kom mee, Sam.'

Ze pakte ongevraagd zijn hand en leidde hem de kamer uit.

Marianne had weer eens gehuild. Om vier uur 's nachts was ze naar haar eigen appartement gegaan. Ze wilde per se niet dat Samuel haar huilend zou aantreffen. Een lange, hete douche, daarna een lauwe, had haar een beetje gekalmeerd. Vervolgens had ze een copieus ontbijt voor zichzelf klaargemaakt. Jammer dan voor haar lijn, jammer dan voor alles!

Het was een puinhoop in haar appartement. Ze was er slechts de helft van de tijd, omdat ze om de nacht bij Sam sliep. Na een uurtje fanatiek te hebben schoongemaakt was ze opnieuw onder de douche gaan staan. Daarna had ze zich aangekleed en opgemaakt. Hoe ongelukkig ze ook was, ze móést naar haar werk. Ze had tenminste geen grote verantwoordelijkheden, en als ze door vermoeidheid fouten maakte, zou dat niet echt erg zijn, terwijl Samuel het leven van zijn patiënten in de waagschaal zou stellen na zijn slapeloze nacht. Want waarschijnlijk had hij niet geslapen. Als ze eraan dacht werd ze gek. Zijn ex-vrouw hoefde maar te fluiten en hij kwam aangesneld, blij dat hij haar van dienst kon zijn. Het was voor hem niet genoeg dat hij een baan voor Pascale had gevonden en haar geld had geleend, maar zodra ze zich verveelde nam hij haar mee in zijn helikopter en bij het geringste teken van angst hield hij haar hand vast. En waarom? Uit altruïsme? Natuurlijk niet! Marianne geloofde geen seconde in die zogenaamde vriendschap tussen hen.

Integendeel, ze was er heilig van overtuigd dat Samuel nog steeds smoorverliefd was op dat rotwijf met haar schijnheilige manier van doen. 'Slecht hersteld' van zijn scheiding – zoals hij het noemde – betekende écht ziek! Hoe had ze ooit kunnen denken hem te kunnen genezen?

In de bus die haar naar Purpan bracht, probeerde ze een besluit te nemen. Zou ze de kracht hebben om hem te verlaten zonder hem binnen drie dagen weer op te bellen? Waarschijnlijk niet. Telkens wanneer ze zijn huis woedend had verlaten, was ze uit zichzelf teruggekomen. Helemaal kapot!

Om kwart voor acht stapte ze voor het ziekenhuis uit. Het was erg koud en ze liep snel naar het administratiegebouw. Er wachtte haar een lange, saaie dag, met brieven die ze moest tikken, oppervlakkige gesprekken van haar collega's en een vieze lunch in de kantine. En vanavond zou ze in haar eentje thuiskomen, waarschijnlijk al bereid om haar trots opzij te zetten, vooral als er geen bericht op haar antwoordapparaat stond...

Of ze zich al dan niet met Samuel had verzoend, ze zou in elk geval niet de kerstavond op Peyrolles doorbrengen! Die vervelende verplichting zou haar tenminste worden bespaard. Al zou hij haar smeken, ze piekerde er niet over erheen te gaan. Ze bleef liever alleen of nam de uitnodiging van haar ouders aan, die haar met open armen zouden ontvangen, al kwam ze op het allerlaatste moment aanzetten.

'Dag, Marianne! Ik zie dat u altijd op tijd bent, stiptheid is een goede eigenschap die in het algemeen aan het verdwijnen is.'

Ze bleef staan om de groet van Laurent Villeneuve te beantwoorden. Volgens het roddelcircuit van het personeel – en over een man als hij werd heel veel geroddeld! – arriveerde hij vrijwel altijd als eerste op zijn kantoor. Het feit dat hij was blijven staan om haar gedag te zeggen was nogal vleiend. Uiteindelijk was *híj* de directeur van dit immense UMC en *zíj* een doodgewone secretaresse, een van de vele.

Maar ze maakte zich geen illusies, die gunst was alleen aan haar vriendschap met Samuel te danken.

'U ziet er koud uit,' zei hij vriendelijk. 'Zorg dat u snel warm wordt.'

Zijn bezorgdheid maakte Marianne verdrietig in plaats dat het haar troostte, en ze stelde zich tevreden met een knikje, want haar keel was dichtgeknepen.

'En doe Sam de groeten van mij. Ik geloof dat we elkaar op kerstavond bij Pascale Fontanel zullen zien, is het niet?'

Marianne kon zijn opgewekte glimlach niet verdragen. Zonder na te denken antwoordde ze snel: 'Ik zal er niet bij zijn! Pascale brengt haar tijd door met Sams hulp in te roepen, en ze aarzelt niet hem midden in de nacht uit zijn bed te trommelen. Het is de lastigste ex van de hele wereld! Ik heb er mijn buik vol van, het zou simpeler zijn als ze hertrouwden, maar ik zal geen kerst met hen vieren. Sorry...'

Laurent keek haar stomverbaasd aan. Ze had al meteen spijt van haar uitbarsting. Ze stamelde een verontschuldiging en liep met grote, onhandige stappen weg.

Pascale was tegen het ochtendgloren in slaap gevallen. Ze had Aurore niet horen vertrekken. Tegen negenen deed ze een oog open, verbaasd toen ze zag dat het al dag was. Gelukkig moest ze pas om twaalf uur beginnen, een dienst van vierentwintig uur die waarschijnlijk heel vermoeiend zou worden.

Ze trok een ochtendjas aan en liep gapend de trap af naar de keuken. Aurore had een briefje naast de isoleerkan van het koffiezetapparaat gelegd. *Heb je vannacht bezoek gehad? Stiekemerd! Toch wens ik je een fijne dag. Ik zal een nieuw doosje aspirine meenemen, want ik heb alle aspirientjes ingenomen.*

Geamuseerd herinnerde Pascale zich dat ze de kopjes op tafel had laten staan. Nadat ze lang met elkaar hadden zitten praten, was Sam rond vijf uur vertrokken. Op de drempel had hij gezegd dat hij niet wilde dat ze naar buiten ging, en hij had beloofd het hek achter zich te zullen sluiten. Vervolgens had hij haar opnieuw in zijn armen genomen. Deze keer zonder dubbelzinnigheid.

Ze vulde een grote kom met dampende koffie en deed er twee suikerklontjes in. Terwijl de koffie afkoelde, liep ze naar de openslaande deur en keek naar buiten. De hemel was donkergrijs, alsof er sneeuw in de lucht zat. Voor zover ze het zich herinnerde had ze dit niet vaak op Peyrolles meegemaakt, zelfs niet in strenge winters. Ze begon op een witte kerst te hopen.

'Zijn de wegen dan nog wel begaanbaar?' mompelde ze.

Vanaf de plek waar ze stond zag ze de kas en de kale hibiscusstruiken die haar vader op de plaats van het verbrande atelier had geplant. Hoe had ze in het bijzijn van Sam zoiets afschuwelijks kunnen zeggen: dat haar vader in zekere zin verantwoordelijk voor dat drama was? Begon ze hem van de ergste misdaden te verdenken, enkel en alleen omdat hij het bestaan van Julia voor haar verborgen had gehouden? Met dergelijke veronderstellingen zou ze uiteindelijk iedereen wantrouwen en overal spoken zien. Nee, de wijze raadgevingen van Samuel waren beslist zinnig. Eerst moest er een verklaring komen. Het te lang uitgestelde gesprek met haar vader zou binnenkort plaatsvinden. Intussen moest ze ophouden zich met deze kwestie te kwellen.

Ze ging weer zitten en nam een paar slokjes koffie. Straks in het ziekenhuis zou Aurore haar vast en zeker ondervragen over de mysterieuze, nachtelijke bezoeker. Een onschuldige bezoeker... nou ja, bijna!

Het was een onmiskenbaar genoegen geweest om de armen van Samuel weer om zich heen te voelen. Ook was er begeerte geweest, het had geen zin haar ogen daarvoor te sluiten. Sinds een paar dagen sliep ze in met de gedachte aan Laurent, maar gisteravond had ze écht zin gehad om met Sam te vrijen.

Het was een rare ontdekking dat die twee mannen haar beurtelings konden verleiden. Kwam dat door een te lange periode van seksuele onthouding of door de kwetsbare toestand waarin het raadsel van Julia haar had gebracht? Haar toevlucht zoeken bij Sam was zo natuurlijk, zo vanzelfsprekend, zo geruststellend... en erg sensueel. Ze hield zichzelf voor de gek door hem als een vriend te beschouwen. Waarom had ze zich Oost-Indisch doof gehouden op de avond waarop hij tegen haar zei: 'Als een man echt van een vrouw heeft gehouden, gaat het nooit over.'

Peinzend schonk ze nog een beetje koffie in. Het was heerlijke koffie. Aurore maakte altijd sterke koffie. Pascale nam de tijd om ervan te genieten voordat ze naar boven ging om een douche te nemen. Daarna trok ze een wit T-shirt aan, met het oog op haar dienst, want het was smoorheet op de afdeling longziekten. Verder trok ze een beige coltrui aan en een paarsfluwelen broek. Als ze haar patiënten terugzag en de ziekenhuissfeer proefde, zou ze in staat zijn haar problemen te vergeten. Julia, haar vader, Sam, Laurent, en Kerstmis dat te snel naderde, het huis dat versierd moest worden en alle boodschappen die moesten worden gedaan. Trouwens, ze was te vroeg, en ze zou slechts in Toulouse hoeven stoppen om een paar inkopen te doen.

Buiten was het zo koud, dat ze snel in haar auto ging zitten. Ze liet de motor warm lopen en zette de ventilatie aan, terwijl ze door de voorruit naar het park keek. De weelderige plantengroei van de zomer had plaatsgemaakt voor kale bomen. Een paar dorre bladeren die aan de hark waren ontsnapt tooiden het gazon met bruine vlekken. De wilde wingerd was uit de kas verdwenen, er groeide geen enkele bloem meer.

Gravend in haar geheugen probeerde ze zich de voornaam van de moeder van Adrien te herinneren. Alexandra? Een mooie, blonde, ietwat fletse vrouw, van wie ze een of twee foto's had gezien. Haar vader sprak niet over haar, alsof ze nooit had bestaan. En toen Pascale was geboren, noemde Adrien Camille al heel lang 'mama'. Wanneer had ze gehoord dat Adrien haar halfbroer was? Die waarheid, zo vanzelfsprekend, maakte deel uit van de geschiedenis van de Fontanels. Die waarheid had men nooit voor haar verzwegen, in tegenstelling tot die van Julia. Waarom?

Met een diepe zucht reed ze weg. Te veel vragen en geen enkel antwoord, maar wat deed het er toe? Ze zou uiteindelijk alles te weten komen, omdat ze dat had besloten. Koppig als ze was zou haar dat ongetwijfeld lukken. En dan zou ze beoordelen of ze zou kunnen vergeven.

7

Op de daken van ziekenhuis Purpan lag een dun laagje sneeuw, maar de binnenplaatsen, waar al vroeg in de ochtend zand was gestrooid, waren modderpoelen.

Op de snikhete afdeling longziekten was het betrekkelijk rustig geworden na het bezoek van het afdelingshoofd, die zoals gewoonlijk met slaande trom de ronde had geleid. Nadine Clément had een paar gemene vragen aan de co-assistenten gesteld, ze was tegen Pascale ingegaan over een moeilijk geval van bronchitis, maar zonder erover door te zeuren, alsof ook zij haast had om haar laatste kerstinkopen te doen.

De gangen werden opgevrolijkt door slingers die de fysiotherapeuten hadden opgehangen, en Aurore had een klein kerstboompje opgetuigd dat in de kamer van de verpleegkundigen stond.

Pascale zat aan het bed van een van haar patiënten, een oude vrouw in de terminale fase van strottenhoofdkanker. Ze had zojuist bepaald dat de vrouw zichzelf naar believen morfine mocht toedienen door middel van een pompje dat ze gebruikte als ze daar behoefte aan had.

'Mijn dochter heeft dit voor u achtergelaten, dokter...'

Met haar vrije hand, die er als perkament uitzag, wees de oude vrouw naar een doos chocolaatjes die op haar tafeltje stond.

'Wat aardig!'

'Ik weet dat u een lekkerbek bent...'

De stem was schor, amper verstaanbaar. Pascale knikte heftig.

‘Een hele grote lekkerbek, ja. Komt uw dochter vandaag nog bij u?’

‘Ze komt elke dag op bezoek. Zij of mijn schoonzoon. Ze laten me niet in de steek...’

Dat zei ze met dankbaarheid, maar haar blik was ontzettend triest. Dit zou haar laatste kerst zijn, misschien zou ze het kerstfeest niet eens meemaken. Met een beklemd gevoel dwong Pascale zich tot een glimlach. Na al die jaren raakte het fysieke of psychische leed van de zieken haar nog steeds diep. Het zou haar nooit lukken er ongevoelig voor te zijn.

‘Ga maar wat rusten,’ zei ze, terwijl ze de schouder van de oude vrouw aanraakte.

Door het nachthemd voelde ze de botten die uitstaken.

‘Hebt u nog iets nodig? Aarzel niet op die knop te drukken, u hoeft geen pijn te lijden.’

Pijn diende nergens toe, alleen om mensen nóg zwakker te maken en ze in paniek te brengen, maar het had lang geduurd voordat alle medici dat beseften.

Toen ze de kamer verliet klonken er luide, opgewonden stemmen in de gang, naast de kamer van de verpleegkundigen.

‘Waar denkt u wel dat u bent?’ schreeuwde Nadine Clément, buiten zichzelf van woede.

Pascale stond op het punt zich snel uit de voeten te maken, maar toen ze Aurore zag, bleef ze abrupt staan.

‘Ga dat ergens anders doen, het is schandalig!’

Achter Aurore stond Georges Matéi. Met zijn handen in zijn zakken en met zijn hoofd gebogen liet hij het onweer voorbijgaan.

‘Duvel op, van mijn afdeling af, ik wil jullie hier niet meer zien. En als jullie die kamer als een bordeel gebruiken, zal ik hem laten afsluiten!’

Twee verbijsterde co-assistenten wisten niet meer wat ze doen moesten en bleven met hun rug tegen de muur staan, terwijl Nadine tekeerging. Pascale liep naar haar toe. Ze wist nog niet wat ze zou kunnen doen om Aurore te verdedigen, maar ze was vastbesloten tussenbeide te komen. Nadine wendde zich tot haar en wierp haar een minachtende blik toe.

'Ik hoop dat u niet aan deze orgieën deelneemt, dokter Fontanel!'

Pascale negeerde de uitdaging, die het voorval alleen maar kon verergeren.

'De patiënte van kamer 8 zal de nacht niet doorkomen,' verklaarde ze kalm. 'Ik heb tegen haar gezegd dat ze naar believen morfine mocht nemen.'

'Naar believen,' herhaalde Nadine ontzet. 'Op haar leeftijd en in haar toestand weet die patiënte niet wat ze doet! Wilt u dat ze aan een overdosis bezwijkt?'

'Ik geloof niet dat het erg belangrijk is. Het is in elk geval het einde.'

'U hebt geen enkel recht om dat te beslissen. Vraag liever aan een verpleegster of ze gerichte injecties wil geven.'

Ze wierp een laatste boze blik in de richting van Aurore alvorens er – op een andere toon – aan toe te voegen: 'Ik zal straks zelf een kijkje bij mevrouw Lambert nemen.'

Pascale hoorde dat haar stem menselijker, bijna vermoeid klonk. Nadine Clément had vele gebreken, ze kon zich tiranniek, agressief en onrechtvaardig tonen, maar ze was ook een uitzonderlijke arts, die ziekte en tegenslag verafschuwde, die het dossier van elke patiënt uit haar hoofd kende en de patiënten bij hun naam noemde.

Zodra ze aan het eind van de gang was verdwenen, slaakte Aurore een zucht van verlichting, die werd gevolgd door een nerveus lachje.

'Mijn hemel, je lijkt de cavalerie wel, net op tijd gearriveerd!'

'Het spijt me,' mompelde Georges, terwijl hij een hand op Aurores schouder legde.

Pascale moest inwendig lachen om zijn berouwvolle houding. Ze keek hem na terwijl hij wegliep.

'Hij is niet alléén verantwoordelijk, we hebben een ogenblik van... verstandsverbijstering gehad. We flirtten en toen zijn we een beetje te ver gegaan... Je weet hoe dat gaat.'

'Ja, maar het zou me verbazen als Nadine Clément dat ook weet.'

'Waarom? Ze is getrouwd geweest, ze is niet van steen!'

'Wie zal het zeggen? In elk geval moet je op haar afdeling altijd op je hoede zijn, dat heb jij me zelf aangeraden toen ik hier begon.'

'Je hebt gelijk. Het was noch het geschikte moment noch de geschikte plaats.'

Als arts had Pascale een zeker gezag over het verplegende personeel, naar ze was niet van plan een zedenpreek tegen Aurore af te steken. Ze gaf haar een knipoog. En toen zag ze aan het andere eind van de gang een man die niet zo jong meer was en wiens elegante gestalte haar vaag bekend voorkwam. Hij liep in de richting van de wachtkamer, tegenover de kamer van Nadine. Een beetje verbaasd herkende Pascale Benjamin Montague. Was hij ziek? Het was geen spreekuur. Nieuwsgierig geworden besloot ze hem gedag te gaan zeggen alvorens zich naar de röntgenafdeling te begeven om dringende zaken te bespreken.

Plotseling klonk het schelle geluid van een bel. Pascale maakte rechtsomkeert. Ze zag het rode knipperlichtje boven een van de deuren en haastte zich erheen, gevolgd door Aurore, die tegen de twee co-assistenten die nog steeds roerloos in de gang stonden zei: 'Schiet eens op!'

Nadine zat gebogen over het rooster van de nachtdiensten in de laatste week van december en noteerde Pascale voor de nacht van 31 december.

'Gelukkig Nieuwjaar...' zei ze spottend.

In principe hield ze zich niet bezig met het rooster van de artsen. Ze had er alleen de supervisie over, zoals over alles wat op de een of andere manier haar afdeling betrof. Ze tekende het rooster en daarna riep ze haar secretaresse door de intercom. De periode aan het eind van het jaar irriteerde haar in hoge mate, met alle feestdagen en de lijkbleke gezichten van allen die zich te buiten waren gegaan aan champagne.

Tien minuten eerder had ze de alarmbel gehoord. Hij was in werking gezet door een bewakingsapparaat van een van de patiënten. Er was daarna een heleboel drukte geweest, maar ook daar hoefde ze zich niet mee te bemoeien. Er waren voldoende artsen op haar afdeling en teams die voortreffelijk waren getraind om spoedgevallen te behandelen.

Voor haar lag een open schrijfblok; ze was bezig met het schrijven van een artikel, dat bestemd was voor een medisch tijdschrift. Zoals alle afdelingshoofden moest ze publiceren en doceren om de titel van professor te rechtvaardigen, waarnaar ze zo vurig had verlangd.

Een bescheiden klopje op haar deur ging vooraf aan de binnenkomst van haar secretaresse, die een beker koffie op de rand van het bureau zette. Nadine gaf haar een stapel paperassen en stuurde haar met een handgebaar weg.

'In de wachtkamer zit meneer Benjamin Montague, mevrouw.'

Nadine schrok, even was ze met stomheid geslagen. Toen sprong ze overeind en liep de gang in. Eerst controleerde ze of er niemand te zien was en daarna ging ze haar broer halen, die ze snel meenam naar haar kamer.

'Wat kom je hier in godsnaam doen?'

'Niets speciaals,' verdedigde hij zich, ongetwijfeld verrast door haar ontvangst. 'Ik wilde alleen afscheid van je nemen, want ik ga op reis.'

'Alwéér? Je bent altijd op reis!'

'Ja, mijn horizon houdt niet op bij de muren van Toulouse,' grapte hij.

'Waar ga je deze keer naartoe?'

'Naar Tanzania. Ik breng de kerst met vrienden door...'

Als je hem mocht geloven, had Benjamin talloze vrienden en bekenden overal ter hele wereld. Maar waarom niet? In elk geval maakte de voorliefde voor verre, vreemde landen geen deel van Nadines wereld uit.

'Dan wens ik je vrolijk kerstfeest,' zei ze uit de hoogte.

Ze wou dat hij zo discreet mogelijk vertrok, het liefst zonder Pascale Fontanel tegen het lijf te lopen.

'Alsjeblieft, mijn cadeau voor jou,' zei hij terwijl hij een pakje op het schrijfblok legde.

Stomverbaasd keek ze naar het zilverkleurige papier en het goudkleurige lint.

'Voor míj? Bedankt, maar...'

Blijkbaar had ze geen kerstgeschenk voor hém. Af en toe ging ze bij eten bij Emmanuel, haar andere broer, een gepensioneerde vliegtuigbouwkundig ingenieur. Omdat ze de kerstavond bij Emmanuel zou doorbrengen, had ze een paar kleinigheidjes voor hem gekocht.

'Maak open,' zei Benjamin.

Nadine overwon haar schroom en pakte het pakje uit. Het bevatte een fluwelen doosje. Toen ze de parelarmband zag, was ze sprakeloos. De naam van de juwelier liet er geen twijfel over bestaan, het ging om échte parels, geen namaak.

'Ben je gek geworden?'

De afgelopen tien jaar had ze Benjamin drie of vier keer gezien, steeds in haast en zonder échte genegenheid.

'Er is geen enkele reden voor!'

Met een resoluut gebaar sloot ze het doosje en schoof het naar haar broer toe.

'Bewaar het voor een van je veroveringen,' zei ze, in een poging grappig te zijn.

'Op mijn leeftijd... Nee, Nadine, neem het aan, ik zweer je dat het me een genoegen zou doen.'

'Waarom, in godsnaam?'

Hij keek haar lang aan, voordat hij zijn schouders ophaalde.

'Eerlijk gezegd weet ik dat niet. Een impuls. Ik heb vrijwel geen contact met Emmanuel, hij kan barsten wat mij betreft, en eigenlijk heb ik ook geen contact meer met jou. Onze familie is niet alleen kleiner geworden, maar loopt ook op zijn laatste benen. Met vier kinderen konden de ouders op nageslacht hopen, maar nu is het een uitzichtloze zaak.'

Nadine schoof haar stoel met een ruk naar achteren.

'Vier?'

'Jazeker. Camille heeft bestaan, of je het leuk vindt of niet.'

Waarom was het nodig dat hij daarover begon? Ze voelde dat het moment van genegenheid dat had kunnen plaatsvinden opnieuw onmogelijk was.

'Dat is juist de ellende,' siste ze. 'Zonder haar zou alles totaal anders zijn geweest!'

Benjamin stond op en knoopte zijn regenjas dicht.
'Ik wil mijn vliegtuig niet missen,' zei hij kalm. 'Doe Emmanuel de groeten van me.'
Hij maakte het juwelendoosje open, pakte de armband en deed hem ongevraagd om de pols van Nadine.
'Slechts een kleine herinnering, wees lief, ik zou niet weten wat ik ermee moest doen,' zei hij terwijl hij de sluiting vastmaakte.
Ze verstarde en reageerde niet toen hij haar kamer verliet. Even later kwam haar secretaresse terug, beladen met een stapel papieren. Nadine zag dat ze een nieuwsgierige blik op het doosje en het verfrommelde papier wierp. Nadine werd woest zodra ze besefte dat het nieuws zich als een lopend vuurtje over de afdeling zou verspreiden.

Er brandde een groot vuur in de open haard van de eetkamer, die Pascale en Aurore aan het versieren waren. Nadat ze er lang over hadden gediscussieerd waren ze het erover eens geworden niet de grote salon te gebruiken, want die was heel moeilijk te verwarmen. De kerstboom was in de wintertuin neergezet, die door elektrische kachels werd verwarmd en dienst zou doen als ontvangstruimte tijdens het aperitief en het traditionele uitdelen van de cadeaus. Het diner zou plaatsvinden in de eetkamer, waarvan ze de schoorsteen testten.
'Uitstekende trek,' zei Aurore, heel trots op haar vuur.
'En dat terwijl het hout vochtig is!'
Ze waren in de stromende regen houtblokken gaan halen, en hadden de bovenste van de stapel gepakt, zonder zich af te vragen of dat wel verstandig was.
'Het duurt nog wel even voor we échte plattelanders zijn,' verzuchtte Pascale.
'We leren er toch dagelijks wat bij?' Bijna elke avond raadpleegde Aurore een tuinencyclopedie, die ze in de bibliotheek had gevonden, en las er een gedeelte uit voor aan Pascale. In het algemeen ontaardde dat in de slappe lach.
'In de kas ligt een groot dekzeil, dat zouden we als bescherming over de houtstapel kunnen leggen,' opperde Pascale.

'O, ja? En hoe kunnen we voorkomen dat het niet door de wind wordt meegevoerd?'

'Met houtblokken, natuurlijk!'

Het was amper zeven uur, maar het was al donker en ze hadden een behaaglijk, veilig gevoel in de grote, verlichte eetkamer, terwijl de regen tegen de ramen kletterde.

'Het is heel lang geleden dat we in dit gebied zo'n strenge winter hadden,' zei Aurore.

'We moeten niet vergeten de olietank te controleren om te weten hoeveel stookolie we nog hebben.'

Een ware krachtmeting, die bestond uit het optillen van een gietijzeren plaat, het losschroeven van het deksel van de tank en het laten zakken van een lange, ijzeren stang met een schaalverdeling.

'Er is geen rekening gehouden met vrouwen die géén Hercules in hun huis hebben...'

'Je hebt gelijk, ik zal het aan mijn broer vragen als hij hier is.'

Lucien Lestrade had bij zijn laatste bezoek voorgesteld het te doen, maar Pascale was heel resoluut geweest: ze wilde hem niet meer op Peyrolles zien!

'Wat vind je van mijn slingers?' vroeg Aurore.

Ze stond boven aan de ladder en kon haar werk niet van een afstandje bekijken. Pascale liep door de eetkamer om een oordeel te vellen.

'Prachtig... Echt waar!'

In plaats van zich tot de gebruikelijke versieringen te beperken had Aurore dennentakken met grote, kersenrode linten opgehangen, waardoor het hele vertrek werd opgefleurd.

'En nu wil ik dat we hulst uit de tuin gaan halen, en dan ga ik er een krans van maken voor op de schoorsteen.'

'Nú? Met dit weer?'

'Kom op, jas aan, muts op en handschoenen aan. Het is binnen vijf minuten gepiept en het is goed voor onze eetlust!'

Pascale barstte in lachen uit, meegesleept door het onuitputtelijke enthousiasme van Aurore.

'Je hebt je roeping gemist, je zou een fantastische binnenhuisarchitecte zijn geweest.'

'Dat zou ik enig hebben gevonden... Soms heb ik de indruk dat ik me heb vergist, alhoewel ik veel van mijn beroep hou. En jij?'

'Ik? O, behalve dokter zou ik graag jachtvlieger zijn geweest!'

'Meen je dat?'

'Ja. Maar ik heb het te laat ontdekt, pas toen ik begon te vliegen. Het is een unieke sensatie.'

Voor het eerste drukte Pascale duidelijk gevoelens van spijt uit waarvan ze zich tot nu toe niet bewust was geweest. Hoofdschuddend zette ze die zinloze nostalgie van zich af. Gelukkig had ze de mogelijkheid om af en toe achter de stuurknuppel te zitten, en verder voelde ze zich op haar plaats in een ziekenhuis. Het behandelen en bestrijden van ziekte bleef haar werkelijke roeping, ze wilde geen andere.

'Het regent niet meer,' zei ze, 'laten we ervan profiteren om die vervloekte hulst van jou te gaan halen!'

Ze liepen naar de bijkeuken en pakten dikke tuinhandschoenen, een tuinschaar, en een zaklamp. Daarna trokken ze hun parka aan alvorens zich buiten te wagen. De natte aarde begon aan de oppervlakte al te bevriezen. Aurore viel bijna.

'Rotweer!' bromde ze, terwijl ze zich aan Pascale vastklampte. Gearmd liepen ze naar het achterste gedeelte van het park, waar zich de door Aurore ontdekte struiken bevonden. Ondanks de lantaarns aan de voorgevel hadden ze, zodra ze zich van het huis verwijderden, het onaangename gevoel dat ze door de duisternis werden opgeslokt. Een klein dier – ongetwijfeld een knaagdier – vluchtte over het grind toen ze dichterbij kwamen.

'Het is echt eng, hè?' fluisterde Aurore.

'Ja, maar we zijn geen watjes die meteen rechtsomkeert maken!'

Toen ze bij de bocht van de oprijlaan kwamen, namen ze de kortste weg en staken het gazon over, nog steeds dicht tegen elkaar aan gedrukt. In het donker leek het park groter, minder vertrouwd.

'Nou, waar is die hulst dan?'

'Vlak bij de muur, de kant van de stenen bloembak op.'

De plotselinge schreeuw van een uil liet hen schrikken. Bijna meteen dwong Pascale zich tot een lach.

'We hebben recht op de volledige versie van de horrorfilm, laten we opschieten!'

Ze maakte grapjes zonder overtuiging, gevoelig voor de ietwat angstaanjagende sfeer van deze te donkere nacht. In het schijnsel van de zaklamp zagen ze eindelijk de struiken met de glimmende bladeren, bezaaid met rode besjes.

'Daar zijn je versieringen, neem zoveel je wilt.'

Met de tuinschaar begon Aurore takken af te knippen, terwijl Pascale haar bijlichtte. Toen ze een grote bos had, die ze voorzichtig vasthield om zich er niet aan te prikken, zei ze dat ze tevreden was.

'Gauw naar huis, we vriezen hier dood!'

Ze keerden terug naar het huis, waar de lantaarns nog steeds brandden. Maar plotseling was al het licht uit.

Pascale bleef abrupt staan en vloekte zachtjes.

'Weer zo'n verdomde stroomstoring. Normaliter duurt het slechts een paar seconden...'

Ze oefenden een minuut geduld, zonder zich te bewegen, hun ogen gericht op het huis dat ze niet meer zagen.

'Kom mee,' fluisterde Aurore.

'Je kunt hardop praten, je zult niemand storen,' zei Pascale met een spotlach. Ze voelde zich toch wel een beetje ongerust. Alleen het licht van de zaklamp doorboorde de duisternis vóór hen, toch kwamen ze zonder moeilijkheden weer op de oprijlaan terecht. Ter hoogte van de hibiscusstruiken versnelde Pascale haar pas, zonder het te beseffen.

'Wacht op mij!' protesteerde Aurore.

Pascale dwong zichzelf om langzamer te lopen, maar een onbegrijpelijke nervositeit bekroop haar. Ineens dacht ze aan de brand in het atelier, aan de tragische dood van de moeder van Adrien, die in de vlammen was omgekomen, maar ze drong die gedachte met afschuw terug. Dit was absoluut niet het geschikte moment voor dergelijke gedachten! Peyrolles was haar huis, een heerlijk oord dat ze door en door kende en waar ze dol op was. Toen ze op de eerste tree van het bordes stuitten, slaakte ze een zucht van verlichting.

'Gered!' riep ze luchtigjes. 'We gaan een heleboel kaarsen aansteken...'

'Maar niet de kerstkaarsen. Er moeten nog anderen in de keuken liggen.'

Op het moment dat Pascale de deur opendeed, ging het licht weer aan. Met knipperende ogen keken ze elkaar vol verbijstering aan en daarna barstten ze in lachen uit.

'We zijn écht niet klaar om bij de commando's te gaan,' merkte Aurore op.

Pascale schoof de grendel op de deur en deed haar zaklamp uit. De hulst was prachtig, maar waarom hadden ze niet tot de volgende ochtend gewacht om hulst te halen? Om elkaar voor de lol angst aan te jagen?

'Als jij soep warm maakt, ga ik meteen met mijn krans beginnen,' zei Aurore, terwijl ze in de richting van de keuken liep.

'Een van die soepblikjes van je warm maken? Geen sprake van, ik ga zélf soep maken, met aardappelen, spliterwten en blokjes spek. Soep Saint-Germain, liefje, je zult je vingers erbij aflikken!'

'Het is erg verstandig om geen zware maaltijd op de dag voor kerstavond te nuttigen.'

Ze begonnen beiden opnieuw te lachen, blij dat ze in veiligheid waren, dat ze vrij waren van hun werk en dat ze samen waren om voorbereidingen voor Kerstmis te treffen.

Nooit had Samuel de tijd genomen om zijn huis eens écht te bekijken. Hij had het heel snel gekocht toen hij zich in de regio kwam vestigen. Hij had het huis uitgekozen vanwege zijn ligging – vlak bij de vliegclub – en hij beschouwde het als functioneel. Maar het was kil en onpersoonlijk. Was hij, nu hij Peyrolles kende, veeleisender, gevoeliger voor de architectuur of de charme van een huis geworden? Natuurlijk, hij was er haast nooit, hij kwam alleen thuis om te slapen. Hij bracht al zijn vrije tijd door met vliegen en bleef niet opgesloten tussen vier muren zitten. Witte, gladde muren met grote ramen. Een grote woonkamer, op zijn Amerikaans ingericht, besloeg de hele begane grond. Op de bovenverdieping boden twee slaapkamers, een ruime badkamer en een linnenkamer vol kasten alle mogelijke comfort. Het geheel was modern en licht en vereiste weinig onderhoud.

Natuurlijk was Marianne dol op dit huis, en enthousiast over de overzichtelijkheid ervan, het vierkante gazon en de keurige rij rozenstruiken. Niets was hier gigantisch of uitbundig of verwaarloosd, zoals bij grote huizen, die constant werden gerestaureerd.

'Pascale heeft wel moed. Ze zal het moeilijk krijgen op Peyrolles, het moet kapitalen kosten.' Dat spottende commentaar had Marianne een paar keer herhaald zonder dat Samuel reageerde. Wat had het voor zin? Alles wat Pascale aanging wekte woede bij Marianne op, en ten slotte had ze gelijk gehad. Ja, Pascale was haar rivale, ja, Samuel dacht nog steeds aan haar, zelfs steeds meer sinds de nacht waarin ze zijn hulp had ingeroepen.

Hij rekte zich uit voordat hij besloot uit bed te stappen. Voor die dag, 24 december, stond er geen operatie op zijn programma, maar hij kon wél elk moment worden opgepiept. Dat zou hem niet beletten 's avonds naar Peyrolles te gaan, in de hoop dat hij niet door een spoedgeval zou worden gedwongen zo hard mogelijk naar Purpan terug te rijden.

Het was een hele opluchting zonder Marianne kerst te vieren. Ze had niets van zich laten horen en hij had haar niet gebeld, want hij had haar niets te zeggen. Dat ze zich het incident zo had aangetrokken deed hem verdriet, maar hij weigerde tegen haar te liegen om haar te troosten. Als hij háár was geweest, zou hij ongetwijfeld net zo gehandeld hebben, met hetzelfde gevoel van jaloezie.

Waar zou zij kerstavond doorbrengen? Bij haar ouders? Hij wilde zich niet voorstellen dat ze in haar eentje in haar appartement zat te huilen, die gedachte was onverdraaglijk. Marianne verdiende het om gelukkig te zijn met een man die écht van haar hield. Hij was daar niet toe in staat en dat zou ook niet veranderen zolang Pascale in zijn hoofd bleef rondspoken. Waarom berustte hij er niet in dat hij haar had verloren? Haar opnieuw veroveren leek even onmogelijk als haar vergeten. Hij bevond zich in een impasse.

Boven aan de trap wierp hij een kritische blik op zijn woonkamer. Was het écht prettig om een zitkamer met een open keuken te hebben? Hij huiverde en trok zijn badjas dicht om zich heen. Het was ijskoud, vanwege die grote ramen. De loodgrijze lucht leek vol sneeuw te zitten. Er was geen zuchtje wind. De stilte voor de storm?

Hij ging naar beneden, zette water op en maakte het haardvuur aan. De open haard was net als de rest van het huis, te modern, met glas voor de stookplaats, die op halve hoogte in een van de muren was ingebouwd. Op die manier was naar de vlammen kijken hetzelfde als televisie kijken. Hij moest lachen om die vergelijking. Hij pakte de afstandsbediening van zijn hifi-geluidsinstallatie en zocht een zender op waar klassieke muziek werd gedraaid. Op het moment dat de akkoorden van een symfonie in de kamer weerklonken, werd er gebeld.

'Verdomme...'

Terwijl hij naar de voordeur liep, verwachtte hij iedereen te zien, behalve Marianne. Ze was gekleed in een gewatteerd jack met een capuchon, die ze had opgezet. Ze zag er verkleumd uit.

'Mag ik binnenkomen?'

Haar stem en haar glimlach waren zo onzeker, dat het hem ontroerde.

'Natuurlijk. Dan kun je weer warm worden. Ik ben thee aan het zetten.'

Ze volgde hem, trok haar jack uit en haalde haar vingers door haar blonde krullen.

'Ik heb een vrije dag opgenomen,' zei ze, alsof die verklaring haar aanwezigheid bij hem rechtvaardigde.

Hij zette twee kopjes op de eetbar en begon brood te roosteren, terwijl de thee stond te trekken.

'Ik dacht dat je me wel zou bellen,' zei ze op uitdagende toon.

Zonder antwoord te geven zette hij boter, jam en suikerklontjes voor haar neer.

'We moeten praten, Sam.'

'Ik luister.'
Hij wachtte geduldig, terwijl zij naar woorden zocht.
'Misschien vind je me onuitstaanbaar of kleingeestig...'
'Nee, helemaal niet. Ik denk alleen dat we niet voor elkaar zijn geschapen, omdat we niet hetzelfde willen.'
'Maar jij, jíj wilt niets!' riep ze uit. 'In elk geval wil je niets van míj weten. Je wijst me af, je beschouwt me als iets volstrekt onbelangrijks. Dat is moeilijk te accepteren.'
Gedurende twee of drie seconden bleef hij haar strak aankijken. Zij was degene die haar ogen het eerst neersloeg.
'Je hebt me niets beloofd, dat weet ik,' zei ze met verstikte stem.
Ze was bleek en zag er moe uit door de inspanning die ze leverde. Het zou haar zwaar vallen om hem te komen storen en zinloze verklaringen te eisen, maar hij kende haar goed en wist dat ze ondanks alles bleef hopen. Vanaf het begin van hun relatie bracht ze haar tijd door met de strijdbijl te begraven en zich illusies te maken.
'Marianne... ik kan je niet geven wat je wilt, en dat spijt me zeer, geloof me. Het zou veel simpeler zijn als we op dezelfde golflengte zaten! Maar dat laat zich niet dwingen, ik vertel je niets nieuws.'
Hij had heel vriendelijk gesproken, om haar niet nóg meer te kwetsen. In de stilte die volgde schonk hij thee in en ging melk halen. De enige oplossing was standvastig zijn, zich niet laten vermurwen, niet opnieuw in de val van een vergeefse verzoening lopen.
'Wat beteken ik voor jou, Samuel?'
Hij stond zichzelf toe een eerlijk antwoord op die directe vraag te geven.
'Je bent een heel mooie vrouw, heel begeerlijk. En ook erg kwetsbaar, omdat je zachtaardig bent, teder, vol illusies. Telkens wanneer ik je zie, heb ik het nare gevoel dat ik misbruik van je maak, en dat wil ik niet meer! Ik ben geen schoft, Marianne.'
'Dat heb ik je ook nooit verweten!'
Trillend van verontwaardiging greep ze zijn pols vast.
'Wacht, Samuel. Dit is geen ruzie, ik ben niet gekomen om je rekenschap te vragen of je te beschuldigen. Jaag me niet weg uit je leven, alsjeblieft.'

Ze liet hem los, ging op een van de hoge krukken van de eetbar zitten en toverde een bijna geloofwaardig glimlachje te voorschijn. Geschokt keek hij haar aan zonder iets te zeggen. Bood hij Pascale dezelfde dieptreurige aanblik als hij zich aan haar vastklampte?

'Ik jaag je niet weg uit mijn leven,' zei hij, zijn woorden wegend. 'Ik wil mijn onafhankelijkheid bewaren, dat is alles. Jij hebt geen zin in zo'n relatie, Marianne. Van tijd tot tijd samen uitgaan is niet interessant voor jou. Voor niemand, trouwens, maar als er geen liefde in het spel is, waarom zou je dan doen alsof?'

Ze begon niet te huilen, waar hij wel bang voor was geweest. Met gebogen hoofd roerde ze automatisch met haar lepeltje in haar kopje. Na een tijdje mompelde ze: 'Kunnen we wél vrienden blijven?'

De overeenkomst werd frappant. Was dat niet precies wat hij van Pascale had gekregen? Zogenaamde vriendschap, waardoor je de ander niet helemáál verloor.

'Als je dat wilt,' zei hij zachtjes.

Zijn thee werd koud. Hij gooide het in de gootsteen en vulde zijn kopje opnieuw.

'Trek niet zo'n lang gezicht, Sam. Ik zal je niet meer vervelen, dat zweer ik. En om dat te bewijzen zal ik je vanavond naar Peyrolles vergezellen. Ik had me voorgenomen er nooit meer een stap te zetten, maar dat is belachelijk. Als je wilt kun je me op de terugweg bij mij thuis afzetten. Een kerstavond als vrienden, oké?'

Hij was totaal verrast en wist niet wat hij moest antwoorden.

Henry en Adrien reden om drie uur de oprijlaan van Peyrolles op. De kofferbak van de auto die ze op het vliegveld hadden gehuurd zat vol tassen met kerstcadeaus, die Adrien onmiddellijk onder de kerstboom in de wintertuin ging leggen. Hij maakte van de gelegenheid gebruik om zijn bewondering voor de versiering van het huis te uiten en Aurore een beetje al te enthousiast te omhelzen.

Nerveus liet Pascale hen plaatsnemen. Daarna serveerde ze koffie met cake, die net uit haar oven was gekomen. Vervolgens sleepte ze haar vader mee naar de studeerkamer, niet in staat nog langer te wachten. De verklaring die ze zo lang had uitgesteld werd plotseling urgent. Ze kon niet de hele avond lachen en zich amuseren, terwijl zoveel belangrijke vragen onbeantwoord bleven. Haar vader was er nu, hij kon haar antwoord geven, haar eindelijk de waarheid vertellen.

'Deze kamer heb je ook erg fraai ingericht,' zei hij goedkeurend, terwijl hij zijn blik rond liet gaan.

'Ik heb niet veel veranderd... Ik heb er mijn bureau neergezet, net als jij destijds.'

'Het mijne stond voor het raam en het was minder origineel dan dit!'

'Ik had het al in Parijs. Sam heeft het me cadeau gegeven voor mijn vijfentwintigste verjaardag, weet je dat niet meer?'

'Nee, hier zal het waarschijnlijk beter staan dan in jullie appartement. En verder heb je ook de verlichting veranderd. Het is warmer... Wel heb je ooit, daar is mijn bergère.'

Hij ging onmiddellijk in de gemakkelijke leunstoel met voetbank zitten. Zijn handen streken zacht over het verschoten fluweel van de armleuningen.

'Ik had niet verwacht hem nog eens terug te zien. In wezen was het een goed idee van je moeder om die oude rommel te bewaren, want nu kun jij ervan profiteren.'

'Ik wil het juist met je over mama hebben,' zei ze met vaste stem.

Hij fronste zijn wenkbrauwen en keek haar niet-begrijpend aan. Het hart klopte haar in de keel. Hoe ging hij reageren als hij met zijn eigen leugens werd geconfronteerd? Om zich een onhandige inleiding te besparen deed ze de la van het bureau open en haalde er het trouwboekje uit, dat ze aan hem overhandigde. Hij wist waarschijnlijk niet waar het om ging, want hij nam de tijd om zijn bril recht te zetten, zonder onrustig te lijken.

'Wat is dat?'

Hij zweeg terwijl hij las. Daarna sloot hij het boekje en liet het in zijn schoot vallen.

'Oké,' fluisterde hij.

'Oké?'

Vol ongeloof liep ze achteruit en ging ook zitten, waardoor het bureau tussen hen in stond.

'Een jeugdzonde die jij niet zou kunnen begrijpen, met de beste wil van de wereld niet.'

'Niet als jij het me niet uitlegt, papa.'

'Met wat voor recht? Het is niet míjn leven, maar dat van je moeder. Haar eerste huwelijk had haar alleen maar onheil gebracht, ze wilde er niet meer aan denken, laat staan erover praten.'

'Dat huwelijk interesseert me geen snars, het gaat me om dat kind! Het meisje...'

'Ze is overleden.'

'Nee!'

'Jawel, ik verzeker je dat ze...'

'Lieg niet!' schreeuwde Pascale. 'Tot nu toe heb je het allemaal bewust verzwegen, dus ga nou niet van alles en nog wat verzinnen, dat zou nóg erger zijn.'

Verbijsterd door haar felheid begon Henry overeind te komen, maar hij zag er toch maar vanaf. Er viel een diepe stilte, die ze geen van beiden konden verbreken. Ten slotte nam Henry zijn bril af en masseerde zijn slapen met zijn vingertoppen.

'Waarom ben je boos?' mompelde hij. 'Je moeder en ik hebben je alleen maar beschermd. Wat zou je ermee zijn opgeschoten als je van het bestaan van Julia op de hoogte was gebracht? Sommige lasten kunnen niet worden gedeeld.'

Hij sprak de naam 'Julia' makkelijk uit, alsof hij het gewend was. Pascale vermoedde dat hij er vaak aan moest denken.

'Waarom heeft mama Julia in de steek gelaten, papa?'

'Ze kon de situatie niet aan. Ze was alleen, zonder middelen van bestaan.'

'En de vader van Julia?'

'Die heeft de benen genomen zodra hij de baby had gezien.'

Pascale bleef haar vader ontzet aankijken. De gebeurtenissen waarvan hij kleine beetjes prijsgaf hadden veertig jaar terug plaatsgevonden, lang voordat ze was geboren. Het was het levensverhaal van haar moeder en ze wilde het begrijpen, maar ze voelde zich indiscreet, opdringerig.

'Veroordeel je moeder niet, Pascale. Vergeet niet dat zij in zekere zin door haar eigen moeder in de steek was gelaten, en na de dood van Abel door de familie Montague, en ten slotte door haar man. Op haar twintigste had ze niets anders meegemaakt dan afwijzing, verraad en verwaarlozing. Ze wist geen andere oplossing voor Julia. Ze kon al niet voor zichzelf zorgen, hoe zou ze kunnen zorgen voor een kind dat zo zwaar gehandicapt was? Julia had verzorging en structuur nodig die je moeder haar niet kon bieden. De enige oplossing was Julia aan de Kinderbescherming toe te vertrouwen, zodat ze onder toezicht van de overheid kwam en in een gespecialiseerd instituut werd ondergebracht.'

'Hoe komt het dat Julia niet van identiteit is veranderd?'

'De burgerlijke staat van een kind verandert niet, behalve als het wordt geadopteerd. In het geval van Julia was er geen sprake van adoptie.'

'Maar mama heeft zich van haar doen en laten op de hoogte gehouden, is haar gaan opzoeken, en...'

'Natuurlijk niet. Als een moeder officieel afstand doet, verliest ze al haar rechten. Hoe dan ook, Camille moest zich van haar verleden losmaken om een nieuw leven te kunnen beginnen.'

'Heeft ze het verleden dan gewoon maar als afgedaan beschouwd? Is ze Julia vergeten toen die eenmaal onderdak was?'

'Zit niet te raaskallen!' riep Henry op scherpe toon. 'Vergeten! Ze heeft er natuurlijk elke dag van haar leven aan gedacht.'

'Was het te laat, toen ze jou ontmoette? Kon ze niets meer doen om opnieuw in contact te komen met haar dochter?'

'Ik heb je zojuist uitgelegd dat dat onmogelijk was.'

Hij leek te verstrakken, zich af te sluiten voor het gesprek, toch deed hij een duidelijke poging te blijven praten.

'Je moeder hechtte zich meteen aan Adrien. Hij was een mooi, gezond jongetje. Ze is zielsveel van hem gaan houden... Daarna was ze van jou in verwachting. Jouw geboorte was een ware verlossing voor haar. Een tijd lang ging het beter met haar.'

Opnieuw zag Pascale dat hij zijn vingers tegen zijn slapen drukte, ze had het gevoel dat ze hem op de pijnbank had gelegd. De stilte die volgde duurde eeuwig.

'Ik had liever gewild dat ik dat alles niet bij toeval had ontdekt,' mompelde ze ten slotte.

'Als je Peyrolles niet had gekocht...'

Hij kwam daar altijd op terug, koppig als een ezel. Wat hield hij nog meer voor haar verborgen? Ze wou hem ondervragen over zijn ontmoeting met Camille, weten waarom hij niet was afgeschrikt door een vrouw die in staat was een weerloos kind in de steek te laten, maar misschien had ze inderdaad niet het recht in het verleden van haar ouders te spitten.

Ze beperkte zich tot de vraag of ze Adrien hadden ingelicht.

'Ten dele. We hadden tegen hem gezegd, zoals tegen iedereen, dat het kind was overleden. Later... Goed, maar voor hem is ze niets, ze zijn geen familie van elkaar.'

'In feite is ze voor iedereen niets, nietwaar? Mama is er niet meer, Raoul Coste is verdwenen alsof hij nooit heeft bestaan, de Montagues hebben hun handen in onschuld gewassen, jij hebt je er niet mee willen bemoeien en Adrien voelt zich er niet bij betrokken... Dan blijf ík alleen over, hè?'

'Hoezo?'

'Ik ga proberen haar... haar te ontmoeten. Er móét een manier zijn.'

'Als dat is wat je wilt! Hoop je een zus te vinden die je in de armen valt? Mijn God, Pascale, je bent arts, je weet wat je zult aantreffen! Het is al een wonder dat ze nog leeft, ik vertel je niets nieuws. Julia heeft de hersens van een kind van twee. Als jij haar handje gaat vasthouden, jij, een wildvreemde voor haar, zal dat haar geen enkele troost bieden. Keer terug tot de werkelijkheid, meisje!'

Hij benadrukte zijn woorden. Plotseling was hij woedend, blijkbaar kon hij niet tegen het vooruitzicht dat Julia en Pascale elkaar zouden ontmoeten.

'Je moeder wilde dat hoe dan ook vermijden. Dat verklaart haar stilzwijgen.'

'Niet het jouwe, papa. Na het overlijden van mama had je met me moeten praten.'

'Ah, je bent te koppig! Ik heb het gevoel dat ik tegen een muur praat... Je beschouwt Julia als een slachtoffer en je moeder als een beul, fraai is dat! Luister goed, Pascale. Als ik het over kon doen, zou ik je niets méér vertellen, maar wel dat trouwboekje vernietigen. Hoe lang pieker je je al suf? Is er iemand die er baat bij heeft? Je hebt geen flauw idee van het drama dat je moeder heeft meegemaakt. En als je durft te zeggen dat ze Julia is vergeten, zeg ík je dat ze eraan is gestorven, na veertig jaar spijt te hebben gehad. Waar ze ook is, ze is er nu van bevrijd. En ik ook! Dus hou op met je kritiek, alsjeblieft.'

Hij kwam overeind en liep naar het bureau waarop Pascale het boekje had gelegd. Hij deed het woedend open en wees met een trillende vinger naar een pagina.

'Julia Nhàn. Weet je wat dat betekent?'

'Zonder zorgen,' fluisterde Pascale.

Verbaasd dat zij dat wist, liet hij zijn hand weer vallen.

'Mijn God...' zuchtte hij.

Hij boorde zijn blik in die van zijn dochter, wachtte even en wendde zich daarna af.

'Ik ben moe, ik ga een beetje rusten tot het diner.'

Met zware stappen verliet hij de studeerkamer en ging direct naar zijn kamer. Ondanks de kou deed hij het raam open en leunde op de vensterbank. Hij had de kans gehad om eerlijk te zijn, écht eerlijk, maar hij had die kans niet gegrepen.

Was het te laat toen je haar ontmoette? Kon ze niets meer doen om weer in contact te komen met haar dochter? Natuurlijk had hij geen antwoord op die vraag gegeven. Pascale hoefde er niet nog meer over te horen, ze wist er al veel te veel van. Dat vervloekte trouwboekje. Waarom had Camille het bewaard en, nog erger, het zo slecht verstopt?

De avond viel, het park begon zich in duisternis te hullen. Henry boog naar voren om naar de grote bomen te kijken. De hoogste takken die overwoekerd werden door maretakken leken door hun vorm op vogelnesten. Pascale zou een beroep op een snoeizaag moeten doen om te voorkomen dat die gemene woekerplant de hele rij esdoorns aanviel. Lestrade zou haar er toch wel op hebben gewezen? De laatste keer dat Henry hem had gebeld hadden ze een pittig gesprek gevoerd. Pascale met rust laten, zo had Henry's bevel geluid. In ruil waarvoor hij Lestrade jaarlijks een chèque voor het beplanten in de herfst zou blijven toesturen. Dat was heilig, dat wist Lestrade.

Henry boog zich nog verder naar voren, in een poging de hibiscusstruiken te zien. 's Zomers zag de afwisseling van witte en paarse bloemen er heel fraai uit. Hij herinnerde zich nog de dag waarop zijn keus op die tropische heesters was gevallen om hem de plaats van het verbrande atelier te doen vergeten. Er had een mooie foto van de struiken in de catalogus van een boomkweker gestaan. In die tijd had hij zich nog voor het park en het huis geïnteresseerd en had hij er veel geld aan besteed. De verdwijning van Alexandra had daar weinig aan veranderd. Menigeen was verrast geweest door zijn besluit om na de tragedie, die hem tot een jonge weduwnaar had gemaakt, op Peyrolles te blijven. Maar waarom zou hij vertrekken?

In de winter leken de hibiscusstruiken niet meer dan struiken van dood hout. De kas, een beetje verder op, was nauwelijks te zien in het duister. Als kind had hij er voor tuinman gespeeld, en later hadden Adrien en Pascale zich er op hun beurt geamuseerd. Hoeveel ochtenden had Camille daar niet doorgebracht, gebogen over bakjes tuinaarde waarin ze zorgvuldig geselecteerde zaden had gezaaid. Hij wist niet meer precies wanneer haar passie voor bloemen zich meester van haar had gemaakt. Heel vroeg, ongetwijfeld, want in veel van zijn herinneringen had ze een tuinschaar in haar hand of hing er een mand aan haar arm. God, wat ze was mooi geweest met haar strohoed, die schuin op haar opgestoken, gitzwarte haren stond! Zo mooi, dat ze Alexandra uit zijn geheugen had doen verdwijnen. Toen hij met Camille trouwde, had hij het idee gehad dat hij voor de eerste keer in het huwelijk trad.

Een uitgesteld huwelijk – hij was het liefst meteen met haar getrouwd! – omdat ze eerst nog moest scheiden. Aangezien de laaghartigge Raoul Coste vrouw, kind en echtelijke woning had verlaten, was Camille ten slotte vrij geweest om in het huwelijksbootje te stappen. Maar voordat ze dat deed had ze haar intrek op Peyrolles genomen.

In die tijd was Henry diep getroffen door de extreme kwetsbaarheid van Camille. Haar tranen, de donkere kringen onder haar ogen, de manier waarop ze haar handen tegen elkaar drukte, haar grote, donkere, om hulp vragende ogen... Hoe had hij daar nou weerstand aan kunnen bieden? Het beschermen van Camille had hem tot een man gemaakt, hij had zich volwassen, mannelijk en onmisbaar gevoeld. Vastbesloten de steunpilaar te zijn waar ze zo'n behoefte aan had, had hij haar met zijn liefde omringd en haar stapje voor stapje geleid. Als ze zich 's nachts tegen hem aan vlijde, nam hij zich heilig voor een gelukkige vrouw van haar te maken. Helaas, in de loop der jaren had hij zich voor de feiten moeten buigen: het was hem niet gelukt.

Rillend van de kou sloot hij het raam. Hij aarzelde even in de donkere kamer. Toen ging hij op het bed liggen zonder het bedlampje aan te doen. De woede van Pascale ergerde hem. Hij vond dat hij geen verantwoording schuldig was aan zijn dochter, die trouwens niet over voldoende informatie beschikte om een oordeel te kunnen vellen. Zeker, hij had haar die informatie kunnen geven, hij had haar alles kunnen vertellen.

Alles? Het was zo ingewikkeld, zo onwerkelijk... Hoe intelligent en open Pascale ook was, de kans bestond dat ze al zijn argumenten verwierp. En ondanks of dóór al zijn liefde voor haar weigerde hij op voorhand als een monster te worden behandeld.

Was hij een monster? God, nee! Hij had gedaan wat hij dacht dat het beste was, ook al hij er later heel veel spijt van gehad. Hij was dertig geweest, zonder enige kennis van het leven. Als zoon van een notabele was hij in de voetstappen van zijn vader en zijn grootvader getreden, zonder bij zichzelf te rade te gaan. Zodra hij was afgestudeerd was hij getrouwd, zijn toekomst had uitgestippeld geleken. Als toegewijd arts en vader van een mooie, kleine jongen was hij de eerbiedwaardige dokter Henry Fontanel geweest...

Maar toen had hij Camille, de zandkorrel van zijn bestaan, weer ontmoet. Het jonge meisje op wie hij in zijn puberteit verliefd was geworden had opnieuw zijn pad gekruist. Die dag was hij ten onder gegaan in de storm van échte hartstocht. Hel en paradijs, hij had nergens spijt van.

Op de tast zocht hij het knopje van het bedlampje. De kamer waarin hij zich bevond was de kinderkamer van Pascale geweest en riep niet veel in hem wakker. Des te beter. Hij zou niet willen slapen in de kamer die hij zoveel jaren met Camille had gedeeld.

Waar haalde hij de kracht vandaan om naar beneden te gaan en een feestmaal met zijn kinderen te gebruiken? Waarom onderwierp zijn dochter, van wie hij zoveel hield, hem aan zo'n kwelling? Hier, op Peyrolles, zijn, gedwongen zich het verleden te herinneren, het gezicht van die arme Julia weer voor zich te zien....

Hij sloot zijn ogen terwijl een immense angst zijn keel dichtkneep. Hij was niet onschuldig, dat kon hij niet beweren, maar hij werd ouder en vermoeider. Camille had haar straf uitgezeten, hij niet.

8

SAMUEL EN MARIANNE ARRIVEERDEN TEGEN NEGEN UUR. DE CHAMPAGNE die als aperitief in de wintertuin werd geserveerd, werd vergezeld door toastjes met ganzenlever en geroosterde worstjes. Adrien, zeer elegant in zijn nachtblauwe pak, ging met de schalen rond. Hij zorgde er ook voor dat de champagneglazen vol bleven.

Pascale had geprobeerd het gevoel van onbehagen te overwinnen dat ze door het gesprek met haar vader had gekregen. Vastbesloten om ondanks alles te glimlachen en iedereen een fijne kerstavond te bezorgen, had ze zich met zorg voorbereid: stralende make-up, haren opgestoken, korte, soepel vallende jurk van ivoorkleurig satijn.

'Je bent zo een veel mooiere vrouw dan wanneer je een spijkerbroek aanhebt!' riep Henry toen hij haar zag.

Laurent, terughoudender maar net zo bewonderend, scheen moeite te hebben zijn ogen van haar af te houden.

'Het is je gelukt dit huis net zo te versieren als toen we kinderen waren,' stelde Adrien vast, terwijl hij voor haar bleef staan. 'Ik vond het heerlijk om hier kerst te vieren...'

Met een vertederde glimlach wees hij naar de kerstboom en naar de kerstfiguren die met nepsneeuw op de ramen warren gespoten.

'Ik bied je een abonnement voor de komende jaren aan,' antwoordde Pascale. 'Ik ben van plan een tijd op Peyrolles te blijven!'

'In elk geval de tijd die je nodig hebt om de bank en je weldoener terug te betalen,' zei haar broer spottend.

'Ik zal niet een te veeleisende schuldeiser zijn, dat beloof ik,' zei Samuel, die naast hen zat. 'Op voorwaarde dat ik ook een abonnement krijg. Hoe meer ik in dit huis kom, hoe meer ik ervan hou.'

'O, dat verbaast me niet!' zei Aurore. 'Het is echt enig om op Peyrolles te wonen, we vermaken ons kostelijk.'

'Zijn jullie 's winters niet doodsbang om 's avonds slechts met z'n tweeën te zijn?' vroeg Marianne nieuwsgierig.

'Natuurlijk wel! Trouwens, we hebben in het donker door het park gelopen om hulst te plukken. Spookje spelen, compleet met koude rillingen!'

'Waar bevinden zich de dichtstbijzijnde buren?'

'Ver buiten stembereik.'

Aurore begon te lachen en gaf Marianne een klopje op de schouder.

'Maar we zijn geen slappelingen, noch Pascale noch ik...'

Pascale wist dat Aurore niet echt enthousiast was over Marianne. 'Ze kijkt je op een bepaalde manier aan, als ze denkt dat je haar niet ziet... Ze is jaloers op je en als ze dat kon, zou ze ervoor zorgen dat je gebrouilleerd raakte met je ex.' Sinds Pascale weer in de armen van Sam had gelegen, begreep ze de terughoudendheid van Marianne.

'Het probleem van oude huizen,' zei Henry, 'is dat je er nooit klaar mee bent.'

'Je overdrijft,' protesteerde Pascale.

'Nee, lieverd, dat zul je gauw genoeg merken. Het huis is twintig jaar verhuurd geweest en er moet veel worden opgeknapt. De elektrische leidingen moeten worden vernieuwd evenals de verwarmingsketel, praat me er niet van...'

'Wees lief en laten we er vanavond niet over praten.'

Met een overdreven zucht reikte Henry Adrien zijn glas aan.

'Profiteer er niet van om me te vergeten!'

Het was aangenaam warm in de wintertuin, dankzij de elektrische kachels en de grote hoeveelheid rode en groene kaarsen die her en der waren neergezet.

'Waar is Georges?' vroeg Pascale aan Aurore.

'Hij is bezig met het haardvuur in de eetkamer, anders sterven we van de kou tijdens het diner.'

'Wat eten we eigenlijk, meisjes?' vroeg Adrien.
'Gasconnade,' verkondigde Aurore trots.
'Wat is dat?'
De vraag van Marianne ontlokte Aurore een medelijdende glimlach.
'Pascale zal het uitleggen, ik moet nu naar de oven!'
'Het is lamsbout met ansjovis en knoflook. We serveren hem met truffels die in de as zijn gestoofd.'
'O, goed dat jullie daaraan hebben gedacht!' riep Laurent uit. Je maakt het met een dunne plak vet spek en...'
'In zilverpapier, ja, dát is het recept.'
'Was het niet moeilijk voor jullie om aan de truffels te komen?'
'Jawel. Maar we hebben een aardige buurvrouw, ongeveer een kilometer hiervandaan, die ze bij een boer voor ons heeft opgespoord.'
'Over wie heb je het?' vroeg Henry verbaasd. 'Toch niet over Léonie Bertin, die ouwe zeurkous?'
'Waarom noem je haar een zeurkous? Ze is heel vriendelijk.'
'En vooral erg kletserig!'
'Ze heeft ons bloemencake gegeven, wat jullie als dessert krijgen.'
Henry haalde zijn schouders op, duidelijk ontstemd, maar Pascale negeerde hem.
'Geen kaas?' zei Adrien gekscherend.
'Natuurlijk wel. Ik heb aan jou gedacht en voor *gâtis* gekozen.'
'Is dat zo? O, ik ben gek op je!'
Opnieuw leek het of Marianne al die regionale specialiteiten niet kende. Ze wierp een vragende blik op Samuel, die een beetje geprikkeld uitlegde: 'Gesmolten cantal en roquefort in zoet brooddeeg.'
'Mama verstond de kunst om dit soort diners samen te stellen,' herinnerde Adrien zich. 'Ik geloof niet dat we ooit gewoon kalkoen op kerstavond hebben gegeten! Ik herinner me een jaar waarin ze een plak verse ganzenlever voor ons had gemaakt, nauwelijks gebakken, met witte druiven...'
Er verscheen een melancholieke blik in zijn ogen, maar hij herstelde zich onmiddellijk, ongetwijfeld uit respect voor zijn vader.

'Jullie menu is klasse, meisjes!'

Henry keek ergens anders naar en leek verloren in sombere gedachten. Laurent profiteerde van de stilte om toestemming te vragen een paar foto's te nemen met zijn digitale fototoestel.

'Als jullie ze niet mooi vinden, bewaar ik ze niet, dus worden ze allemaal fantastisch... En allereerst de kerstboom. Ik heb zelden zo'n originele gezien!'

'Aurore had een opleiding tot binnenhuisarchitecte moeten volgen,' zei Pascale.

'Purpan zou er een uitstekende verpleegster aan hebben verloren,' antwoordde Laurent met een van die warme glimlachjes van hem.

Hij gebaarde dat Pascale voor de boom moest poseren, wat ze graag deed.

'Je ziet er schitterend uit in die jurk,' mompelde Laurent, terwijl hij zijn camera liet zakken.

Het was duidelijk dat hij háár wilde fotograferen in plaats van de kerstboom.

'Ik heb een virtueel kerstgeschenk voor je meegebracht, Pascale. Iets wat niet kan worden ingepakt.'

'Wat dan?'

'Het ziekenhuis van Albi heeft een longarts nodig, die met ingang van februari in dienst kan komen. Als je nog steeds interesse hebt, kan ik ervoor zorgen dat je die baan krijgt.'

Het overviel haar, en aanvankelijk reageerde ze niet, maar daarna vloog ze hem spontaan om de hals. Een onschuldige kus, die Samuel tóch deed spotlachen.

'Noem je dat een cadeau? In elk geval is het geen promotie, denk ik!'

Zowel verward door het contact met Pascale als door de ironie van Sam, stamelde Laurent: 'Ik maak het haar alleen maar gemakkelijker, het is háár keuze.'

'Je moet geschift zijn, Pascale, echt waar,' zei Sam met een zekere agressiviteit. 'Maar van zíjn kant is het te begrijpen. Als je geen deel meer van het personeel van Purpan uitmaakt, heeft hij zijn handen vrij om je...'

'Samuel, alsjeblieft!'

Door de tussenkomst van Marianne, schuchter en resoluut tegelijk, kon Sam terugkrabbelen.

'Nou, ik maakte maar een grapje.'

Laurent wierp hem een ondoorgrondelijke blik toe zonder Pascale los te laten, die hij bij haar middel had gepakt.

'Het is geen slecht idee, meisje. In de eerste plaats kun je je al die zinloze risico's op de weg besparen, en in de tweede plaats zul je je prettig voelen in Albi. De Fontanels zijn er bekend, dat zul je zien, en het ziekenhuis is belangrijk geworden.'

Henry keek beurtelings naar Laurent en Samuel. Had hij zin om hen tegen elkaar op te zetten? Tenzij hij het leuk vond om te zien dat deze twee mannen, die hij respecteerde, bereid waren te wedijveren om zijn dochter te behagen.

'De truffels zullen over tien minuten klaar zijn,' verkondigde Georges.

'Het lamsvlees ook, we zijn op elkaar afgestemd!'

Aurore wierp hem een liefdevolle glimlach toe en, heel even, was Pascale jaloers op hen. Ze pasten goed bij elkaar. Hun relatie leek hen gelukkig te maken en ze slaagden er wonderwel in om ondanks alles een bepaalde onafhankelijkheid te bewaren. Was dat het recept van geluk? Ze merkte dat Laurent haar nog steeds vasthield, wat haar een fijn gevoel gaf, maar bij het zien van de norse uitdrukking op Sams gezicht maakte ze zich van hem los.

'Ik stel voor aan tafel te gaan,' zei ze op luchtige toon.

De tafelschikking had haar heel wat hoofdbrekens gekost, maar ze meende het probleem goed te hebben opgelost. Adrien zat tussen Marianne en Aurore in, wier andere buurman Georges was. Henry zat aan Pascales rechterzijde en Laurent links van haar, Samuel zat vrijwel tegenover haar. Het tafelkleed was versierd met dennenappels, zilverkleurige sterretjes en kaarsen in de vorm van een kerstmannetje. Pascale maakte gebruik van de bewonderende kreten die gepaard gingen met de binnenkomst van de lamsbout, en boog zich naar Laurent toe.

'Bedankt voor het cadeau, een mooier cadeau had ik niet kunnen krijgen.'

'Het vooruitzicht niets meer met Nadine Clément te maken te hebben, neem ik aan?'

Ze schudde lachend haar hoofd, waardoor haar haar losraakte. Terwijl ze het met twee of drie haarspelden weer opstak, raakte Laurent zachtjes haar nek aan, alsof hij haar wilde helpen.

'Ik zal professor Clément niet missen,' gaf Pascale toe.

'Des te beter. Hoe dan ook, Sam heeft geen ongelijk, vanaf februari zal ik je waar dan ook kunnen uitnodigen zonder dat erover wordt geroddeld.'

Aan het andere eind van de tafel verdubbelde Adrien zijn pogingen om Marianne bij het gesprek te betrekken. De jonge vrouw leek zich iets te ontspannen. Pascale hoopte dat ze een fijne avond zou hebben, ondanks Sams duidelijke gebrek aan belangstelling voor haar. Een paar dagen eerder had hij gezegd dat hij alleen zou komen, maar vandaag had hij zich bedacht. Hij had gebeld en gevraagd of Marianne met hem mee mocht komen. Tijdens het telefoontje was hij waarschijnlijk niet alleen geweest, want hij had geen verklaring voor die programmawijziging gegeven.

Pascale merkte dat Sam haar aan zat te kijken. Ze glimlachte tegen hem.

'Wil jij de wijn inschenken?'

Zodra de woorden over haar lippen waren, had ze er al spijt van, ook al was het een onbeduidende zin. Tijdens hun huwelijk was Sam altijd degene geweest die de wijn verzorgde. Ze hadden het leuk gevonden om hun vrienden op goede wijn te onthalen en Sam had regelmatig wijn voor hun wijnkelder ingeslagen. Hij was inschikkelijk geweest en bij hun scheiding had hij haar zelfs voorgesteld er een deel van mee te nemen, maar op dat moment hadden de dure flessen bordeaux en bourgogne haar absoluut níéts kunnen schelen.

Ze zag hem opstaan om de glazen voorzichtig te vullen. Als wijnkenner vermeed hij té snel te schenken. Toen hij achter haar stond en zich over haar schouder boog, kreeg ze een vreemd gevoel, dat bijna op spijt leek. Ze waren erg verliefd, erg gelukkig geweest en als Pascale zwanger was geworden, zouden ze nooit uit elkaar zijn gegaan. Nooit!

Hoe kon ze daar nou aan denken terwijl Sam op het punt stond een nieuw leven te beginnen en zij zich – graag zelfs – door Laurent liet verleiden? Toen ze zich weer tot Laurent wendde, zag ze dat hij haar vragend aankeek.

'Pascale, lieverd, het is gewoon goddelijk!' zei haar vader, die een hapje van de truffels had genomen.

'Je moet Aurore complimenteren, zíj is de chef-kok!'

'Gelukkig maar,' zei Sam spottend, 'want als ik het me goed herinner ben jij bepaald geen keukenprinses!'

'Probeer een beetje aardig te zijn, in elk geval tijdens het diner,' antwoordde ze met een grimas.

'Hij kan er niets aan doen, dat is zijn aard!' zei Marianne met een lachje dat haar woorden moest verzachten.

In de korte stilte die daarop volgde zag Pascale dat Samuel zeer verontwaardigd keek. Ze stond op en pakte het broodmandje om het in de keuken te gaan vullen.

'Ik ga de rest van de lamsbout in stukken snijden,' stelde Georges voor, 'ik denk dat iedereen nog wel een portie wil.'

'Dat doe ík! Jij hebt vanavond genoeg gewerkt!'

Sam was al overeind. Hij pakte de schaal en volgde Pascale.

'Vind je écht dat ik niet aardig ben?' vroeg hij zodra ze alleen waren.

'Een beetje gespannen.'

'Het spijt me. Marianne werkt op mijn zenuwen. Ze heeft te veel gedronken en ze kan niet tegen alcohol.'

'Laurent schijnt ook op je zenuwen te werken.'

'Dat is anders. Ik ben erg op hem gesteld, maar de manier waarop hij jou aankijkt met die stomme blik vol aanbidding in zijn ogen...'

'Nou en?'

Ze draaide zich naar hem om en nam hem van top tot teen op.

'Nou... niets. Je hebt gelijk, neem me niet kwalijk.'

Als Sam ongelijk had, erkende hij dat.

'Ik zal er wel niet veel intelligenter uitzien dan hij,' gaf hij toe. 'Temeer daar je er vanavond schitterend uitziet. Nou ja, je bent altijd mooi...'

Hij legde het trancheermes weg en keek naar haar. Twee of drie seconden lang keken ze elkaar strak aan.

'Laten we gaan voordat dit koud wordt,' mompelde Pascale met een ongemakkelijk gevoel.

Elke keer lukte het hem allerlei emoties bij haar op te wekken. Had zij zich ook nog niet van hém losgemaakt? In dat geval speelde ze een gevaarlijk spel door hem te blijven ontmoeten. En voor Marianne was de situatie onhoudbaar, ontoelaatbaar.

Terug in de eetkamer, waar levendig werd gediscussieerd, glimlachte Pascale weer en ze besloot zich aan Laurent te wijden. Ze sprak met hem over de baan in Albi, die haar zo aantrok.

'Ik voel me erg beperkt door Nadine Clément, bijna teruggevoerd naar de tijd waarin ik een co-assistent was. Aangezien ze me niet mag, controleert ze alles wat ik doe, diagnoses, recepten, afgezien van haar obsessie voor overbodige onderzoeken! En wee je gebeente als je te veel tijd aan het bed van een zieke doorbrengt, ze is in staat je aan je mouw te trekken en je ergens anders heen te sturen. Ze maakt zich wellicht zorgen om rentabiliteit en efficiëntie, maar aan de ene kant krijg je daardoor een slechte sfeer, en aan de andere kant heb je het gevoel dat iedere verantwoordelijkheid je is ontnomen. Maar haar professionele kwaliteiten zijn uitstekend. Als ze niet zo onaangenaam was, zou het een genoegen zijn met haar te werken.'

Laurent zat glimlachend te luisteren, blijkbaar blij om haar te kunnen helpen eén betere werkomgeving te krijgen.

'Albi is natuurlijk veel kleiner dan ons UMC. Volgens mij zul je er alle verantwoordelijkheden hebben die je wenst, en misschien wel te veel naar je smaak.'

'Wees gerust, ik zal het je nooit verwijten!' zei ze lachend.

Na het dessert had niemand meer honger. Aurore stelde dan ook voor de bloemencake tegelijk met de koffie in de wintertuin te serveren.

'Dan kunnen we ook de cadeautjes openmaken!' riep Marianne met een hoog stemmetje.

Ze leek veel te hebben gedronken. Pascale wierp Sam een vragende blik toe. Die ging gelaten naar Marianne, pakte haar bij de arm, fluisterde iets in haar oor en hielp haar de eetkamer uit.

'Je hebt toch niet constant haar glas bijgevuld?' vroeg Pascale aan Adrien.

Haar broer trok een onschuldig gezicht, maar hij was heel goed tot zo'n gemene streek in staat.

'We ruimen later wel op,' zei Aurore, die naast haar kwam staan. 'Kom, laten we ons met de anderen gaan amuseren.'

Pascale negeerde de troep op de tafel en volgde haar.

Zijn horloge, dat hij had afgedaan, hing aan de klink van het raam boven de gootsteen. Hij boog voorover om te kijken hoe laat het was. Kwart voor zes, en hij voelde zich nog steeds niet moe. Met een vluchtige blik verzekerde hij zich ervan dat er niets meer af te wassen was. Daarna pakte hij een theedoek om de laatste schalen af te drogen.

Een afschuwelijke avond... Die in feite goed was geslaagd, maar bij hem een gevoel van verwarring, bitterheid en spijt had achtergelaten. Henry was heel lief voor hem geweest, alsof Samuel nog steeds zijn schoonzoon was, maar hij had ook geprobeerd Laurent in te palmen, die hij misschien als zijn volgende schoonzoon beschouwde. De mogelijke verwekker van zijn toekomstige kleinkinderen.

'Laurent is mijn vriend, Marianne is mijn minnares geweest, en ik heb een hekel aan allebei: bravo!'

Was het uit zelfkastijding dat hij er de voorkeur aan had gegeven zich op die berg afwas te storten in plaats van een poging tot slapen te doen? Tenzij het idee om naast Marianne te gaan liggen hem gewoon op de vlucht had gejaagd. Pascale had hun een prettige, eenvoudig gemeubileerde logeerkamer toegewezen. Ze was er ongetwijfeld van overtuigd dat ze nog steeds geliefden waren. Sam was bij Mariannes bed blijven zitten, na haar te hebben uitgekleed en haar te hebben gedwongen een kom koffie leeg te drinken, tot ze in een diepe slaap was gevallen. Toen hij er zeker van was dat ze voorlopig niet wakker zou worden, was hij naar beneden gegaan, maar iedereen was gaan slapen, behalve Pascale en Laurent. Ze waren alleen in de wintertuin en hadden zacht bij de verlichte kerstboom zitten praten. Sam had hen niet willen storen. Hij had zijn toevlucht gezocht in de studeerkamer, waar hij verstrooid een groot aantal medische boeken had doorgebladerd. Sommige waren voorzien van aantekeningen van Pascale en dateerden uit de tijd waarin ze haar co-assistentschap voorbereidde. Gekweld door een massa herinneringen die hem nóg neerslachtiger maakten, had hij niet op de tijd gelet. Toen hij de studeerkamer had verlaten, was het in het hele huis donker geweest. Natuurlijk had hij zich er niet van kunnen weerhouden te controleren of de auto van Laurent was verdwenen. Vervolgens, walgend van zijn kinderachtige gedrag, was hij de boel gaan opruimen.

Het had hem tot wanhoop gebracht om de kerstavond in het huis van Pascale door te brengen en tegenover haar aan tafel te zitten, zonder dat hij nog iets voor haar betekende. Nooit zou hij de behoefte hebben een gezin met een andere vrouw te stichten. Hij bereikte nu een leeftijd waarbij de vraag cruciaal zou worden. Natuurlijk wilde hij kinderen! Meisjes met grote, donkere ogen, zoals zij.

Toen haar haren tijdens het diner losraakten, had hij een onweerstaanbare aandrang gevoeld om ze aan te raken. Glanzend, zijdezacht, geurig als ze waren, was het een sensueel gebaar ze te strelen. Helaas was het Laurent geweest die zijn hand op Pascales nek legde. Op dat moment had Samuel zich onteigend gevoeld en werd hij overweldigd door een diepgewortelde jaloezie. Die vrouw was zíjn vrouw geweest, hoe had hij zo dwaas kunnen zijn haar te laten gaan?

Hij opende in het wilde weg de keukenkasten, om te kijken waar de borden en de glazen stonden. In dit huis hadden zelfs de kasten charme, met hun antieke deuren, hun ongelooflijke diepte, hun koperen haken met keukengerei.

'Ik zou een echt huis voor mezelf moeten kopen...'

Om er alleen in te wonen? Nee, hij kon beter thuis blijven en hopen dat Marianne niet meer onverwacht kwam aanwaaien.

Arme Marianne! Hij wist heel goed waarom ze zoveel had gedronken, en hij nam het zichzelf kwalijk dat hij haar ongelukkig maakte, maar ja, wat moest hij doen? Zich vastberadener tonen en haar op afstand houden? Het was makkelijk om zo'n besluit te nemen als je níét leed.

'Je bent een perfecte huisvrouw!' riep Adrien uit. 'Ik kan mijn ogen niet geloven...'

Hij kwam geeuwend de keuken binen, gekleed in een belachelijke, flanellen pyjama die bedrukt was met roze olifantjes.

'Je bent te aardig, dat verzeker ik je,' zei Samuel spottend. 'Wil je dat Assepoester koffie voor je zet?'

'Dat zou geweldig zijn.'

Adrien plofte op een stoel neer, haalde een hand door zijn haar en rekte zich uit.

'Ik had hetzelfde idee als jij. Ik wilde de rotzooi opruimen voordat de meisjes het deden. Bedankt dat je me vóór bent geweest, je bent een broer.'

Nog een uitdrukking die opdook uit het verleden, uit de tijd waarin Sam de zwager van Adrien was.

'Het is grappig om hier te ontbijten. Ik heb het gevoel dat ik twintig jaar jonger ben geworden!'

'Begrijp ik goed dat je niet meer ontstemd bent omdat je zus Peyrolles heeft gekocht?'

Adrien fronste zijn wenkbrauwen en leek serieus over de vraag na te denken.

'Ik weet het niet zo goed... Het huis is vol aangename en onaangename herinneringen.'

'Waren Henry en jij dan alleen om díé reden zo fel tegen het plan van Pascale?'

'O, zodra het om háár gaat, word je strontvervelend! Denk je dat ze iemand nodig heeft om zich te verdedigen? Ze doet precies waar ze zin in heeft, dat moet jíj toch weten.'

'Treiter me niet, anders krijg je slootwater van me.'

Adrien begon te lachen en stak zijn handen omhoog, als teken van overgave.

'Hoe is het met je vriendin?'
'Ze slaapt.'
'Volgens mij wordt ze voorlopig nog niet wakker! Vergeet niet aspirine voor haar mee te nemen als je haar koffie brengt. Ik vind haar erg aardig, weet je, en ook erg verleidelijk. Je zou je meer met haar moeten bezighouden, anders zal ze je uiteindelijk verlaten.'
'Dat ís al gebeurd. Het is uit tussen ons.'
Adrien keek hem vol verbazing aan.
'Ik dacht dat jullie verliefd waren en dat jij overwoog te hertrouwen...'
'Nee, absoluut niet.'
'Blijf je vrijgezel, Sam?'
'En jij? Als je wilt kunnen we een club oprichten!'
Zijn slechte humeur keerde terug, maar Adrien was meedogenloos en begon opnieuw te lachen.
'Ik wed dat je nog naar Pascale smacht.'
'Smachten is misschien niet het juiste woord, maar... '
Adrien schudde medelijdend zijn hoofd, maar hij gaf geen commentaar. Na twee klontjes suiker en een beetje melk in zijn koffie te hebben gedaan, dronk hij het zwijgend op.
'Oké,' zei hij ten slotte, 'mijn zus is fantastisch, maar niemand is onvergetelijk. Neem dat maar van mij aan!'
'Waarom? Heb je soms ervaring wat liefdesverdriet betreft?'
'Meer dan je denkt.'
Samuel keek hem verbaasd aan. Niemand was zo discreet over zijn privé-leven als Adrien. Zelfs Pascale wist niets van hem, terwijl zij heel close waren. Ze had zich daar vaak over verbaasd.
'Kijk me niet zo aan en hou je conclusies voor je,' zei Adrien. Zijn stem was plotseling scherp.
Wat voor conclusies? Had Adrien een probleem waarover hij niet wilde praten? Samuel ging de koffiepot halen en zette hem tussen hen in op de tafel.
'Ben je op de hoogte van alle vragen die Pascale over haar moeder heeft gesteld?'

'Vaag. Papa heeft er gisteravond iets over gezegd, voordat hij naar bed ging. Wat me verbaast is dat jíj ervan op de hoogte bent.'

'Ze was overstuur en heeft mijn hulp ingeroepen.'

'Natuurlijk... Bij wie wil je dat zij haar hart uitstort, behalve bij jou? Over een tijdje zal ze dat ongetwijfeld bij Laurent Villeneuve doen, maar nu verlaat ze zich op jou. Dat lijkt me normaal, want jij bent er altíjd.'

Zijn ironische toon was te veel voor Sam en hij reageerde meteen.

'Gelukkig maar voor haar! Want jij en jouw vader zijn niet erg behulpzaam geweest toen ze haar leven wilde veranderen. Het leek wel of het kopen van Peyrolles majesteitsschennis was, en zo is het ook als ze om nadere gegevens over de geschiedenis van haar familie vraagt. Hebben jullie jezelf zoveel dingen te verwijten?'

'Praat niet over iets waar je niets van weet!' riep Adrien, terwijl hij met zijn vuist op tafel sloeg.

Ze stonden tegenover elkaar en keken elkaar woedend aan tot de stem van Pascale hen deed opschrikken.

'Zijn jullie niet goed snik? Waarom maken jullie ruzie?'

Samuel draaide zich naar haar om. Zijn woede verdween onmiddellijk. Ze was nog maar net wakker, maar ze zag er stralend uit in haar lichtblauwe, fluwelen ochtendjas. Waar haalde ze haar energie, haar kalmte vandaan?

'O... Jullie hebben alles opgeruimd!' riep ze blij uit.

'Híj heeft het gedaan, in zijn eentje,' bromde Adrien.

Ze liep naar haar broer en gaf hem een kus.

'Je bent vanmorgen een brompot.'

'Ik weet nu alles te vinden, wat wil je? Een kopje of een kom?' vroeg Samuel.

Aangezien hij het antwoord al wist, had hij een kopje uit de kast gepakt. Ze bedankte hem met een stralende glimlach.

'Je hebt me een rotklus bespaard met die afwas. Ik wilde Aurore verrassen en ben expres opgestaan. Ik had natuurlijk niet op een vergadering hier in de keuken gerekend...'

Geen van beide mannen vond het nodig om antwoord te geven.

Pascale dronk haar koffie op alvorens verder te gaan: 'Het heeft vannacht gesneeuwd. Hebben jullie het gezien?'

Samuel liep naar de openslaande deur en drukte zijn voorhoofd tegen het glas. Het was nog niet licht, maar alles leek bedekt met een dikke laag sneeuw.

'Ongelooflijk...'

In de studeerkamer, waar de luiken waren gesloten, had hij er niets van gemerkt.

'Ze zullen zout op de snelweg hebben gestrooid, maar misschien niet op de B-weg van Labastide naar Marssac, en zeker niet op de weg die hierlangs loopt. Vooral niet op 25 december!'

'Hoe dan ook, het sneeuwt zo zelden in deze streek, dat ze er hun handen vol aan zullen hebben,' zei Samuel.

Als hij alleen was geweest, zou hij het niet erg hebben gevonden om een tijdje langer op Peyrolles te moeten blijven, maar Marianne zou op een gegeven moment wakker worden, en hij voelde er niets voor om hier een dag met haar door te brengen.

'Ik kan wel rijden,' zei hij met tegenzin.

'Geen sprake van!' protesteerde Pascale. 'Jullie lunchen gewoon met ons mee. We eten de kliekjes van gisteren, en vanmiddag zal alle sneeuw gesmolten zijn. Ik weet dat je heel goed kunt autorijden, Sam, maar ik wil niet dat je risico's neemt. Je hebt toch geen haast?'

De vermoeidheid van de nacht was nog niet voelbaar en hij had niet écht zin om te vertrekken, vooral niet toen hij Adrien hoorde zeggen: 'Oké, ik ga me snel aankleden, dat wordt een sneeuwballengevecht!'

Sam wachtte tot hij was verdwenen. Daarna schonk hij nogmaals koffie in.

'Waar ging jullie ruzie over?' vroeg Pascale.

'De verborgen schandelijkheden van de familie Fontanel. Je had gelijk, je broer wordt erg gevoelig zodra je over het verleden praat.'

'Papa ook. Prikkelbaar en verdrietig. Gisteren wilde hij me laten geloven dat Julia was overleden, dat is de versie die hij destijds aan iedereen vertelde.'

'Ongetwijfeld was hij bang dat zijn vrouw zou worden veroordeeld. De mensen hebben medelijden met een moeder die een kind heeft verloren, maar van een moeder die haar kind in de steek heeft gelaten moeten ze niets hebben. Hij zou nu nog steeds niet toestaan dat jij je moeder veroordeelt, je moet hem begrijpen...'

'Waarom verdedig je hem altijd?' vroeg ze verbaasd.

'Omdat het een goede vent is. Tenminste, dat geloof ik, ook al blijf ik me afvragen waarom hij Peyrolles aan je heeft verkócht in plaats van het aan je te géven.'

Pascale schudde peinzend haar hoofd. Sam kende haar voldoende om te weten dat ze alles zou doen om haar halfzus te ontmoeten, of Henry het er nou mee eens was of niet. Hoe zou ze eraan toe zijn na een confrontatie met de veertigjarige vrouw die vanaf haar geboorte gehandicapt was? En hoe dacht ze het onrecht dat die arme ziel was aangedaan weer goed te kunnen maken?

'Ik ga me ook aankleden, ik heb het koud,' besloot ze. Het begon licht te worden. De lucht boven de dikke sneeuwlaag werd loodgrijs.

'Heb je vannacht niet geslapen, Sam? Je zou een lekkere douche moeten nemen. Je ziet er heel moe uit.'

'Wacht!' riep hij toen ze naar de deur liep. 'Vorderen je... "zaken" met Laurent?'

Ze draaide zich om en leunde met een hand tegen de deurlijst. 'Mijn záken?'

'Jullie flirt, bedoel ik.'

'Wat gaat jóú dat aan?'

'Ik vraag het alleen uit nieuwsgierigheid,' loog hij.

'Nou, om die te bevredigen, moet ik je zeggen dat Laurent zich nogal ongemakkelijk voelt ten opzichte van jou! Hij heeft het gevoel dat hij onder je duiven schiet. Ik heb hem eraan moeten herinneren dat ik niet meer je vrouw ben, slechts je vriendin. Waarom laat je hem het tegenovergestelde geloven?'

'Absoluut niet, ik...'

'O, hou op, Sam! Je wilt niet dat ik een nieuw leven begin, is dát het? Of vind je dat Laurent geen man voor mij is?'

Verstrikt in zijn tegenstrijdige opmerkingen schudde Samuel zijn hoofd, terwijl hij naar woorden zocht.

'Zeker wel... Laurent zou heel goed bij je passen... Ik heb een hoge pet van hem op.'

Hij probeerde iets overtuigends te vinden, maar zag er vanaf. Pascale leek te aarzelen of ze in woede of in lachen zou uitbarsten. Ten slotte kwam ze naar hem toe, pakte zijn schouders vast, keek hem recht aan en zei: 'Hou je genegenheid voor mij zuiver, Sam.'

Omdat hij die raadselachtige zin niet kon verklaren, wierp hij haar slechts een glimlach toe.

Vlak na de late lunch, die in een ontspannen sfeer in de keuken werd gebruikt, nam Pascale Adrien mee naar buiten om een beleefdheidsbezoek aan Léonie Bertin te brengen.

De sneeuw was niet gesmolten zoals verwacht, maar een plotselinge afkoeling veranderde de gesmolten sneeuw zelfs in ijs. Adrien volgde zijn zus tierend en scheldend, terwijl hij over de spekgladde weg gleed.

'En dat noem jij een spijsvertering bevorderend wandelingetje! Op deze manier gaan mijn schoenen eraan...'

'Loop midden op de weg in plaats van in de sneeuwhopen, vandaag rijden er geen auto's.'

'De mensen zijn niet gek, ze blijven thuis! Is het nog ver?'

'Daarginds. Zie je het dak van het huis?'

Pascale had zich warm aangekleed. Ze was blij een luchtje te kunnen scheppen na al die copieuze maaltijden.

'Waarom moet ik dat pakje dragen?' vroeg Adrien verontwaardigd, die net was gestruikeld. 'Ik weet niet eens wat erin zit!'

'Een lamswollen sjaal. Hij is niet zwaar. Hou op met je geklaag.'

'Een sjaal... Pas maar op, straks word je nog een actief lid van een liefdadigheidsvereniging! Tenzij je aanbidders daar een stokje voor steken.'

'Over wie heb je het?'

'Nou, over iedereen! Je ex-man, je directeur, zelfs het vriendje van Aurore gluurt naar je benen als je langsloopt.'

'Georges? Praat geen onzin, hij is verliefd op Aurore, en dat is overduidelijk.'

'Het een sluit het ander niet uit, kleintje. Het lijkt wel of je niets van mannen weet!'

Pascale bleef staan en draaide zich naar haar broer om.

'Je bent cynisch, Ad. Wat héb je?'

Ze was er zeker van dat hij met een grap zou antwoorden, maar hij reageerde geërgerd.

'Niets. Behalve dat ik alles zat ben. Ik hou niet van feesten en ik heb geen zin meer om alleen te zijn.'

'Jij?'

'Wie anders? Met hoeveel lopen we op deze weg?'

Zijn moment van oprechtheid was voorbij. Hij sprak alweer op zijn gebruikelijke, sardonische toon. Maar Pascale drong aan.

'Adrien? Als er iets aan de hand is, dan wil ik je graag helpen...'

'Je kunt niets voor me doen, kleintje!' riep hij uit.

Ze was verbluft. Ze durfde geen vragen meer te stellen en begon weer te lopen. Hij was niet gewend zijn problemen op tafel te leggen. Hij was altijd opgewekt, ondanks zijn bijtende spot. Wat hád hij toch? Had het gesprek dat hij 's morgens vroeg met Samuel had gevoerd hem uit zijn humeur gebracht?

Ze hoorde zijn schoenzolen kraken in de sneeuw, toen hij haar weer inhaalde.

'Neem me niet kwalijk,' zei hij zacht, 'ik maak me zorgen.'

'Over papa?'

'Nee, ik heb behoorlijk veel contact met hem en ik denk dat het redelijk goed met hem gaat. In de kliniek loopt alles gesmeerd, de bedden zijn bezet en er zijn geen financiële problemen, wat een wonder is in deze tijd!'

'Wat is er dan, Ad? Liefdesverdriet?'

'Ik denk dat het zo wordt genoemd,' gaf hij met tegenzin toe, 'maar ik heb geen zin jou met mijn sores lastig te vallen. Ik ben je grote broer, ik word geacht op jóú te passen, je raad te geven en je te troosten, niet andersom. Dat is vaak genoeg tegen me gezegd!'

Ze verbaasde zich steeds meer en onthield zich van commentaar, totdat hij uit zichzelf vervolgde: 'Het is waar. We kunnen er tenminste over praten, jij wilt toch zo graag alles over het verleden weten? Mama – van wie ik zielsveel hield, laat dat duidelijk zijn – beschouwde jou als het achtste wereldwonder. Niet omdat jij haar kind was en ik niet, nee: omdat je een meisje was. Een fantastisch klein meisje van wie ze idolaat was, en dat als een kostbaar kleinood moest worden gekoesterd. Om me gerust te stellen legde papa me al heel vroeg uit dat mama een klein meisje had "verloren". Ik zeg: "verloren". Jarenlang heb ik alleen maar die versie gehoord. En toen mama echt ziek was, bekende papa dat het kind niet dood was, dat mama ervoor had gekozen haar aan de Kinderbescherming toe te vertrouwen, omdat mama niet in staat was met de handicap van het kind om te gaan.'

'Dat heeft hij tegen jóú gezegd, maar niet tegen míj!'

'Nee, natuurlijk niet. Jou kennende had je het niet kunnen nalaten er met mama over te praten. Aangezien het onderwerp lang geleden in de doofpot was gestopt, was er geen enkele reden om haar ermee te kwellen.'

'Hoor je wat je zegt, Adrien? Ermee? Het gaat om een méns!'

Pascales woede keerde terug, aangewakkerd door het feit dat ze niets meer van haar vader en haar broer begreep. Hun cynisme stuitte haar tegen de borst. Plotseling voelde ze zich anders dan alle leden van haar familie, iemand die niets met hen gemeen had, die in haar eentje iets verdedigde dat zij weigerden te zien.

Toen ze het tuinhek van Léonie Bertin bereikte, bleef ze staan. Ze was een beetje buiten adem.

'Het is een erg aardige, oude vrouw. Ze kan zich ons nog herinneren uit de tijd dat we kinderen waren. Het is niet nodig om te brullen, ze is niet doof.'

Adrien barstte spontaan en onverwacht in lachen uit.

'Ah, kleintje, je bent echt onbetaalbaar met je zedenpreken...'

Pascale keek hem stomverbaasd aan, maar toen begon zij ook te lachen, aangestoken door zijn vrolijkheid.

De sneeuw bleef nog steeds liggen, maar een boer die in de buurt woonde had met behulp van zijn tractor zand over de kleine wegen gegooid. Tegen vijf uur, vlak voordat het donker werd, besloot Samuel dat het de hoogste tijd was om te vertrekken. Tot dan was het hem niet gelukt Marianne daarvan te overtuigen. Ze wilde per se afscheid nemen van Pascale en Adrien.

Toen die terugkeerden van hun bezoek aan Léonie Bertin, met rode wangen van de kou en in een uitgelaten stemming, wachtte Samuel hen ongeduldig op om afscheid te nemen, maar Marianne was hem vóór.

'Het was een heerlijke kerst, Pascale! Bedankt dat u ons zo vriendelijk hebt ontvangen en mijn excuses dat ik een beetje te veel van uw uitstekende wijnen heb gedronken. Ik heb geslapen als een roos, en toen ik wakker werd was er overal sneeuw, een sprookje!'

Ze glimlachte, natuurlijk, enthousiast, hartelijk tegen Pascale, alsof ze een vriendin uit de grond van haar hart bedankte. Ze had een onaangename kerstavond gehad, daar was Sam zich van bewust, en ondanks een aantal aspirines had ze nog steeds hoofdpijn.

'Ik vond het fijn om jullie te ontvangen,' zei Pascale.

'U betekent heel veel voor Sam, hij was gek van vreugde bij het idee de kerstavond hier door te brengen, en hij had gelijk! Nogmaals bedankt.'

Sam was verrast en geërgerd tegelijk. Hij pakte Marianne bij de arm om haar ontboezemingen te onderbreken.

'Rust lekker uit, je verdient het,' zei Sam, terwijl hij zich naar Pascale toe boog.

'Was je écht gek van vreugde?' fluisterde ze toen hij haar een kus gaf.

Ze wisselden een geamuseerde blik, samenzweerders tegen wil en dank.

'Wees voorzichtig onderweg,' voegde Pascale er luid aan toe.

Ze liep met hen mee tot aan het bordes en zwaaide hen na.

'Oké, je kunt ophouden met je charmante gedoe,' bromde Sam terwijl hij het hek van Peyrolles passeerde.

‘Eigenlijk vind ik haar erg sympathiek, je ex...’

‘Des te beter.’

‘Maar haar huis wordt slecht verwarmd. Ik heb het de hele nacht koud gehad.’

‘Je sliep te vast om enig benul van de temperatuur te hebben,’ merkte hij op.

‘Doe niet zo naar, ik heb mijn excuses aangeboden. Ik heb te veel gedronken, nou én? Het was toch kerst? En ik geloof niet dat ik een schandaal heb veroorzaakt. Hoe dan ook, jij en ik zijn alleen nog maar vrienden, en onder vrienden heb je het recht om je te bezatten!’

Het was een opluchting voor hem dat ze zich nog herinnerde wat ze waren overeengekomen. Nu kon hij haar bij haar thuis afzetten en alleen naar zijn eigen huis terugkeren.

‘Maak je geen zorgen,’ zei hij geruststellend, ‘het is niet erg.’

Trouwens, niets was meer erg tussen hen, omdat hun wegen zich gingen scheiden. Toen Sam met grote snelheid een bocht nam, voelde hij dat de auto slipte. De boer had waarschijnlijk niet overal zand gestrooid, de weg bleef gevaarlijk. Hijzelf had geen moeite met rijden, maar hij hoopte niet al te veel beginnende chauffeurs op deze ijsbaan te zullen tegenkomen.

‘Weet je wát erg is, Sam?’

Met zijn ogen op de weg gericht schudde hij zijn hoofd, om aan te geven dat hij het niet wist.

‘Alle tijd die je verdoet met treuren om haar. Je accepteert niet dat je haar kwijt bent, dus klamp je je aan van alles en nog wat vast om tóch deel van haar omgeving uit te maken. Maar ze heeft een vader, een broer en ook een aanbidder die heel goed bij haar lijkt te passen. Gisteravond, toen ik aan het andere eind van de tafel zat omdat ze ons van elkaar hadden gescheiden, vond ik het vreselijk om te zien hoe je nog naar een rol voor jezelf zocht, hoe je alsmaar haar aandacht probeerde te trekken... Oké, ze is erg mooi, misschien zelfs erg aardig, erg briljant of wat je maar wilt, maar het probleem is dat ze je niet meer ziet zitten. Je zult er toch ééns in moeten berusten en ophouden je kansen om gelukkig te kunnen worden te verpesten.’

Verveeld door de preek die ze net tegen hem had afgestoken, deed hij zijn mond open, maar sloot hem ook weer zonder iets te zeggen. Hoe kon hij haar ervan overtuigen dat ze, wat ze ook zei of deed, nooit de vrouw van zijn leven zou zijn? Hoopte ze hem dat te kunnen opdringen? Haar argumenten werden onzinnig als ze nog steeds geloofde dat zíj degene was die hem zou genezen.

'Bedankt voor je "vriendenraad"...' zei hij spottend.

Waarom was hij zo zwak, waarom had hij haar meegenomen? Omdat hij haar geen verdriet wilde doen? Bespottelijk! Hij had haar veel meer verdriet gedaan door toe te geven aan haar wens om de kerst samen door te brengen. Het eind van hun liefdesrelatie werd schrijnend en hij alleen was daar verantwoordelijk voor.

Ze zei nóg iets, maar hij schonk er geen aandacht aan, want hij schrok van een tegenligger, een vrachtwagen die te snel de helling afreed. De vrachtauto met oplegger had groot licht op en was bezig van de weg te raken. In een fractie van een seconde begreep Sam dat de chauffeur de macht over het stuur kwijt was en de beijzelde helling afstormde.

'Samuel! Hij komt recht op ons af!' schreeuwde Marianne.

Haar kreet ging verloren in het wanhopige getoeter van de vrachtwagenchauffeur. Sam had al teruggeschakeld, hij kon niet abrupt remmen zonder het risico te lopen óók van de weg te raken. Aan beide zijden stonden bomen en Sam hoopte ze allemaal door een zachte ruk aan het stuur te kunnen ontwijken.

Op de ochtend van 26 december arriveerde Nadine Clément stipt op tijd, klokslag acht, op haar afdeling. Ze stopte bij de kamer van de hoofdzuster en gaf haar een grote doos chocolade die bestemd was voor het hele personeel. De verbazing van de hoofdzuster kon haar niet ontgaan, maar ze negeerde het. Net zoals ze de verwonderde blikken negeerde die op de parelarmband van Benjammin werden geworpen. Ze had besloten hem te dragen.

Kerstmis bracht altijd een beetje melancholie met zich mee, die door haar werk al snel vervaagde, maar dit jaar was het een bijzonder sombere kerstavond geweest. Emmanuel, haar broer, had alleen maar over vliegtuigbouwkunde gesproken. Hij was dodelijk vervelend geweest, evenals zijn vrienden. Naarmate hij ouder werd was hij zwaarmoediger geworden, en zijn pensionering had het nog erger gemaakt. Gedurende de eindeloos durende avond had Nadine steeds aan Benjamins woorden moeten denken: 'Onze familie is niet alleen kleiner geworden, maar loopt ook op zijn laatste benen. Met vier kinderen konden onze ouders op nageslacht hopen, maar nu is het een uitzichtloze zaak.'

Inderdaad, de Montagues hadden geen nakomelingen voortgebracht. Zij had in het begin van haar huwelijk met Louis Clément het krijgen van kinderen tot later uitgesteld, en toen was ze weduwe geworden. Ze had een paar keer het idee gekoesterd om te hertrouwen, maar haar werk in het ziekenhuis was te tijdrovend geweest en de strijd om de titel van professor had haar opgeslokt. Ze had er geen spijt van en zou voor niets ter wereld van baan willen veranderen, maar toch zou ze het fijn hebben gevonden om neven of nichten te hebben.

Toen ze twee dagen terug boodschappen deed en door de rue Lafayette liep, was ze gestopt bij Olivier, de beste chocoladewinkel van de stad. Ze had een doos met de allerlekkerste bonbons voor zichzelf laten vullen. Op het moment dat ze moest betalen had ze zich bedacht en had een nog veel grotere doos met hetzelfde assortiment besteld, voor het personeel van haar afdeling. De duizelingwekkend hoge rekening had haar koud gelaten. Hoe lang was het niet geleden dat ze voor het laatst iets voor haar medewerkers had gedaan? Ze zouden verrast zijn, en die gedachte amuseerde haar zonder haar te ontroeren. Op haar afdeling hield niemand van haar, ze maakte zich geen illusies.

Haar kerst was ook door de vaststelling van het gebrek aan liefde om haar heen verpest. Toen ze in de kerstnacht naar bed ging, had ze zich erop betrapt dat ze met een zekere emotie naar Benjamins armband keek. Erger nog, vlak voordat ze in slaap viel had ze een – ongepaste – gedachte aan Camille gewijd.

Camille! Ze vond het afschuwelijk aan haar te hebben gedacht. De momenten van eenzaamheid, die heel schaars waren, maakten haar altijd woedend. Een driftige aard... Verscheidene keren had haar vader, tot haar grote wanhoop, die minachtende uitdrukking gebruikt om haar te omschrijven. Lelijk misschien, opvliegend beslist, maar in elk geval erg intelligent en succesvol in haar werk. Omdat Camille...

Mijn God, moge ze rusten in vrede. Met al die dwaasheden van het onbegrijpelijke abracadabra van psychologen over niet-geliefde kinderen kon men zich toch wel voorstellen dat de bastaard van Abel Montague excuses had voor de foute keuzes die ze in haar leven had gemaakt? Nadine duldde geen excuses en rechtvaardigingen achteraf die alle mislukkelingen vergiffenis schonken.

Ze wilde niet dat oudejaarsavond op die sombere kerst leek en daarom besloot ze thuis te blijven en daarvan te profiteren door een artikel voor een Amerikaans, medisch tijdschrift te schrijven. Ze had nooit tijd voor dat soort dingen, maar ze was het verplicht.

'Goedemorgen!' riep Pascale vrolijk, terwijl ze haar tegemoet liep.

Even verstarde Nadine. Degene die verantwoordelijk was voor haar weemoedige stemming was die vrouw in haar witte doktersjas, met dezelfde grote, amandelvormige ogen en dezelfde zwarte haren als haar moeder. Waarom zorgde ze niet dat ze haar kwijt raakte?

'Ik wilde u informeren dat ik van plan ben begin volgend jaar overplaatsing naar Albi aan te vragen,' verkondigde Pascale. 'Om persoonlijke redenen, aangezien ik zo ver van Toulouse woon.'

'Uitstekend,' antwoordde Nadine op koele toon.

Het beste nieuws van het jaar! Maar aan wie of aan wát had ze dat te danken? Ging Pascale Fontanel écht haar afdeling verlaten? Een geschenk uit de hemel!

Samuel luisterde aandachtig naar de woorden van de orthopedisch chirurg die aan de andere kant van het bed stond.

'Ik ben tevreden over de ingreep. De dijbeenbreuk ging gepaard met een aanzienlijke ontwrichting, maar er zijn geen problemen geweest bij het aanbrengen van de pin.'

Hij richtte zijn blik op Marianne en keek haar glimlachend aan.

'Voorlopig mag u niet bewegen. Ik laat u in goede handen achter. Tot kijk, Sam.'

Bleek en ontdaan stelde Marianne zich tevreden met een knikje en wachtte tot hij was vertrokken. Toen pakte ze Samuels hand.

'Hoe lang mag ik me niet bewegen?'

'Een paar dagen. Zodra het mogelijk is, zullen ze je helpen opstaan.'

'Wil je niet vijf minuutjes blijven zitten?'

'Jawel, maar ik moet aan het werk. Ze staan waarschijnlijk al op me te wachten in de operatiekamer.'

Hij bewaarde een zeer bittere herinnering aan het ongeluk, waar hij zonder kleerscheuren vanaf was gekomen. Hij zou nog lang Mariannes kreten van angst en daarna van pijn horen. Hij had de breuk zelf gediagnosticeerd. Hij had met zijn mobiele telefoon de ambulancedienst van Albi gebeld en zijn jack over Marianne heen gelegd. Alles was zo snel gebeurd, dat hij moeite had gehad om het te bevatten. Op het moment dat hij zijn ogen had afgewend van de vrachtwagen die als een muur op hem afkwam, had hij getracht tussen twee bomen door te rijden. De auto had goed gereageerd en de baan gevolgd die hij hem oplegde. Jammer genoeg had de wagen zich vijftien meter verderop in een laag muurtje geboord dat op een sneeuwhoop leek. Door de hevige schok was het portier aan Mariannes kant zwaar beschadigd.

'Zal de revalidatie lang duren?'

'Alles hangt af van de manier waarop het bot weer aaneen zal groeien.'

Hij overwon zijn ongeduld, ging zitten op de enige stoel die de kamer rijk was en probeerde een achteloze houding aan te nemen.

'Heb je nóg iets nodig? Ik kan vanavond weer langs je appartement gaan en morgen spulletjes voor je meenemen.'

Hij had al het nodige gedaan om een eenpersoonskamer voor haar te bemachtigen. Daarna was hij naar haar huis gegaan om nachthemden en een toilettas op te halen. Hij had er zelfs aan gedacht bij een delicatessenwinkel te stoppen om een mand met exotische vruchten voor haar te kopen.

'Ik zou graag wat tijdschriften willen hebben. Damesbladen, vooral geen politiek.'

'Ik zal ze in het winkeltje in de hal voor je kopen.'

De telefoon stond op het nachtkastje. Hij nam de hoorn van de haak en verifieerde of er een kiestoon was. Daarna pakte hij de afstandsbediening van de televisie en probeerde een paar zenders.

'Goed, alles doet het... Ik laat je nu alleen om te rusten.'

Ondanks zijn enorme medelijden met haar, vergroot door een akelig schuldgevoel, wist hij niets meer tegen haar te zeggen en wilde hij zo snel mogelijk vertrekken.

'Tot later,' mompelde hij, terwijl hij overeind kwam.

Na een lichte aarzeling boog hij zich voorover en drukte een tedere kus op haar wang.

'Maak je geen zorgen, ik heb me om de papieren van je opname en je ziekteverlof bekommerd. Ik heb alles aan je vader overhandigd.'

Hij had haar ouders de vorige avond voor het eerst ontmoet, in de wachtkamer van de eerste hulp. Eenvoudige, warme mensen die hem niets kwalijk leken te nemen. Hij voelde zich ongemakkelijk bij hen, ervan overtuigd dat Marianne een te positief beeld van hem had geschetst. Beschouwden ze hem als een soort verloofde van hun enige dochter? Dat idee bezorgde hem koude rillingen.

Opgelucht verliet hij de afdeling orthopedie. Tot dan had hij het niet nuttig gevonden om Pascale in te lichten, maar hij wilde haar spreken voordat ze het nieuws van het ongeluk van een ander hoorde. Aangezien hij minder haast had dan hij Marianne had doen geloven, piepte hij Pascale op en wachtte tot ze hem terugbelde op zijn mobieltje.

Tien minuten later ontmoetten ze elkaar in het restaurant. Zoals hij vreesde was ze geschokt toen ze hoorde dat Marianne in het ziekenhuis lag, en ze beloofde in de loop van de dag bij haar langs te gaan.

'Maar heb je niets gedaan om die sneeuwhoop te vermijden?'

'Nee. De auto had nog veel vaart en ik dacht dat die sneeuwhoop ons zou afremmen. Het was echt niet te zien dat er een muurtje onder zat. Hoe dan ook, alles gaat razendsnel in zo'n geval...'

'Het is al een wonder dat je niet tegen een boom bent geknald. Mijn God, Sam, als jou iets overkwam, zou ik het niet kunnen verdragen!'

Een hartenkreet die hem diep trof. Maar bijna onmiddellijk voegde ze eraan toe: 'Wat moet je je zorgen hebben gemaakt om Marianne! Waarom heb je niet naar Peyrolles gebeld? We zouden je te hulp zijn gekomen.'

'We hadden een ambulance nodig.'

'Het was niet erg verstandig van je om tegen het vallen van de avond te vertrekken. Jullie hadden best nog wel een nacht kunnen blijven.'

'Als, als... Als die vrachtwagen niet op de weg had gereden terwijl dat verboden is op feestdagen, áls het de dag ervoor niet had gesneeuwd, áls we nog steeds getrouwd waren, jij en ik...'

Even was ze met stomheid geslagen.

'Weet je,' zei ze ten slotte, 'ik vond Marianne leuker, meer ontspannen. Hoe staat het nu met jullie tweeën?'

'Niet goed. In principe hebben we op de ochtend vóór kerst een einde aan onze relatie gemaakt, maar ze wilde tóch met me mee. Slecht idee!'

'Waarom heb je het dan gedaan?'

'Omdat mannen laf zijn, en vooral omdat ze verdrietig was.'

'En wat ga je nú doen?'

'Bedoel je dat ik bij haar in het krijt sta? Ik ga me zo goed mogelijk om haar bekommeren tot ze weer naar huis kan. En voor de revalidatie heeft ze haar ouders en haar vrienden.'

Pascale knikte weinig overtuigd. Vond ze hem egoïstisch of ongevoelig? In werkelijkheid was hij bereid er alles aan te doen om Mariannes gedwongen verblijf in het ziekenhuis te verzachten, maar verder gingen zijn gevoelens niet. Toen hij op zijn horloge keek, zag hij dat hij zich moest haasten om niet te laat te komen.

'Ik smeer 'm. Wil je deze week met me lunchen? Als je zaterdag tijd hebt, kom dan om twaalf uur naar de club. Ik zal je meenemen voor een helikoptertochtje.'

Vreemd genoeg leek het of zijn voorstel haar een beetje in verwarring bracht. Ten slotte bekende ze schoorvoetend: 'Ik heb Laurent al beloofd om zaterdag met hem in de club te lunchen.'

'O! Prima... Dan zie ik je daar wel.'

Hij was er niet zeker van of het hem gelukt was normaal te klinken. De vliegclub was zíjn terrein. Als hij Pascale en Laurent daar samen ontmoette, zou hij dat moeilijk kunnen verdragen. Hij dwong zich tot een vriendelijke glimlach, verliet het restaurant en liep naar de liften. Wat hij voelde was heftig, intens, ontmoedigend. Een aanval van jaloezie waar hij geen recht op had, maar die ervoor zorgde dat hij heel veel zin had om Laurent de oorlog te verklaren. Een man die zijn vriend was, zijn directeur, nu en dan zijn leerling... en van nu af aan zijn tegenstander.

Ontsteld vroeg hij zich af of hij niet de grootste stommiteit van zijn leven had begaan door Pascale aan te moedigen haar intrek op Peyrolles te nemen. Zonder hem zou haar dat nooit zijn gelukt. Hij had zijn onheil zelf over zich afgeroepen, dat was zijn verdiende loon!

Op de verdieping algemene chirurgie haastte hij zich naar de kleedkamer van de chirurgen. Hij had genoeg van zijn werkzaamheden als anesthesist, hij had genoeg van de winter die hem belette te vliegen wanneer hij maar wilde, hij had er genoeg van om tevergeefs een verloren liefde na te jagen. Terwijl hij zorgvuldig zijn handen en armen schoon borstelde, bracht hij zich het dossier in herinnering van de patiënt die hij over een paar minuten onder narcose zou brengen. In het algemeen was dat de beste manier om alle andere dingen te vergeten, maar nu was dat niet voldoende.

9

PASCALE SLOEG HET PORTIER VAN HAAR AUTO DICHT, TERWIJL ZE DE zak met croissants een eindje van zich af hield, want er zaten al botervlekken op het papier. De bakkersvrouw en zij wisselden hooguit een paar woorden, maar de croissants en de brioches waren overheerlijk.

Voordat Pascale de treden van het bordes opliep, draaide ze zich om. Ze had de gewoonte aangenomen om aandachtig naar het park en het huis te kijken, daarbij lettend op elk detail. Als het nodig was, kwam ze in actie. Hier en daar wat onkruid verwijderen, met een schop een dode bosmuis van de grond scheppen, het grind aanharken dat door autowielen was opgespat en in het gras terecht was gekomen, en vooral voorbodes van de lente ontdekken. Het was eind februari. Het was buitengewoon zacht weer en er bloeide al een groot aantal hyacinten en crocussen. De winterjasmijn, die langs een muur was opgebonden, stond volop in bloei.

'Het is schitterend!' riep Aurore, terwijl ze de deur opende. 'Lucien Lestrade was misschien opdringerig, maar naar mijn mening heeft hij er iets heel moois van gemaakt. Vrijwel alles ontluikt. Kom gauw, blijf daar niet langer staan, ik kan de croissants hiervandaan ruiken!'

Ze hadden besloten tot een luxe ontbijt, nu ze voor de verandering eens géén haast hadden. In de keuken wees Aurore met een triomfantelijk gebaar naar de tafel.

'Wat vind je ervan?'

Op vermiljoenkleurige, linnen placemats stonden kleurrijke borden en kommen, aardewerk van Martres-Tolosane. Ook waren er potten jam, een fruitschaal, een klomp boter, klontjes kandijsuiker, een kaasplateau, een karaf jus d'orange en een dampende koffiepot.

'Weer een vondst van de zolder?' vroeg Pascale.

Ze pakte een van de kommen en verbaasde zich over het gewicht ervan.

'De kartonnen doos was loodzwaar, ik wilde weten wat erin zat,' bekende Aurore lachend.

Het kwam nog steeds voor dat ze naar de zolder ging om rond te snuffelen, maar Pascale vergezelde haar niet. Sinds de ontdekking van het trouwboekje durfde ze niet meer op de zolder te komen.

'Heel goed van je. Dat servies roept heel wat herinneringen op. Mama hield er veel van en we gebruikten het vaak. Waarschijnlijk heeft ze gedacht dat het niet geschikt zou zijn voor haar nieuwe woning in Saint-Germain, zoals zoveel andere dingen...'

'Het is natuurlijk niet gemakkelijk voor haar geweest om van zo'n groot huis naar een appartement te verhuizen.'

'Ze was juist blij met de verandering. Het is grappig, ze ging van het zuiden naar het noorden, en bij mij is het net andersom.'

Pascale zette de kom neer en keek Aurore aan.

'Houdt jouw opmerking over het verhuizen van groot naar klein soms verband met Georges?' vroeg ze zacht.

'Ja, min of meer. Hij begint over samenwonen te praten en ik ben er niet klaar voor. Nog niet. Ik voel me hier zo lekker! Ik heb zin om hier de lente en de zomer mee te maken, in plaats van in een driekamerflat opgesloten te zitten, het huishouden en de boodschappen te doen en naar voetbalwedstrijden op tv te kijken. Georges is een schat, maar hij is een echte macho. Stel je voor, hij brengt zijn overhemden naar zijn moeder om ze door haar te laten strijken! Die rol wíl ik niet.'

'Wil je die ról niet of wil je Geórges niet?'

'Ik hou van hem, maar het ene zal niet zonder het andere gaan.'

Met een nerveus gebaar leegde Aurore de zak met croissants in een mandje. Het beviel haar heel goed op Peyrolles, waar ze de geneugten van het platteland had ontdekt, de ruimte en de vrijheid. Ze hield van binnenhuisarchitectuur en van feesten en kon daar haar hart aan ophalen. En het samenwonen met Pascale, die verstandiger was dan zij, bood haar het evenwicht waar ze behoefte aan had.

'Zolang jij me niet wegstuurt, blijf ik hier,' besloot ze, terwijl ze op een van de banken ging zitten.

'Je kunt blijven zolang je wilt. Eerlijk gezegd weet ik niet hoe ik deze eerste winter zonder jou had moeten doorkomen.'

Dankzij Aurores aanwezigheid was alles makkelijker geweest, en vooral veel vrolijker.

'O, je hebt me niet écht nodig, Pascale! Je wordt omringd door fantastische mannen die niets liever willen dan jou gezelschap houden en zich naar al je wensen schikken. Laurent is in extase, je ex-man is nog steeds gek op je...'

'Nee, Sam voelt alleen genegenheid en misschien een beetje nostalgie.'

'Jij niet?'

'Ik geloof het niet. Behalve dat hij inderdaad een fantastische man is. Toen ik met hem leefde, heb ik nooit het gevoel gehad dat ik met een macho samenwoonde. Integendeel, we verdeelden de huishoudelijke taken eerlijk, en toen ik mijn co-assistentschap voorbereidde, heeft hij het huishouden helemaal in zijn eentje gerund.'

Vertederd door die herinneringen slaakte ze een zucht. Ze was gelukkig geweest met Samuel, heel gelukkig.

'Hé, kijk nóú eens!' riep Aurore uit, terwijl ze door het raam naar buiten keek. 'Als je het over de duivel hebt...'

De gestalte van Lucien Lestrade verscheen in de buurt van de kas. Hij hield een snoeischaar in zijn hand.

'Zeg niet dat hij weer komt werken! Hij begrijpt er dus helemaal níéts van!'

Vastbesloten voor eens en altijd een einde aan zijn bezoeken te maken, stond Pascale op en pakte haar jack alvorens naar buiten te stormen.

'Dag, Lucien!' riep ze, terwijl ze de treden van het bordes afvloog.

Hij draaide zich met een grote glimlach om.

'Wat brengt u hier?' vervolgde ze vriendelijk. 'Hebt u soms gereedschap laten liggen?'

Hij fronste zijn wenkbrauwen en keek even naar de snoeischaar in zijn hand.

'Nee, deze is van u, nou ja van Peyrolles. Ik kom de rozenstruiken snoeien. Zoals ze zeggen gaat er niets boven het snoeien in maart, maar dit jaar is de natuur vroeg. Het moet nú gebeuren.'

'Lucien, ik heb al een paar keer tegen u gezegd dat ik niet het geld heb om u in dienst te nemen.'

'Dat weet ik, maar uw vader heeft vooraf betaald, dus...'

Ondanks zijn goedige uiterlijk meende ze een beetje ironie in zijn stem te horen. Ze verstijfde.

'Heeft mijn vader u betááld?' herhaalde ze.

'Dat doet hij twee keer per jaar, altijd op tijd. Goed, ik ga, ik moet aan het werk!'

Hij liep weg, de gegriefde blik van Pascale negerend. Of hij loog – maar met welk doel? – óf de houding van Henry was dubbelzinnig. Hij had zo vaak tegen Pascale gezegd dat ze Lestrade kwijt moest zien te raken, waarom stuurde hij hem dan cheques? Ze stak haar hand in haar jaszak, haalde er haar mobiele telefoon uit en toetste het nummer van de kliniek in Saint-Germain in. Na vijf minuten onderhandelen werd ze eindelijk met haar vader doorverbonden. Ze stelde direct haar vraag.

'Lestrade? Maak je je daar maar niet druk om, lieverd, ik weet dat je urgentere uitgaven hebt dan de tuin en dat je wel iets anders te doen hebt dan te tuinieren. Beschouw het maar als een cadeautje van je ouwe vader! Mijn bescheiden bijdrage voor je geldverslindende Peyrolles... Maar zorg dat Lestrade er niet de kantjes van afloopt. Hij hoort in de herfst te komen voor het planten en aan het eind van de winter voor het snoeien. Punt uit. Het gaat erom het ontwerp van het park te behouden. Je moeder heeft zich zoveel moeite getroost, dat het zonde zou zijn om de boel te verwaarlozen, nietwaar?'

Na een paar liefdevolle woorden hing haar vader haastig op, haar ontredderd achterlatend. Hij bleef Peyrolles beschouwen als een 'geldverslindend object' waarvoor ze nooit de zorg op zich had moeten nemen, maar het was belachelijk dat hij zich voor de bloemen interesseerde. Bovendien was hij woest als ze iets tegen hem zei over Lucien Lestrade en zijn onverwachte bezoeken, en híj was degene die ze betaalde. Waarom?

Langzaam keerde ze terug naar de keuken, waar Aurore op haar zat te wachten en ondertussen een tijdschrift doorbladerde. Pascale vertelde wat er was gebeurd, zonder nadruk te leggen op het vreemde gedrag van haar vader. Daarna gooide ze haar koud geworden koffie in de gootsteen alvorens haar kopje opnieuw te vullen.

'Waar waren we gebleven?'

'We hadden het over mannen,' antwoordde Aurore met een grimas. 'Tussen haakjes, ik eet vanavond met Georges. Hij heeft zojuist gebeld. En jij?'

'Ik heb Laurent uitgenodigd hier te komen eten, maar ik rekende erop dat jij een van je verrukkelijke recepten voor ons zou uitdenken.'

'Hij zal zo blij zijn met jullie intieme samenzijn, dat je net zo goed stamppot van gekookt bordpapier voor hem kunt maken!'

Pascale begon te lachen. Ze verheugde zich op de komende avond, zoals altijd wanneer ze een afspraakje met Laurent had. Sinds Kerstmis hadden ze elkaar regelmatig gezien. In het weekend in de vliegclub, als Laurent haar meenam voor een vliegtochtje, en op sommige avonden in zijn lievelingsrestaurants in Toulouse en omgeving. Twee weken terug was Pascale in het ziekenhuis van Albi begonnen, en ze had het te druk gehad om aan ontspanning te denken. Ze wilde zo snel mogelijk worden opgenomen in het team longartsen, dat haar heel hartelijk had ontvangen. De sfeer op de afdeling was totaal anders dan in Purpan, waar Nadine Clément de scepter zwaaide. De artsen leken meer ontspannen, toegankelijker. Ze leken minder een strenge hiërarchie in acht te nemen, en ondanks hun drukke werkzaamheden hadden ze allemaal de tijd genomen om Pascale op haar gemak te stellen. Aan het eind van de eerste week had ze beseft dat haar collega's tot dan keihard hadden moeten werken vanwege de onderbezetting, en dat ze meer dan welkom was. Bovendien gaf haar ervaring in grote ziekenhuizen haar een zeker aanzien zonder dat het jaloezie opwekte.

'Ik begin om twaalf uur,' zei Aurore, 'dus ik moet weg. Je boft maar dat je vrij bent!'

'Het is de eerste keer dat ik een vrije dag heb. De laatste tijd heb ik keihard gewerkt!'

'Ja, maar zonder voortdurend door Nadine Clément te worden lastiggevallen. Ik geloof dat ze elk jaar erger wordt, en dit jaar zal geen uitzondering op de regel zijn. Iedereen benijdt je omdat je nu in Albi werkt, je hebt geluk! En dat is te zien, je bloeit helemaal op. Je lijkt wel de superknappe Chinese uit de serie *ER*...'

'Lijk ik op een Chinese?'

'Een beetje maar. Het exotische, de fluweelzachte ogen en de volmaakte huid.'

Pascale schaterlachte, ervan overtuigd dat Aurore een grapje maakte, maar die schudde haar hoofd met een ernstig gezicht.

'En je bent je er niet eens van bewust, dat maakt je juist zo sympathiek!'

Ze wilde de tafel afruimen, maar Pascale hield haar tegen.

'Ga maar, dat doe ík!'

Terwijl Aurore stilletjes verdween, begon Pascale de vaat in de afwasmachine te zetten. De vrije dag die zich voor haar uitstrekte was een echte beloning en ze wilde van elke seconde ervan genieten. Toen ze naar de openslaande deur liep, zag ze dat Lucien Lestrade bezig was de hibiscusstruiken te snoeien. Hij zou haar plezier om een wandeling in het park te maken vergallen, behalve als ze besloot niet bij de pakken neer te gaan zitten en van dichtbij te kijken hoe hij werkte. Ze moest absoluut het een en ander van hem te weten komen, en niet alleen wat tuinieren betrof.

Ze trok haar jack weer aan en vertrok om zich bij hem te voegen. In de kruiwagen lag al een grote berg afgeknipte takken, maar Lestrade bleef fluitend doorgaan met snoeien.

'U haalt wel een boel takken weg!'

'Dat is om de onderste, slapende knoppen wakker te maken,' legde hij uit. 'Bij dit soort struiken moet je niet aarzelen ze kort te snoeien.'

'En bij de rozenstruiken?'

'Ah, dat is aan de ene kant makkelijk, omdat de rozenstruiken nooit alleen maar doornstruiken zijn. Ze doen het altijd, zelfs als je stommiteiten uithaalt. Maar voor een mooie bloeitijd moet je er wel een beetje verstand van hebben.'

Hij zweeg en draaide zich naar haar om. Misschien was hij verbaasd over haar vragen omdat ze zich tot nu toe erg afstandelijk had getoond.

'Uw moeder was er heel goed in,' zei hij abrupt. 'U, ú bent dokter, u moet ergens anders werken, maar zij, zíj was er altijd...'

'Hebt u het haar geleerd, Lucien?'

'Ze wist bepaalde dingen intuïtief. Zo niet, dan vroeg ze het. Ze amuseerde me met haar uitgesproken mening over verscheidenheid en kleuren. We hebben samen rare dingen laten groeien! Ik zag slechts het detail, maar háár ging het om het geheel, dat besefte ik niet meteen. Soms vertelde ze me hoe de bloemen in haar moedertaal heetten.'

'Herinnert u zich dat nog?'

'Niet helemaal. Eens kijken... De orchidee heet *Lan*, de treurwilg *Duong Liêu* en kersenbloesem...'

Hij aarzelde even, fronste zijn wenkbrauwen en zocht in zijn geheugen. Pascale maakte de zin voor hem af.

'Anh Dào.'

'Ja, dát is het!'

Drie keer herhaalde hij het woord om het in zijn geheugen te prenten. Anh Dào was de voornaam van Pascales grootmoeder, de vrouw die niet had geaarzeld haar baby aan kapitein Montague toe te vertrouwen. Plotseling verdrietig deed Pascale een paar stappen naar achteren onder de verwonderde blik van Lestrade. Wanneer zou ze eindelijk toestemming krijgen om Julia te ontmoeten? Ze had bij de betreffende autoriteiten een officieel verzoek ingediend en uitgelegd wat haar relatie met Julia was. Er zou een soort uitspraak worden gedaan, die in het algemeen gunstig voor de familieband was. Julia was volwassen maar geestelijk gehandicapt, ze was niet in staat aan te geven wat zij wilde. Dus zouden anderen voor haar beslissen.

Laurent had Pascale geholpen bij haar pogingen om contact met Julia te krijgen, maar hij had zich daarbij terughoudend opgesteld. Hij begreep de wens van Pascale wel, maar hij betwijfelde of ze de ontmoeting zonder kleerscheuren zou doorstaan. Op wie leek Julia? In welke mate kon ze communiceren? En wat voor soort hulp hoopte Pascale haar te kunnen geven?

'Ik zal wel zien,' bromde ze zacht, 'ik móét het gewoon weten...'

Een behoefte die elke dag dringender werd.

'Zei u iets?' vroeg Lestrade achter haar.

Hij begreep natuurlijk niets van haar houding. Ze dwong zich tegen hem te glimlachen.

'O, het doet me deugd u een beetje vrolijk te zien! Anders zou ik denken dat Peyrolles álle vrouwen treurig maakt.'

De jarenlange triestheid van haar moeder was nu begrijpelijk voor Pascale. Ze had Adrien gehad, een schattig jongetje op wie ze al haar liefde had kunnen overdragen, en later was Pascale geboren, haar eigen dochtertje dat volkomen normaal was. Hoe zou ze Julia hebben kunnen vergeten? De herinnering aan haar kind had ongetwijfeld aan Camille geknaagd, haar achtervolgd, haar verwoest.

Ze keek om zich heen en zag plotseling het park van Peyrolles door de ogen van Camille. Gevangenis en paradijs. Huiverend haastte ze zich naar haar auto, die op de oprijlaan stond. Boodschappen doen in Albi, nadenken over haar etentje met Laurent, deze nachtmerrie verdrijven. Spoedig zou ze Julia zien. Ze zou het verleden van haar moeder en haar leed een gezicht kunnen geven.

Henry had absoluut geen haast. Hij had gelogen om aan de vragen van Pascale te ontsnappen. In werkelijkheid werkte hij steeds minder. Hij hield alleen nog maar een paar patiënten aan die hij al heel lang kende en met wie hij een speciale band had gekregen. In het uiterste geval bemoeide hij zich met zeldzame, afwijkende ziektegevallen die zijn nieuwsgierigheid als arts nog konden opwekken. Maar hij verliet zich steeds meer op Adrien. Na zijn pensionering zou de kliniek goed blijven draaien, dat was het belangrijkste, want hij zou zijn kinderen niets anders nalaten.

Om zich van zijn schuldgevoel te bevrijden had Henry enorme bedragen aan liefdadigheidsinstellingen gegeven. Die vrijgevigheid had hem soms gekalmeerd, maar op andere momenten had het hem aan zijn schuld herinnerd. En vandaag vroeg hij zich af of hij zijn eigen kinderen niet had beroofd.

Te bescheiden en veel te vriendelijk om hem naar zijn financiële situatie te vragen had Pascale Peyrolles gekócht, zonder te protesteren, zonder hem van krenterigheid of van onrecht te beschuldigen. Gierig was hij niet, verre van. Hij had alle wensen van Camille ingewilligd, hij had zijn geld verdeeld, hij had steeds harder gewerkt. Maar het was jezelf in een bodemloze put storten, terwijl het schuldgevoel intact bleef.

Na de dood van Camille was hij met alles gestopt. Doorgaan met betalen zou hem geen verlichting bieden, hij moest Adrien en Pascale beschermen.

Zoals hij wel tien keer per dag deed, keek hij verliefd naar Pascales trouwfoto op zijn bureau. Op het bordes van de kerk stonden Pascale en Samuel van geluk te stralen. Achter hen hield Henry Camilles hand vast. Een gebaar waarvan de enorme liefde, die zo duidelijk was, hem erg verdrietig stemde.

God, wat had hij van die vrouw gehouden! Hij zou alles voor haar hebben gedaan, echt alles... Behalve het belangrijkste, maar dat had hij te laat ontdekt.

Zijn blik gleed van Camille naar Pascale. Hij wilde niet dat zijn dochter het wist, dat ze hem beoordeelde, en natuurlijk véroordeelde. Hij zou het niet kunnen verdragen. Het was beter te blijven liegen en te zwijgen. Zelfs Julia Nhàn wist het niet – wat zou ze hebben kúnnen weten, de arme ziel? – en als de twee halfzussen elkaar uiteindelijk zouden ontmoeten, zou dat niet zo erg zijn. Trouwens, misschien had Julia een beter leven gehad in een omgeving waarin voortdurend medische zorg werd verleend.

Natuurlijk niet... Hij was arts, hij kende dat soort instellingen en wilde er liever niet aan denken. Toen Camille Julia aan de Kinderbescherming overdroeg, had ze al haar rechten verloren. Ze had niet kunnen achterhalen in welke instellingen het kind, dat een puber en later een volwassene was geworden, had gewoond. Dus hadden ze erin berust om anonieme schenkingen te doen aan organisaties die zich bekommerden om wezen, kinderen en gehandicapten, alles wat enigszins aan het lot van Julia deed denken.

Onophoudelijk had Camille herhaald, bijna ongelovig: 'Ik heb mijn baby verlaten.' Ze had niet begrepen hoe ze haar eigen drama had kunnen herhalen. Julia aandoen wat Lê Anh Dào háár had aangedaan. Om haar leed te verzachten had Henry haar op die momenten eraan herinnerd dat Abel Montague zich als een waardige, verantwoordelijke vader had gedragen door de zorg voor haar op zich te nemen, wat niet het geval was bij Raoul Coste! Heel snel had de woede het gewonnen van het verdriet en had Camille alle haat uitgebraakt die de herinnering aan die weerzinwekkende man bij haar opriep. Henry had naar haar geluisterd en een bittere genoegdoening geveinsd. Lange tijd was hij jaloers geweest op Coste, de eerste man die Camille had uitgekleed, had aangeraakt en gebruik van haar jonge meisjeslichaam had gemaakt. Een vent die volgens haar noch intelligent noch goed was, zelfs niet aantrekkelijk, maar door hem had ze aan de Montagues kunnen ontsnappen. Zielig verhaal, zielig leven, zielig meisje! Henry had haar teruggekregen toen ze er slecht aan toe was, als een levend gevilde kat. Hij had haar wonden verzorgd, maar de ergste opengemaakt...

Met zijn hoofd in zijn handen begon Henry te huilen.

'Goed, hè?'

Met een tevreden blik maakte Marianne rechtsomkeert en keerde terug naar Samuel, vrijwel zonder haar stok te gebruiken. Ze was al wekenlang fanatiek aan het revalideren en had enorme vooruitgang geboekt.

'Als de chirurg vindt dat mijn been sterk genoeg is, zal hij me toch wel toestemming geven om weer aan het werk te gaan?'

'Dat moet *hij* beoordelen,' antwoordde Samuel voorzichtig. 'Maar *ik* ben van mening dat je nog een maand herstel nodig hebt.'

Zichtbaar teleurgesteld zette ze haar stok tegen de muur en ging naast Sam op de bank zitten, ervoor wakend niet te dicht bij hem te komen. Gedurende die twee maanden van gedwongen nietsdoen had ze alle tijd gehad om na te denken. Aanvankelijk was hij vaak bij haar op bezoek geweest en had hij zich ondanks hun breuk erg om haar bekommerd, maar ze had geweten dat hij zich verantwoordelijk voelde en vond dat hij verplicht was zijn best te doen. Ze had hem handig gerustgesteld zonder iets van hem te eisen en ze had ervoor gezorgd dat elk van zijn bezoeken aan haar ziekenhuiskamer een genoegen was in plaats van een vervelende klus.

Samuel was te rechtschapen om haar in dit soort omstandigheden te laten vallen. Ze maakte zich geen illusies, ze kon van haar situatie profiteren, en dat had ze ook gedaan. Toen ze weer thuis was, was hij haar blijven opzoeken, terwijl hij ervan af had kunnen zien. Twee of drie keer per week kwam hij onverwacht langs, altijd met een bloemetje of een cadeautje. Hij vertelde haar de laatste nieuwtjes van Purpan, vermaakte haar met anekdotes en omhelsde haar teder alvorens weg te gaan. En ook al had zijn houding niets dubbelzinnigs, ze vond het fijn te geloven dat hij, in weerwil van zichzelf, bezig was zich aan haar te hechten.

'Als je wilt, neem ik je mee uit eten,' opperde hij. 'Het is al laat, ik sterf van de honger en ik heb geen eten in huis.'

Hij rechtvaardigde zich, alsof hij niet wilde dat ze zijn uitnodiging als een op liefde gebaseerd voorstel beschouwde. Daar moest ze om glimlachen.

'Goed idee! Ik zit de hele dag al binnen. Het zal me goed doen om er even uit te zijn.'

Ze klaagde nooit en speelde het moedige, opgewekte meisje, maar zodra hij haar kamer had verlaten, barstte ze soms in tranen uit. Het spelletje was moeilijk om te spelen, maar ze klampte zich er met al haar kracht aan vast. Ze pakte haar stok en wierp een vluchtige blik op de grote spiegel die haar eenkamerappartement optisch moest vergroten. Ze was vijf kilo afgevallen en had haar rondingen verloren, maar ze had nog steeds niet het figuur waar ze van droomde, namelijk dat van Pascale.

'Je zou een beetje dikker moeten worden,' zei hij, terwijl hij haar in haar jas hielp. 'Je hebt ingevallen wangen, dat staat niet mooi.'

Boos beet ze zich op de lippen en gaf geen antwoord. Het had haar heel wat moeite gekost om af te vallen, en dat om te worden bekritiseerd? Jammer dan! In zijn nabijheid zou ze gulzig eten, omdat hij van vrouwen hield die daar genoegen in schiepen, met het risico dat ze zich de rest van de tijd aan een streng dieet moest houden. Ze leverde de belangrijkste strijd van haar bestaan en zou zich niet laten ontmoedigen.

'Waar wil je naartoe?' vroeg hij met een ontwapenende glimlach.

'Naar Fazoul, *cassoulet* eten!'

Het interieur was smaakvol, het eten uitstekend, en het kaarslicht maakte de sfeer erg romantisch. Sam was romantisch, daar was ze zeker van. Had hij niet hartstochtelijk van zijn ex-vrouw gehouden, zozeer dat hij had gedacht dat hij ontroostbaar was? Zoals de meeste mannen verborg Samuel een grote gevoeligheid onder zijn energieke, vastberaden uiterlijk. Hij was minder zelfverzekerd dan hij wilde doen geloven. Ze zou uiteindelijk zijn zwakke plek vinden.

Toen ze onder de dikke balken van het aan het place Mage gelegen restaurant aan tafel zat, met op grootmoeders wijze bereide foie gras op haar bord, besloot Marianne dat dit een geschikt moment was om een poging tot herovering te doen.

Er brandde een groot vuur in de open haard van de studeerkamer. Pascale en Laurent zaten tegenover elkaar in de twee oude fauteuils te praten. Ze sprongen van de hak op de tak.

'Je zult toestemming krijgen, daar ben ik zeker van, maar bereid je goed op die ontmoeting voor. Het zal heel moeilijk voor je zijn.'

Hij keek haar aan met een bijna liefdevolle bezorgdheid die haar aanmoedigde hem in vertrouwen te nemen, en eindelijk te vertellen dat ze bang was voor de confrontatie met Julia.

'Mijn vader heeft me al gewaarschuwd en hij zou me het het liefst hebben ontraden, dus moet hij zich wel zorgen om me maken.'

'Alles hangt af van wat je verwacht, wat je hoopt, in weerwil van jezelf.'

'O, nee, ik...'

'Natuurlijk wel. Dat kán gewoon niet anders!'

Pascale hield op zich te verdedigen: Laurent had gelijk. Ze kon het niet laten zich een voorstelling van Julia te maken, en elke keer moest ze het beeld van zich afzetten. Haar veertigjarige halfzus was waarschijnlijk dicht bij het einde van haar leven, en Pascale zou alleen maar op een primitieve manier met haar kunnen communiceren.

'Ik probeer me geen illusies te maken,' zei ze slechts.

'Maar je bent ongeduldig, nietwaar?'

'Heel erg! Al weet ik dat ik de loop van het lot niet meer kan veranderen, dat ik helemaal niets voor die vrouw kan betekenen, toch wil ik haar zo snel mogelijk zien.'

'Je zult je teleurgesteld voelen, Pascale. En gefrustreerd. Want je zult machteloos zijn, dat heb je zojuist zelf gezegd...'

De houtblokken stortten met een regen van vonken in. Laurent ging naar het haardvuur, porde het op en voegde er hout aan toe. Intussen schonk Pascale thee in. Praten met Laurent was makkelijk, alsof ze elkaar al heel lang kenden, terwijl ze niet veel van elkaar wisten.

'Machteloos, ja,' gaf ze toe, 'maar ook enigszins schuldig.'

'Waaraan?'

'Omdat ik bemind, vertroeteld en beschermd ben. Waarom ík wel en zíj niet?'

'Naar wat ik heb begrepen was je moeder op dat moment niet in staat voor haar te zorgen. Een gehandicapt kind is een grote verantwoordelijkheid. Door haar baby aan de Kinderbescherming toe te vertrouwen kon ze een nieuw leven beginnen, en jou op de wereld zetten... Mij zul je er niet over horen klagen!'

Hij wierp haar zo'n tedere glimlach toe, dat ze even ophield met ademhalen. Tot dan was ze niet gezwicht voor de aantrekkingskracht die hij op haar uitoefende. Was het misschien tijd om een einde aan het spel van verleiding te maken? Ze doorstond zijn blik in stilte. Zoals altijd raakte hij als eerste in verlegenheid.

'Je moeder lijkt een moeilijke jeugd te hebben gehad,' zei hij om zich een houding te geven.

'Ze was ontworteld. Ik weet niet wat voor leven ze in Vietnam zou hebben gehad als ze er was gebleven, maar...'

'Schande en ellende, niets anders. Of het nou om Vietnamezen gaat of om Japanners die hen hadden overweldigd, de bastaard van een Franse officier had toen geen enkele kans te midden van hen gehad. Noch zij, noch haar moeder. Haar vader heeft er goed aan gedaan om haar mee te nemen naar Frankrijk.'

'Behalve dat ze het slecht heeft getroffen bij de familie Montague!'

'Montague?' herhaalde hij verwonderd.

'Kapitein Abel Montague, mijn grootvader. Hij heeft mijn moeder officieel erkend.'

'Die naam komt me bekend voor.'

Hij nam de tijd om na te denken, maar ten slotte haalde hij zijn schouders op.

'Ik weet het niet. Toch heb ik een vrij goed geheugen... In elk geval had die kapitein Montague plichtsgevoel. Tot welk korps behoorde hij?'

'Lichte artillerie, geloof ik. Mijn moeder sprak niet graag over haar familie, maar voor haar vader maakte ze een uitzondering. Ze beschreef hem als een van de koloniale militairen die daar een minnares namen, omdat ze zo lang van huis waren. Ze veroordeelde hem niet, ongetwijfeld omdat hij haar als enige een beetje liefde had gegeven. In bepaalde opzichten was het een achtenswaardige man, hij had alle mogelijke militaire onderscheidingen voor zijn veldtochten gekregen. Jammer genoeg had hij ook de nare gevolgen van dysenterie, malaria en andere ziekten meegenomen. Daaraan was hij vroegtijdig gestorven. Mijn moeder bleef alleen bij de wolven achter... Toen ze de familie Montague verliet, die haar heel slecht behandelde, nam ze als aandenken slechts een kartonnen doosje mee waarin ze het Legioen van Eer, de Franse ridderorde, van haar vader bewaarde.

Pascale zweeg, het verbaasde haar dat ze er zoveel van wist. Haar moeder had haar zo zelden in vertrouwen genomen, dat haar ontboezemingen onbewust indruk op Pascale hadden gemaakt.

'Je lijkt je zeer betrokken te voelen bij deze geschiedenis,' stelde Laurent met een glimlach vast. 'Dat is normaal. Men wil altijd meer over zijn oorsprong weten, maar men vergeet de familieleden ernaar te vragen als het er nog niet te laat voor is.'

'Dat is waar. Ik weet bijvoorbeeld niets van mijn grootmoeder, Anh Dào. En een paar maanden geleden heb ik pas een van mijn ooms Montague voor het eerst ontmoet. Misschien had ik dat niet moeten doen, misschien is het beter de familiegeheimen te laten rusten. Voordat ik naar Peyrolles terugkeerde, interesseerde ik me er niet zoveel voor. Het leek allemaal simpel dankzij de Fontanels, het artsengeslacht zonder al die geheimen. Maar vreemd genoeg heb ik het spoor van mijn moeder hier gevonden!'

'Omdat je dat zoekt sinds je het trouwboekje hebt ontdekt.'

Hij ging weer tegenover haar zitten, op het puntje van zijn stoel, hun knieën raakten elkaar.

'Geloof je in het familiale onbewuste?' vroeg ze langzaam.

'Wat bedoel je?'

'De morele erfenis van onze voorvaderen, met hun emoties, hun ervaringen, en ook de rouw die ze niet hebben kunnen afmaken en waarvoor je de verantwoording op je neemt.'

'Nee!' riep hij lachend uit. 'De psychogenealogie en dat soort onzin? Absoluut niet... De woorden van psychiaters en psychologen kunnen me niet overtuigen, ik heb de indruk dat het een hype is. Oké, soms zijn er erfelijke lasten, maar elke verklaring of gevolgtrekking maakt me sceptisch.'

Met een zacht gebaar legde hij zijn hand op die van Pascale.

'Ik ben verliefd op je, dáár heb ik geen twijfels over!'

De behaaglijke sfeer in de studeerkamer en het late uur hadden hem waarschijnlijk geholpen de moed te vinden het haar te bekennen, hoewel hij te snel had gesproken, en uit verlegenheid een beetje over zijn woorden was gestruikeld. Nu keken zijn staalblauwe ogen Pascale onrustig aan.

'Je bent een erg aantrekkelijke man, Laurent,' zei ze zacht.

Hij legde voorzichtig zijn vrije hand om haar nek en trok haar tegen zich aan. Afgezien van het lichte gesis van de gloeiende kooltjes zonderde de stilte van het huis hen af van de rest van de wereld. Ze omhelsden elkaar lang, zonder enige gêne, nieuwsgierig om te ontdekken hoe de ander smaakte. Daarna drukte Pascale haar voorhoofd tegen de schouder van Laurent en kwam weer op adem. Hij profiteerde ervan om haar nog dichter tegen zich aan te trekken en de haarklem te verwijderen die haar haren bijeenhield.

'Ik sterf van verlangen om ze aan te raken,' fluisterde hij. Hij liet zijn hand langs een lok glijden en raakte even een borst aan, door haar trui heen. Geprikkeld door dat contact maakte Pascale zich van hem los en ging abrupt staan.

'Kom mee,' besloot ze.

Pascale lag lekker warm onder het dekbed. Ze wierp een blik op de wekker, die halfzes aangaf en nog niet was afgegaan. Daarna richtte ze haar aandacht weer op Laurent. Hij was bezig zijn coltrui aan te trekken, waarna zijn haren in de war zaten.

'Kan ik je vandaag bellen?' vroeg hij. 'Het spijt me dat ik nu moet vertrekken, maar...'

'Verontschuldig je niet, het is normaal, ik moet ook om acht uur werken.'

'Ik verontschuldig me niet, het spijt me écht.'

Hij knielde naast het bed en nam met een teder gebaar Pascales gezicht in zijn handen.

'Ik wilde niet alleen met je vrijen, maar ook het bed met je delen,' zei hij met dezelfde tedere glimlach als de avond ervoor. 'Blijf nog een uurtje slapen, dat is beter dan niets...'

Hij gaf haar een kus, ging staan en verliet de kamer. Peinzend luisterde Pascale naar zijn voetstappen op de trap, het geluid van de voordeur en daarna zijn auto die startte. Aurore was niet teruggekomen – ongetwijfeld gaf ze er de voorkeur aan de nacht bij Georges door te brengen – en dus was het uitgesloten dat ze aan het voeteneinde kwam zitten om Pascale met vragen te bestoken. Jammer, haar humor zou welkom zijn geweest.

Ze sloeg het dekbed terug, stond op en ging snel een douche nemen. Slapen was niet aan de orde, ze hád geen slaap. Trouwens, ze wilde de keuken aan kant maken voordat ze vertrok. Ze was gewend aan diensten van vierentwintig uur. Een werkdag na een slapeloze nacht was voor haar geen probleem.

Gekleed in een kersenrode trui, een fluwelen spijkerbroek en soepele mocassins liep ze naar de studeerkamer, waar het theeblad nog naast de fauteuils stond. Onder de as in de open haard lagen nog een paar kooltjes te gloeien. Even bleef Pascale staan, het blad in haar hand, en liet haar blik dwalen door de kamer waar ze zoveel van hield. Had ze terecht toegegeven aan de begeerte die Laurent bij haar opwekte?

Toen ze de keuken had bereikt, ruimde ze de tafel af en zette koffie. Die laatste uren brachten haar in verlegenheid, ze was stralend en teleurgesteld tegelijk. Laurent was een goede minnaar, buitengewoon vaardig, erg gevoelig, en ze had het heerlijk gevonden de liefde met hem te bedrijven. Maar ze vond hem té betrokken, hij leek voor een serieuze relatie te gaan, terwijl zíj nog in het stadium van louter fysieke aantrekkingskracht was.

Had ze zin in een mán in haar leven? In die man? Was ze bereid een toekomst met hem op te bouwen? Op dit moment voelde ze niet de vonk van de passie, zoals vanaf het begin van haar relatie met Samuel het geval was geweest.

De eerste nacht in de armen van Sam was een onmiddellijke openbaring geweest, een betovering. Ze had meteen geweten dat ze écht van hem hield, dat ze hem niet meer wilde verlaten. Deze ochtend wist ze niets van dat alles.

Ze had een zeer intiem moment met Laurent gedeeld, maar waar was de slappe lach, de vervoering, het gevoel van zo licht als een veertje te zijn? Ze zou nu neuriënd in haar schuimbad moeten liggen, dromend over hun volgende ontmoeting, in plaats van plichtmatig de vaat te doen. Ze had verdrietig moeten zijn omdat hij zo vroeg was vertrokken, en ongelukkig, omdat hij niet met haar kon ontbijten. En waarom had ze zojuist aan Sam gedacht? Waarom vergeleek ze andere mannen altijd met hém? Trouwens, hoe zou het met hem gaan? Hoe lang was het geleden dat hij voor het laatst had gebeld?

Met een diepe zucht schonk ze opnieuw koffie in. Laurent was een goede man, en tot nu toe had hij haar uitstekend geholpen. Charmant, innemend, intelligent, briljant, ongebonden, in staat om haar een orgasme te bezorgen, wat wilde ze nog meer? Zou Laurent niet een ideale vader zijn voor de kinderen naar wie ze zo had verlangd? Ze probeerde zich voor te stellen dat Laurent en zij samenwoonden op Peyrolles of in zijn voorname herenhuis in Toulouse.

'Nee, ik wil hier blijven,' bromde ze. 'En als hoge ambtenaar kan hij overal naartoe worden gestuurd!'

In werkelijkheid wist ze niet of dat zo was, maar dat vooruitzicht vormde een eerste verklaring van haar terughoudendheid.

'Lieg niet tegen jezelf, daar schiet je niets mee op...'

Misschien kon ze niet verliefd worden. Was ze te geobsedeerd door Julia, te zeer in verwarring door het familieverleden? Ze sloot haar ogen en zag Laurent voor zich zoals hij een paar uur geleden uit de badkamer was gekomen, met een handdoek om zijn heupen. Heel mooi in het gedempte licht van de slaapkamer. Heel erg begeerlijk met zijn gladde huid, zijn heldere blik en zijn aarzelende glimlach. Geen grammetje vet te veel – Sam was zwaarder – babywangetjes – Sam moest zich twee keer per dag scheren – en heel kort haar, in tegenstelling tot Sam, die stelselmatig vergat naar de kapper te gaan.

'Nou, zo doet hij je aan niemand denken!'

Ze spoelde het doekje uit waarmee ze zojuist de tafel had afgeveegd. Ze kon net zo goed meteen vertrekken, dan zou ze een beetje vroeg in het ziekenhuis zijn en koffie kunnen drinken met de co-assistent van haar afdeling. Ze had het heel erg naar haar zin in het ziekenhuis van Albi, en er was genoeg te doen. Als ze eenmaal aan het werk was, zou ze vast geen tijd meer hebben om aan Laurent te denken. Als hij haar belde en ze zijn stem hoorde, zou ze wel zien wat ze voelde en of haar hart sneller klopte.

Laurent meldde de verkeerstoren dat hij klaar was voor vertrek. De luchtverkeersleider gaf aan naar welke baan Laurent zich moest begeven. Hij taxiede de Robin in die richting, vol verlangen om op te stijgen. Op dat vroege uur was hij een van de eerste piloten van de vliegclub die vloog. Er was heel weinig bedrijvigheid rond de hangaars of op de startbanen.

Na bij het begin van de baan een laatste controle te hebben uitgevoerd, testte hij de motor en nam opnieuw contact op met de toren.

'Alfa Fox wacht op O4, positiebepaling en opstijgen.'

'Alfa Fox opstijgen toegestaan, wind nul zestig, tien tot twaalf knopen,' hoorde hij in zijn koptelefoon.

Hij begon te versnellen en voelde de trillingen van het vliegtuig dat snelheid maakte. Vierhonderd meter verder steeg de Robin op.

Eigenlijk moest hij in zijn werkkamer in Purpan zijn. Dit was de eerste keer dat hij spijbelde. Hij had niet eens de moeite genomen om een goede smoes te verzinnen toen hij zijn secretaresse op de hoogte bracht.

Nadat hij van Peyrolles was teruggekeerd, was hij naar zijn huis gegaan om zich te verkleden. Hij kon niet met een trui aan naar zijn werk gaan. Onder de douche had hij constant gefloten, en toen hij zijn das knoopte had hij zichzelf luidkeels horen zingen. Een kwartier later was hij gezwicht. Hij had zijn keurige pak en zijn hagelwitte overhemd met een gerust geweten omgewisseld voor een spijkerbroek, een sweatshirt en zijn pilotenjack. De aandrang om in de Robin rond te vliegen was het sterkst geweest: gelukkig maar! Hij zou niet hebben kúnnen werken. Hij liep te veel met zijn hoofd in de wolken, hij moest eerst kalm worden.

De verkeerstoren gaf de laatste instructies aan hem door en wenste hem een goede vlucht. Goed? O, vast en zeker! Na een bocht, een beetje te scherp, steeg hij snel naar kruishoogte.

Hij had Pascale in zijn armen gehouden, hij had de liefde met haar bedreven, zeker weten. Hij was verliefd op haar sinds de dag waarop ze zijn werkkamer voor het eerst had betreden, pas aangekomen uit Parijs en door Samuel voorgesteld. Tien keer, honderd keer had hij geprobeerd haar tegen te komen in de gangen of op de binnenplaatsen van het ziekenhuis. Hij had zich als een onvolwassen middelbare scholier gedragen. Later had hij bij elk van hun ontmoetingen zijn uiterste best gedaan om niet te hard van stapel te lopen, en hij had elke kans aangegrepen om haar van dienst te zijn. Op de klachten van professor Clément had hij slechts geantwoord dat Pascale Fontanel een uitstekende arts was.

Ja, een uitstekende arts, een sterke vrouw, een exotische schoonheid met een zeldzame aantrekkingskracht en... en wat al niet meer! Een vrouw die hem fascineerde en tegelijkertijd angst aanjoeg. Maar hoe beter hij Pascale had leren kennen, hoe meer hij een kwetsbaarheid in haar had ontdekt waarvan hij in het begin geen idee had gehad, een kwetsbaarheid die haar toegankelijker en nóg aantrekkelijker maakte. Hoe had Samuel zo dwaas kunnen zijn om haar te laten vertrekken? Goed, hij had er duidelijk spijt van als haren op zijn hoofd, maar hij had wél met de scheiding ingestemd.

Laurent zette Samuel uit zijn hoofd, zich er heel goed van bewust dat hij later weer aan hem zou moeten denken. Vanmorgen baadde hij in geluk en dat vond hij zo lekker, dat hij zich niet wilde laten afleiden.

Hij dwong zich om naar de wijzers te kijken en de instrumenten te controleren. In een vliegtuig vliegen was beslist minder opwindend dan in een helikopter, maar hij was in elk geval alleen en kon naar hartenlust vreugdekreten slaken of een looping uitvoeren. Het zou moeilijk zijn geweest om dat te doen als hij naast Sam in de Jet Ranger had gezeten! Maar zou hij Sams leerling kunnen blijven als Sam boos was om alles? Wat zou er overblijven van hun vriendschap? Zodra hij bekende de minnaar van Pascale te zijn, zou het onvermijdelijk oorlog worden.

De minnaar van Pascale! Hij had haar huid gestreeld, heel zacht, hij had zijn handen door haar zijdezachte haren laten gaan, hij had haar smalle heupen en haar superlange benen tegen zich aan gevoeld... Die vrouw was zo sensueel als een mooi dier, nerveus en soepel, ongeduldig en bedreven... Mijn God! Hij kon zich niet herinneren ooit zo gelukkig te zijn geweest.

Op één detail na. Een detail waar hij zijn ogen niet voor sloot: Pascale was niet verliefd op hem. Hoogstens was het hem gelukt haar belangstelling te wekken, en daarna haar begeerte. Ze vond hem aantrekkelijk, daar twijfelde hij niet meer aan. Hij had al haar wensen vervuld en nog meer. Maar ze híéld niet van hem. Nóg niet.

Hij liet het vliegtuig overhellen om naar beneden te kijken. Alleen in deze heldere hemel maakte hij een korte duikvlucht voordat hij de neus van de Robin weer omhoogbracht. Wat moest je doen om door een vrouw als zij te worden bemind? Hij was tot álles bereid! Na zich er opnieuw van te hebben verzekerd dat er geen ander vliegtuig in de buurt was, maakte hij een zeer geslaagde rolvlucht, die hem een jubelkreet ontlokte. Met zijn ogen op de horizon gericht liet hij een lange zucht van voldoening ontsnappen, daarna ontspande hij zich en controleerde automatisch de wijzers. Zijn leven lang had hij gevochten om te krijgen wat hij wilde, en nu wilde hij Pascale! Hij nam zich heilig voor daar koste wat kost in te slagen.

Eindelijk gekalmeerd voerde hij een volmaakte halve draai uit en zette koers naar de vliegclub.

10

SAMUEL VERLIET DE BANK MET HET NARE GEVOEL DAT HIJ NIETS HAD opgelost. Het geld kon geen troost bieden en ook niet alles goedmaken, maar hij zag geen andere mogelijkheid om Marianne te helpen. Ze had geen hoog salaris, het ongeluk had haar geen geld moeten kosten. Telkens wanneer hij haar kleine flat binnenkwam, voelde hij zich ontzettend schuldig. Ze zat daar al wekenlang vast, haar krukken beletten haar naar buiten te gaan. Een van de weinige afleidingen die ze had was de dvd-speler die hij haar had gegeven. Natuurlijk kwam haar moeder bij haar langs, vrienden misschien, maar toch was het zíjn schuld dat ze zich sinds de kerst verveelde. Ze had geen geld om zich te vermaken of naar een aangenaam oord te gaan om te herstellen. Aangezien ze magerder was geworden zou ze vast en zeker behoefte hebben aan een nieuwe garderobe, en ongetwijfeld droomde ze van dingen die ze zich nooit zou kunnen permitteren. Omdat hij geen liefde voor haar voelde kon hij niet van haar houden, maar hij kon wél haar materiële zorgen verlichten. Maar hoe moest hij dat aanbieden zonder dat hij haar kwetste of vernederde? Een cheque was beslist niet wat ze van hem hoopte te krijgen!

Vanmorgen was hij bij zijn bank geweest, nadat hij zich suf had gepiekerd zonder een aanvaardbare oplossing voor het probleem te vinden. Hij had een fors bedrag op zijn rekening-courant gestort, zodat hij haar dat geld elk moment kon geven. Zou het correcter zijn er eerst met de ouders van Marianne over te praten? Nee, dan zou ze het gevoel kunnen hebben dat ze als een klein kind werd behandeld of gemanipuleerd. Hij moest een gesprek met háár voeren.

Samuel had geen geldproblemen, maar hij begreep die van anderen. De aanzienlijke erfenis van de familie Hoffmann had ervoor gezorgd dat hij zich op jonge leeftijd, hij was net meerderjarig geworden, al geen zorgen over zijn financiële toestand hoefde te maken. Hij had besloten voorzichtig te zijn, en hij had zijn kapitaal verstandig belegd. Soms zei hij tegen zichzelf dat hij in zaken zou zijn gegaan als hij geen arts was geworden. Gelukkig boeide zijn werk als anesthesist hem meer dan de beurskoersen. Trouwens, hij vond niet dat hij het recht had om geld wat door anderen was verdiend te verkwisten, te meer daar hij heel goed van zijn salaris kon leven.

Toen hij bij zijn auto kwam, aarzelde hij. Hij had niet zoveel zin om naar Marianne te gaan, maar hij wilde de kwestie zo vlug mogelijk regelen. Hij liep er al een paar dagen aan te denken en de vorige dag, toen hij in haar huis een stapeltje nog te betalen rekeningen had zien liggen, had hij zijn besluit genomen. Hij móest het onderwerp aansnijden, ook al zou ze kwaad worden.

Hij baande zich een weg door het drukke verkeer van de binnenstad en reed in de richting van Mariannes woning. De tijd die hij aan Marianne gewijd had, had hem belet zo vaak als hij wilde naar de vliegclub te gaan. Hij had zelfs een paar leerlingen van hem aan een andere instructeur moeten overdragen. Op het moment dat hij voor een rood stoplicht stopte, boog hij zich naar voren en tuurde door de voorruit naar de lucht. Strak blauw, en geen wolkje te bekennen. Volgens het weerbericht zou het een prachtige week worden, blijkbaar was de lente nu écht gearriveerd. Hij slaakte een zucht, overweldigd door een onweerstaanbaar verlangen om te vliegen. Hij zou er alles voor over hebben om achter de stuurknuppel van een helikopter te zitten en over de boomtoppen te vliegen. Misschien met Pascale naast zich, terwijl ze enthousiast naar een detail van het landschap wees, of in haar microfoon lachte en er niet in slaagde te veinzen dat ze niet zélf de helikopter wilde besturen...

Maar Pascale belde niet. Ze liet niets van zich horen, en hij kon haar niet meer in de ziekenhuisgangen van Purpan tegenkomen. Ze zou wel door haar nieuwe baan worden opgeslokt. Ze was een perfectioniste, en ze zou zich zo snel mogelijk aan het artsenteam van het ziekenhuis van Albi willen aanpassen. Daar werd ze niet geconfronteerd met Nadine Clément, wat haar leven vast en zeker veranderde.

Toen hij bij het flatgebouw van Marianne was gekomen, moest hij drie keer om het huizenblok heen rijden voordat hij een parkeerplaats vond. Wonen in een grote stad viel niet altijd mee, maar hij had het nog steeds erg naar zijn zin in Toulouse, en hij had nooit spijt van zijn keuze gehad.

Toen hij uit zijn auto stapte, zag hij vijftig meter bij hem vandaan iemand over het trottoir hinken. Met haar stok in haar ene hand en een plastic tas van een supermarkt in de andere kwam Marianne terug van het boodschappen doen. Sams keel kneep dicht, hij werd overmand door medelijden en genegenheid. De zon bescheen de blonde krullen van de jonge vrouw, terwijl ze zich met onzekere stappen voortbewoog. Ze hield haar hoofd gebogen om te kijken waar ze haar voeten neerzette. Ze zag Samuel pas op het moment dat ze vlak bij hem was. En toen begon ze te stralen.

Adrien speelde met de schaakstukken die Pascale hem met kerst had gegeven. Hij schoof het paard naar de toren, die omviel. Hij keek even naar de fraai bewerkte, zwarte en witte pionnen, en toen haalde hij zijn schouders op. Hij was een voortreffelijke schaker, die geen gelijkwaardige tegenstander meer kon vinden en al in geen jaren een partij had verloren. Hij zette de toren weer overeind, plaatste het paard weer naast de loper, stak een sigaret op en nam een fikse trek. Zijn vader was er niet in geslaagd hem van het roken af te brengen. Adrien had er behoefte aan om zijn angsten in bedwang te houden.

Hij was laat teruggekomen van de kliniek. De kruidenierswinkel waar hij regelmatig kwam was al dicht. De winkel sloot om zeven uur, en zijn koelkast was zo goed als leeg. Te veel werk, onvoldoende tijd, dieptreurige gewoontes van een vrijgezel: wanneer zou hij eindelijk eens een geregeld leven gaan leiden? Het was Pascale gelukt, ondanks haar scheiding, ondanks haar absurde idee om zich op Peyrolles te vestigen, dat grote, afgelegen huis waar de geesten haar zelfs niet beletten te slapen!

Hij glimlachte triest bij de gedachte aan geesten die door de gangen van Peyrolles rondwaarden om Pascale en haar vriendin Aurore schrik aan te jagen. Nee, natuurlijk geen spoken in witte lakens die met hun ketenen rammelden, maar een massa pijnlijke, vage herinneringen, die je beter op afstand kon houden.

Adrien herinnerde zich nog heel goed de tijd waarin de familie Peyrolles had verlaten. Híj was blij geweest met de verhuizing en met zijn inschrijving aan een Parijse faculteit. Hij was vol enthousiasme vertrokken. Camille had hem eerst opgedragen allerlei dingen naar de zolder te brengen, meubels en voorwerpen die ze niet wilde verkopen en ook niet naar Saint-Germain wilde meenemen. Daarna had ze de deur van de zolder afgesloten en in het huurcontract laten opnemen dat de zolderverdieping van het huis niet toegankelijk was. Had ze op dat moment gedacht dat haar oude trouwboekje, zorgvuldig in de la van een kaptafel bewaard, twintig jaar later door haar dochter zou worden ontdekt? Waarschijnlijk niet. Maar waarom had ze het dan dáár verstopt? Omdat ze er niet toe kon komen het te vernietigen? Omdat het het laatste en enige overgebleven bewijs van Julia's bestaan was?

Henry had bijna niets voor hem verborgen gehouden. Adrien kende die episode uit Camilles leven. Haar trieste jeugd, en haar gehandicapte kind. Zijn liefde voor degene die hij 'mama' noemde was er alleen maar groter door geworden. Van zijn andere moeder, de biologische, de mooie vrouw die Alexandra heette, bestonden slechts een paar foto's die zijn vader plechtig aan hem had overhandigd op zijn tiende verjaardag.

Camille was heel goed voor hem geweest. Zacht, lief, moederlijk, ze had hem overstelpt – overvoerd? – met liefde. Hij was het mooiste jongetje van de hele wereld, het intelligentste, alles wat hij deed verdiende applaus. Toen hij het gevoel begon te krijgen dat hij stikte, was Pascale geboren. Gelukkig maar. Camille had hem eindelijk laten ademhalen zonder haar belangstelling voor hem te verliezen. Kortom, alles was goed afgelopen.

Jammer genoeg zocht Adrien naar de absolute liefde, zoals hij die in zijn jeugd had gekend. Hij was getuige geweest van de hartstochtelijke liefde van zijn vader voor Camille, en Camille had hem, Adrien, bedolven onder al haar liefde. Daardoor lukte het hem niet zich in zijn volwassen leven gelukkig te voelen. En al zijn vrolijke stapavonden als student en daarna als verstokte vrijgezel hadden daar niets aan veranderd. Op zijn veertigste wist hij dat zijn zoektocht geen einde zou hebben.

Elk liefdesavontuur verliep op dezelfde manier: hij wilde als de mooiste, de intelligentste worden beschouwd, met applaus op de koop toe. Te snel eiste hij te veel van de vrouwen die van hem hadden kunnen houden, en hij liet hen meteen vallen als hij constateerde dat hij niet het onderwerp van hun aanbidding was. Hij had heimelijk een analyse gemaakt. Nooit ging hij verder dan de eerste afspraakjes.

Hij zat niet lekker in zijn vel, maar hij leidde iedereen om de tuin en speelde overal de rol van gangmaker. Voor zijn vader en voor zijn zus zette hij een kalm gezicht op, dat van de vrouwenjager die blij was met zijn succes in de liefde, terwijl hij wanhopig gefrustreerd was.

Hij slaakte een zucht, terwijl hij voor zijn lege koelkast stond. Jammer dan, hij zou pasta voor zichzelf klaarmaken. Hij had altijd een paar pakken pasta en potten saus in voorraad. Hij kon ook zijn vader bellen om hem voor een etentje in een restaurant uit te nodigen, maar hij had niet zoveel zin om weer naar buiten te gaan. En ook niet om zijn vader vanavond te zien, want zijn hoofd zat vol vragen. Vragen dat je beter niet kon stellen zonder er eerst over te hebben nagedacht.

Door Pascale en het familieverleden dat ze onophoudelijk oprakelde, kwamen er dingen bij hem boven waarvan hij had gedacht dat hij ze vergeten was. Bijvoorbeeld, hoe en waarom Camille er meteen was geweest, vlak nadat zijn moeder bij de brand was omgekomen. Waarom had Camille haar intrek op Peyrolles genomen vóórdat ze was getrouwd, op gevaar af de hele buurt te choqueren? Omdat ze nog niet van Coste was gescheiden? Ongetwijfeld, maar wanneer en waar had zijn vader, een kersverse weduwnaar, haar ontmoet? Ze had net haar kind afgestaan, en Henry Fontanel had haar een ander kind aangeboden, kant-en-klaar, en toen had ze onmiddellijk de plaats van Henry's overleden vrouw ingenomen. Mensen hadden gemene opmerkingen gemaakt die Adrien, ondanks zijn jeugdige leeftijd, toch had onthouden.

En, nóg verwarrender, waarom had Henry het gerucht verspreid dat de kleine Julia was overleden? Om Camille vragen te besparen? En ten slotte, de definitieve breuk met de familie Montague leek een beetje vreemd, inclusief de manier waarop Camille van háár deel van de erfenis had afgezien, enkel en alleen om de mensen met wie ze was opgegroeid niet te hoeven ontmoeten.

Pascale wees op al die leugens, die onuitgesproken dingen, ze aarzelde niet hun vader te beschuldigen. En vandaag gaf Adrien haar geen ongelijk. Als er écht een zieke plek was, moest je hem wegsnijden. Daarna zou iedereen zich misschien beter voelen. Hij in elk geval wel!

Hij proefde van de pasta, verbrandde zijn lippen en vloekte. Hij had al geen honger meer.

'Ik weet niet eens meer hoe we het deden vóórdat u er was!' zei dokter Lebel met zijn stentorstem.

Hij was klein, dik, kaal en joviaal, en tot aan de komst van Pascale had hij het grootste deel van de spreekuren van de longartsen voor zijn rekening genomen.

'U bent een godsgeschenk, kleine Pascale! En aangezien u bovendien begaafd bent, ga ik maar weer golfen...'

Zijn glimlach weerlegde zijn woorden. Hij was een workaholic, en hij had nog nooit in zijn leven een voet op een golfbaan gezet. Pascale wierp hem een samenzweerderige blik toe en gaf hem een dossier.

'Deze patiënt stelt me voor problemen. Ik zou graag uw mening erover willen horen.'

Terwijl hij naast haar liep, verdiepte hij zich in de onderzoeksresultaten en luisterde naar haar klinische verslag. Toen bromde hij iets onverstaanbaars en schudde zijn hoofd.

'Ik geef u mijn mening op één voorwaarde: we tutoyeren elkaar. Wat vindt u daarvan?'

Geamuseerd accepteerde ze zijn voorstel. Hij gaf haar het dossier terug en zei: 'Ik ben het eens met je diagnose. Je zou hem in het ziekenhuis moeten opnemen. Koffie?'

Ze waren al pratend bij de koffieautomaat gekomen. Lebel rommelde in zijn zakken.

'Mis je Purpan nog steeds niet?'

'O, nee!' riep ze met een onbezorgde glimlach. 'En vooral niet professor Clément, die zo welwillend naar me keek als naar een schorpioen die op haar afdeling was verdwaald. Maar het moet gezegd dat ze zeer deskundig is.'

'Ik ben co-assistent onder haar geweest, toen ze nog niet de grote baas was. Maar ze was al wel van plan dat te worden en de plaats van de toenmalige grote baas in te nemen. We wisten dat haar dat zou lukken. Haar ambitie was evenredig aan haar talent. Haar benoeming was een goede keus. Behalve voor haar medewerkers, natuurlijk... Heb je je overplaatsing aangevraagd vanwege haar rotkarakter?'

'Nee, niet echt. Meer om persoonlijke redenen. Ik woon vlak bij Albi...'

'Wiens rotkarakter?' vroeg de man die bij hen was komen staan.

'Koffie, Jacques?' vroeg Lebel. 'We hadden het over Nadine Clément.'

Jacques Médéric, het hoofd van de afdeling, gaf Pascale een knikje, bij wijze van groet.

'Ik ben er zeker van dat u veel beter hier kunt zijn, dokter Fontanel... En ik zie hoe opgelucht onze vriend Lebel is! We hadden dringend behoefte aan een ervaren longarts, dat is waar...'

Zoals gewoonlijk sprak Jacques Médéric zijn woorden langzaam uit en liet het einde van elke zin open. Hij was een bedachtzame man, erg sociaal, die nooit had geprobeerd carrière te maken en al zijn tijd aan zijn patiënten wijdde. Hij arriveerde vroeg, vertrok laat en luisterde de hele dag door aandachtig naar iedereen, of het nou om zijn medewerkers of om zijn patiënten ging. Zijn enige angst leek zijn pensionering te zijn, die hij elk jaar uitstelde.

'Ah! Nadine...' zuchtte hij terwijl hij het plastic bekertje met koffie aanpakte dat Lebel hem aanreikte. 'We zijn nota bene studiegenoten geweest... Ze was noch aantrekkelijk noch vriendelijk, het soort meisje dat totaal niet opvalt, behalve wanneer de examenuitslag bekend werd gemaakt... Een echte workaholic, die heel wat werk kon verzetten, en dat nog steeds doet... Ik lees graag haar publicaties, ze zijn altijd opmerkelijk... Ze heeft het verdomd ver geschopt, die kleine Montague...'

Na een moment van verbijstering herhaalde Pascale, die ervan overtuigd was dat ze het verkeerd had verstaan.

'Montague?'

'Ja, Nadine Montague, nú mevrouw Clément. Trouwens, ik was op haar huwelijksdag aanwezig. Mijn God, wat is dat allemaal lang geleden! Goed, ik laat jullie alleen, we hebben allemaal werk te doen... En bedankt voor de koffie.'

Hij liep weg met een afgemeten tred, waardoor het altijd leek of hij in diep gepeins was verzonken. Pascale keek hem na, duidelijk geschokt.

'Is er iets?' vroeg Lebel bezorgd.

'Nee, niets,' stamelde Pascale. 'Toeval... De meisjesnaam van mijn moeder luidde ook Montague.'

Lebel barstte in lachen uit en klopte zacht op Pascales schouder.

'Maak je geen zorgen, je kúnt geen familie van Nadine Clément zijn, dat is gewoon onmogelijk!'

Hij moest hard lachen om het idee, maar Pascale kon zelfs geen glimlachje te voorschijn toveren.

Laurent en Samuel zaten naast elkaar op de hoge barkrukken. Ze wisten niets meer tegen elkaar te zeggen. Hun hechte vriendschap had plaatsgemaakt voor een slecht verborgen vijandigheid, en Samuel wist dat híj daar verantwoordelijk voor was. Telkens wanneer hij zich met Laurent op de vliegclub bevond, was hij agressief. Hij kon het niet laten om indiscrete vragen te stellen. Laurent gaf er met enige terughoudendheid antwoord op en wekte de indruk een gelukkig man te zijn, tot ergernis van Sam.

De barkeeper zette koffie voor hen op de koperen toog, daarna trok hij zich terug in plaats van zijn gebruikelijke grappen te maken. Sam leidde eruit af dat ze allebei sip keken, terwijl ze normaalgesproken de vrolijke Fransen van de club waren.

'Het verstandigste zou zijn er niet meer over te praten,' stelde Laurent voor.

'Waarom?'

'Omdat jij er niet tegen kunt, Sam. Je vraagt me hoe het staat tussen haar en mij, hoe ze het maakt, en daarna ontaardt het... Ik ben slechts je opvolger, ouwe jongen, niet je rivaal. Anders had je me moeten waarschuwen!'

De staalblauwe ogen van Laurent knipperden niet, maar keken Samuel strak aan.

'Er zijn duizenden andere vrouwen,' mopperde Samuel, 'en jij kunt ze allemaal krijgen als je dat wilt. Je hoefde niet per se déze te kiezen.'

'Zou je dan liever willen dat ze alléén blijft?'

Sam haalde zijn schouders op, alsof hij zojuist iets stoms had gehoord, maar de opmerking van Laurent was raak. Pascale zou pas écht gelukkig kunnen worden, als ze niet langer alleen was. Ze werd drieëndertig, en haar kinderwens was waarschijnlijk sterker geworden. Daarom kon hij zich voorstellen dat Pascale in het bed van Laurent lag, met hem trouwde, en bij hem introk.... Maar nee, ze zou Peyrolles niet verlaten nadat ze zoveel moeite had gedaan om het in haar bezit te krijgen! Tenzij ze écht verliefd was...

'Hoe dan ook, wees gerust, Pascale is voor mij geen avontuurtje. Ik ben heel erg op haar gesteld.'

'En zíj?'

'Zo'n slechte kandidaat ben ik nou ook weer niet,' antwoordde Laurent met een flauwe glimlach.

Ongetwijfeld was hij in verlegenheid gebracht door deze discussie, maar Sam meende een andere zwakke plek te ontdekken. Laurent zag eruit als een gelukkige minnaar, maar het was duidelijk dat hij geen zekerheid had wat de toekomst betrof. Pascale zou nu waarschijnlijk voorzichtiger zijn dan ze tien jaar geleden was geweest. Vanaf het begin van hun relatie hadden Sam en zij een huwelijk voor ogen gehad, compleet met beloftes van eeuwige trouw en liefde. Daar hadden ze beiden in geloofd.

'Sam? Laat het verleden rusten, laat haar leven en vergeet haar.'

'Ik peins er niet over! En wat als ik jou datzelfde zou aanraden?'

'Met welk recht?'

Inderdaad, hij had geen enkel recht meer, wat zijn neiging om Laurent een mep te verkopen absurd maakte. Hij haalde diep adem, in een verwoede poging om kalm te blijven.

'Jullie zijn gescheiden, Samuel, jullie huwelijk is voorbij. Je bent mijn vriend en je beweert dat je ook háár vriend bent... Wil je haar dan niet gelukkig zien?'

'Niet onder mijn neus, niet met jóú! Het is egoïstisch en kinderachtig, ik weet het, maar zo is het nu eenmaal.'

Samuel sprak op zo'n heftige toon, dat Laurent rechtop ging zitten. Ze keken elkaar zwijgend aan. Voor het eerst sinds Sam Laurent kende, zag hij dat Laurent in een vijand kon veranderen en een geduchte tegenstander zou zijn.

'Goed, neem een andere instructeur voor je helikopterles, ik ben vanmiddag niet in staat je les te geven,' verklaarde hij, terwijl hij kleingeld op de toog gooide.

'Sam...'

'Ik wil niet dat we hangend aan een hoogspanningskabel eindigen, en dat zal met ons gebeuren als we tijdens het vliegen doorgaan met elkaar de huid vol te schelden!'

Zijn eerste leerling, een kwartier later, was gelukkig een aardige, jonge vrouw die hem geen problemen opleverde. Hij liep door de bar zonder zich om te draaien en besloot in de hangaars te gaan wandelen. De aanblik van vliegtuigen en helikopters bracht hem altijd in een goed humeur. Waar Laurent gelijk in had was dat hij een einde aan zijn obsessie voor Pascale moest maken. Hij moest haar laten leven zoals ze dat wilde, blij zijn voor haar, zich als een vriend gedragen.

'Dat zal me nooit lukken. Ik ben de grootste klootzak die er bestaat en ik maak me belachelijk bovendien. Dat ontbrak er nog aan!'

Ruzie met Laurent maken was niet dramatisch, maar als hij zo doorging, zou hij uiteindelijk verbitterd en ontoegankelijk worden.

Toen hij stil bleef staan voor de Hugues 300 waarmee hij wilde vliegen, stak hij zijn handen in de zakken van zijn jack. Grote genade, wat gebeurde er met hem? Gedurende een aantal minuten bleef hij staan, vol medelijden met het lot van Samuel Hoffmann die alles had in zijn leven, echt álles, behalve de vrouw van wie hij hield.

Na zijn jonge leerlinge les te hebben gegeven, zag hij dat hij nog een uur moest overbruggen en ging weer naar de bar om een kopje koffie te drinken. Hij hoopte dat Laurent er nog was, zodat hij hem zijn excuses kon aanbieden, maar Laurent had de club verlaten zonder de moeite te nemen een andere instructeur te zoeken. Teleurgesteld bestelde Sam een espresso en klom op een kruk, terwijl de barkeeper op spottende toon tegen hem zei: 'Niet gaan zitten, er is een dame die aan een tafeltje op je zit te wachten, daarginds...'

Toen Sam zich omdraaide zag hij tot zijn stomme verbazing dat Marianne bij een groot raam had plaatsgenomen. Ze zat met haar rug naar hem toe, geboeid door het schouwspel van landende en opstijgende vliegtuigen, een grappige pet op haar blonde krullen. Een beetje gespannen pakte Sam zijn kopje en voegde zich bij haar. 'Hallo, Marianne! Kom je ons een bezoekje brengen?'

Hij ging tegenover haar zitten en dwong zich tot een glimlach.

'Ik wilde jóú zien,' begon ze op ernstige toon. 'Jouw club leek me een goed doel voor mijn eerste autoritje.'

'Autoritje?'

'Ik heb een kleine, Japanse auto gekocht.'

'Aha...'

'Van jóúw geld. Een automaat, in verband met mijn been, dat is makkelijker.'

'Goed gedaan. Maar het is niet míjn geld, Marianne.'

'Jawel. Zonder jou zou ik me die luxe niet hebben kunnen veroorloven. Ik heb ook een parkeerplaats bij mijn flatgebouw gehuurd. En verder heb ik mijn achterstallige rekeningen betaald en kleren voor mezelf gekocht, en desondanks sta ik nog niet in de min! Heel veel dank, Samuel.'

Het was duidelijk dat ze zichzelf dwong elke zin uit te spreken, als een uit haar hoofd geleerd lesje.

'Je bent me niets verschuldigd, vooral geen bedankjes,' verzekerde hij haar resoluut. 'Je helpen was wel het minste dat ik kon doen, dat heb ik je al uitgelegd.'

Het had hem heel veel moeite gekost om haar zover te krijgen dat ze zijn cheque aannam. Uiteindelijk had ze dat schoorvoetend gedaan, met samengeperste lippen en betraande ogen, en sindsdien hadden ze elkaar niet meer gezien.

'Leuk, die pet,' zei hij om over iets anders te praten.

Marianne ontweek zijn blik en deed net of ze naar het opstijgen van een ultralicht gemotoriseerd vliegtuig keek.

'Ik zou bang zijn als ik daarin zat,' bromde ze.

Nooit had hij haar meegenomen, zelfs niet voor een luchtdoop, en hij had er spijt van dat hij zo weinig belangstelling voor haar had getoond. Hij had gewild dat de vliegclub zíjn terrein bleef, en hij had haar ervan buitengesloten zonder te merken dat ze daaronder leed.

'Kunnen we ze van dichterbij bekijken?'

'Natuurlijk! Als je het goed vindt, ga ik vragen met welk toestel we aan het eind van de middag een tochtje kunnen maken. Dat zal je wel leuk vinden.'

'Nee, Sam, het is lief van je, maar ik wil niet. Hoeveel vertrouwen ik ook in jou heb, die dingen gaan veel te snel voor mij! Ik ben een angsthaas, weet je, ik durf zelfs niet in een draaimolen...'

Kende hij haar zó slecht? Toen ze een relatie met elkaar hadden, had hij zich niet erg voor haar geïnteresseerd. Hij was altijd bezig geweest met het zoeken naar een manier om het uit te maken zonder haar te veel te kwetsen, want hij was er niet in geslaagd echt van haar te gaan houden.

Hij ging haar voor naar een deur die rechtstreeks op de banen uitkwam. Toen ze eenmaal buiten waren, pakte hij haar arm vast en begon haar het een en ander te vertellen, over het belang van de wind en de temperatuur en de luchtdruk bij het opstijgen.

'Kijk, er komt een vliegtuig aan. Hij gaat landen...'

Met de hand boven de ogen keken ze naar het dalen en naar de volmaakte landing van een Cessna.

'Het boeit je écht, zo te horen,' zei ze verbaasd.

Ze leek iets te ontdekken, en waarschijnlijk betreurde ze het dat zíj hem nooit zo had geboeid. Sam voelde zich ongemakkelijk. Hij besloot dat het moment gekomen was om helemaal open en eerlijk te zijn.

'Marianne, luister... Ik heb me jammerlijk slecht tegenover jou gedragen. Daar ben ik me bewust van en ik schaam me ervoor.'

'Nee, Sam, je hebt duizend keer geprobeerd tegen me te zeggen dat je niet van me hield, maar ik wilde het niet horen. Ik volhardde, jij zwichtte, en dan begonnen we opnieuw. Waarom heb je het niet eerder uitgemaakt?'

'Uit lafheid en egoïsme, wat niet erg prijzenswaardig is. Je bent knap, Marianne, daar heb ik van geprofiteerd en ik neem het mezelf heel erg kwalijk. Je verdient iets anders.'

Ze gaf geen antwoord, maar begon weer te lopen, deze keer in de richting van het parkeerterrein. Ze liep een eindje voor hem uit, en hij zag dat ze niet meer hinkte. Snel haalde hij haar in.

'Ga je weg?'

'Ja, ik ben hier alleen maar gekomen om te beloven dat ik je voortaan met rust zal laten.'

Met een trots gebaar wees ze naar een kleine, groene Nissan met glinsterend chroomwerk.

'Daar staat het wonder!'

Met haar autosleutels in de hand draaide ze zich naar Samuel om en wierp hem een lange, trieste blik toe.

'Het geld dat je me hebt gegeven... Dat is het ergste wat je me kon aandoen, Sam.'

'Waarom? Ik wilde je alleen maar helpen en je van je geldzorgen bevrijden. Je bent door míj in het ziekenhuis beland, Marianne!'

'Het was een ongeluk, dat weten we allebei. Trouwens, je hebt de schade beperkt gehouden, die vrachtwagen had onze dood kunnen zijn.'

'Jij was mijn passagier, ík zat achter het stuur.'

'Gelukkig maar voor ons allebei!'

Ze probeerde een grapje te maken, maar het ging niet van harte.

'Marianne, het geld is geen belediging. Het is niet minachtend bedoeld.'

'Nou, ik heb je cheque uiteindelijk aangenomen. Door hem aan te bieden liet je me inzien dat het voorbij was. Ik had hem graag willen verscheuren, maar wat zou dat hebben veranderd? Je hebt je rust gekocht, het was duidelijker dan een lang gesprek om er een punt achter te zetten.'

'Ik ben het niet met je eens,' protesteerde hij zacht.

Maar hij was er niet zeker van. Hij had haar willen helpen, maar hij had zich ook van een schuldgevoel willen bevrijden.

'Je zegt dat het geld niets beledigends heeft, maar toen Pascale geld nodig had heb je het haar geleend. Je keek wel uit het haar cadeau te doen, want ze zou het naar je hoofd hebben gesmeten. Háár respecteer je. Omdat je van haar houdt! Volgens mij zul je je hele leven van haar houden, er is geen plaats voor iemand anders in je hart. Je zou haar opnieuw ten huwelijk moeten vragen, Sam, ik méén het.'

Ze leek overstuur en uitgeput. Ze draaide zich moeizaam om en stapte in haar auto. Voordat ze wegreed, liet ze het raampje zakken.

'Ik geef het op, Samuel. Dat zou je moeten opluchten. Ik wens je alle geluk toe!'

Terwijl de Nissan wegreed, voelde hij zich ellendig, maar heimelijk ook, ja, opgelucht. De laatste verleidingspogingen van Marianne hadden hem in verwarring gebracht en ontstemd, hij zou tenminste niet meer iemand hoeven te spelen die niet wilde begrijpen. Het enige gevoel dat hij voor haar had was een mengeling van medelijden en gegeneenheid. Hij had het zo goed en zo kwaad als het ging geveinsd, en hij had niet meer geweten wat voor houding hij moest aannemen. Nu was Marianne weggegaan uit zijn leven, ze had hem eindelijk vrijgelaten.

Hij liep langzaam terug naar de vliegclub, diep nadenkend over de laatste zinnen die ze hadden uitgewisseld.

'Het stond in haar dossier,' zei Laurent spijtig.

De boosheid die in Pascale woedde maakte dat ze zin had om te gillen, maar ze bleef doodstil, en hield haar ogen op de kaart gericht die hij zojuist aan haar had gegeven, een onbetwistbaar bewijs dat Nadine Clément de dochter van Abel Montague, beroepsmilitair, was.

'Mijn moeder en Nadine Clément hadden dezelfde vader,' siste ze ten slotte. 'Ze waren halfzussen, Nadine is dus mijn tante. Dat is... waanzin! Zijn we familie van elkaar, zij en ik? Met dezelfde voorouders?'

Toen ze Benjamin Montague had ontmoet, had hij ervoor gewaakt het haar te vertellen, dat herinnerde ze zich verbitterd.

'Wat een weerzinwekkende familie! Mijn moeder had gelijk, het zijn monsters...'

Ze begon heen en weer te lopen en zwaaide met de kaart die ze nog steeds vasthield. Even later mompelde Laurent: 'Je bent erg mooi als je boos bent. Je lijkt wel een zwarte panter.'

Pascale hield op met ijsberen en keek hem aan zonder hem te zien.

'Het is toch niet te geloven! Ze heeft met me gewerkt, ze heeft dagelijks met me gesproken, al die maanden lang, terwijl ze donders goed wist wie ik was!'

'Ben je daar zeker van?'

'Natuurlijk! Fontanel is een veel voorkomende naam, maar ik lijk sprekend op mijn moeder. En dat moet Nadine gek hebben gemaakt van woede, wat haar antipathie tegen mij verklaart. Wat een serpent! Mijn God, Laurent, ik kan je nooit genoeg bedanken voor die overplaatsing naar Albi! Het is een zegen om met Jacques Médéric te werken.'

Maar het was haar baas die de twijfel had gezaaid toen hij Nadine 'die kleine Montague' had genoemd. De burgerlijke staat van Nadine, als werknemer van ziekenhuis Purpan, stond natuurlijk in haar dossier vermeld, en Laurent had geen enkele moeite gehad om dat te pakken te krijgen.

'Ik zweer je,' zei Pascale, 'ik heb het gevoel dat ik steeds meer dingen zal ontdekken, het ene nog afschuwelijker dan het andere. Toen ik op Peyrolles ging wonen, wist ik niet in welke nachtmerrie ik terecht zou komen, anders...'

'Zou je in Parijs zijn gebleven?'

Pascale nam de tijd om over die vraag na te denken.

'Nee, ik zou hier tóch naartoe zijn gegaan,' antwoordde ze. 'Ik ben hier geboren, ik heb het recht hier te zijn. Maar wat ik terugvind zijn niet mijn wortels, maar een duivelse warboel. Nou, ik heb mijn portie wel gehad. Je denkt de jouwen te kennen, je stelt je voor op een dag de geschiedenis van de familie aan je kinderen te vertellen, en alles wat je weet is slechts een aaneenschakeling van geheimen en leugens!'

Ze was een beetje gekalmeerd en ging weer bij Laurent zitten, die vriendelijk tegen haar bleef glimlachen. Met de komst van de lente was de wintertuin opnieuw haar lievelingsvertrek geworden, te meer daar Aurore een paar dagen eerder dikke rode en gele kussens op de markt had gekocht, die de rotanstoelen een stuk comfortabeler maakten. Buiten, achter de ramen van de wintertuin, begonnen de tulpen en de narcissen in de bloemperken te ontluiken, bontgekleurde vlekken.

'Ik zal je wel vervelen met al mijn obsessies,' zuchtte ze.

'Helemaal niet. Het is een echte soap, het interesseert me heel erg. En aangezien het jóú aangaat...'

Hij pakte haar hand, streelde hem en liet daarna zijn vingertoppen over haar pols en haar onderarm dwalen, tot ze begon te trillen.

'Op deze veranda,' zei hij zachtjes, 'heb je het gevoel dat je midden in het park zit. Ik zou graag in de natuur de liefde met je willen bedrijven.'

Ze liet zich omhelzen, maar toen hij haar trui wilde uittrekken, hield ze hem tegen.

'Nee, Laurent, niet nú.'

Met een gelaten uitdrukking op zijn gezicht schoof hij een eindje opzij.

'Het spijt me... Ik kan nergens anders aan denken dan aan Nadine, mijn moeder en Julia.'

'Heb je zaterdag een ontmoeting met haar?'

'Ja, en eerlijk gezegd ben ik daar nu al ziek van.'

Het positieve advies van het medische team en de raad van toezicht, die het lot van Julia in handen hadden, was eindelijk gearriveerd. Het bericht had Pascale overvallen. Ze wilde heel graag kennismaken met haar halfzus, maar nu het bijna zover was raakte ze in paniek. Ze had plotseling het gevoel dat die ontmoeting in de instelling waar Julia woonde haar krachten te boven ging.

'Wil je dat ik met je meega?'

Pascale schudde haar hoofd. Ze had geen flauw idee hoe ze er na afloop aan toe zou zijn en ze wilde absoluut geen huilbui op de schouder van Laurent. Maar hij was vriendelijk, erg vriendelijk, té vriendelijk. Té aanwezig, ook, té betrokken bij alles wat ze deed. Soms dacht ze dat ze verliefd op hem was – vooral als ze in bed lagen, want in seksueel opzicht pasten ze buitengewoon goed bij elkaar – en op andere momenten dacht ze het tegenovergestelde, wat haar een ongemakkelijk gevoel gaf. Natuurlijk, ze verheugde zich als ze een avondje samen zouden doorbrengen, ze stelde zijn aandachtige manier van luisteren op prijs, maar er ontbrak iets aan die man en ze wist niet wát dat was.

'Ik zal je na afloop bellen om te vertellen hoe het is gegaan, dat beloof ik.'

'En nu gaan we uit eten,' stelde hij voor. 'Ik heb een tafeltje gereserveerd in *L'Esprit du Vin*, dat schijnt een van de beste restaurants van Albi te zijn.'

Ze stemde glimlachend in, terwijl ze niet zo erg blij was met het idee. Kon ze door haar zorgen niet meer genieten van de fijne momenten? Laurent hield van eersteklas restaurants, en sinds Pascale Purpan had verlaten aarzelde hij niet om zich overal met haar te vertonen, blij dat hij haar de gerechten van zijn favoriete koks kon laten ontdekken.

'Het restaurant bevindt zich in een oud bijgebouw van het Palais de la Berbie en het heeft een gewelfde eetzaal... Heb je honger?'

'Niet echt,' bekende ze.

'Goed, maar al etende krijgt men trek, en je zult er je zorgen door vergeten.'

Hij wilde haar natuurlijk afleiden en ze had geen enkele reden om hun avondje te verpesten, maar Laurents vasthoudendheid ergerde haar.

'Ik ga me omkleden,' besloot ze, 'ik ben zo terug. Neem iets te drinken, als je wilt!'

Ze wilde even alleen zijn om haar gedachten te ordenen. Wat hád ze toch? Was het alleen maar het vooruitzicht van haar ontmoeting met Julia dat haar dwarszat? Of vermoedde ze dat Laurent spoedig met haar over de toekomst zou praten? Als hij de nacht op Peyrolles doorbracht zei hij vaak vlak voor het slapen gaan dat hij voor altijd van haar hield. Een liefdesverklaring die ze niet wilde horen, nóg niet in elk geval, of misschien niet van hém, en die haar naar de andere kant van het bed deed vluchten in plaats van in zijn armen te blijven liggen.

Nerveus ging ze naar de badkamer, waar ze zich opsloot. Ze ging voor de spiegel staan en wierp een kritische blik op zichzelf. Spoedig zou ze drieëndertig zijn, en rond haar ogen zaten al rimpels. Ze begon zich op te maken. Ze poederde haar neus, bracht wat blush op haar jukbeenderen aan, en mascara op haar wimpers.

'Je doet alles om hem te behagen, beste meid...'

Om hem te behagen, ja, om hem te verleiden, om een begeerte op te wekken die ze deelde, maar niet om de rest haar leven aan hem vast te zitten!

'Maar dit zou het juiste moment zijn, wacht niet tot je veertigste.'

Ze moest er niet aan denken dat ze met Laurent getrouwd was.

'Hij zal je ten huwelijk vragen, daar ben ik zeker van. Hij is in staat je met een ring te verrassen. En wat ga je dan tegen hem zeggen? Dat je tijd nodig hebt om erover na te denken? Nou, dat is vleiend...'

Ze bracht achter elk oor een druppel parfum aan. Wilde ze Laurent aanhouden als minnaar om zich af en toe met hem te vermaken, en verder niets?

'Het is de ideale man, waarom zou je je niet aan hem willen binden?'

Toen ze op het punt stond de badkamer te verlaten en haar hand op de deurkruk legde, verstarde ze, als door de bliksem getroffen. Wat een vreemde ontdekking... De reden van haar terughoudendheid en haar twijfels heette Samuel. Met Laurent trouwen zou betekenen dat ze Sam voor altijd kwijt was, en ook zijn genegenheid en zijn steun, en dát wilde ze niet.

Ze ging weer voor de spiegel staan en keek naar haar spiegelbeeld. Samuel, écht waar? Nee, onmogelijk, ze vergiste zich, waarschijnlijk kwam dat door de verwarring. Ze was de laatste tijd erg kwetsbaar en dat zou ze blijven zolang ze Julia niet had gezien. Sam was haar rots in de branding, dat was hij altijd geweest, maar ze moest zich van hem losmaken anders zou ze alles verpesten.

Met een resoluut gebaar deed ze de deur open. Plotseling had ze haast om weer bij Laurent te zijn.

11

DIE ZATERDAG WAS HET STRALEND WEER, ER STOND EEN ZWAKKE zuidenwind. Terwijl Samuel over de snelweg naar Castres reed, respecteerde hij het stilzwijgen van Pascale. Ze zei geen woord. Hij nam er genoegen mee om af en toe een blik op haar te werpen. Hij was bezorgd, omdat ze er zo gespannen uitzag.

'We zullen er gauw zijn,' verkondigde hij.

Hij pakte een vel papier van het dashboard om te controleren of ze nog wel in de juiste richting reden. De vorige dag, vlak na het telefoontje van Pascale, had hij een route uitgestippeld, om te vermijden dat ze verkeerd zouden rijden. De instelling lag iets buiten de stad, op een afgelegen plek op een van de oevers van de Agout.

'Alles komt goed,' herhaalde hij geruststellend.

Het was onwaarschijnlijk, maar wat had het voor zin haar nóg banger te maken? Aan de telefoon had ze zo angstig, zo verloren geleken, dat hij had besloten met haar mee te gaan, hoewel ze dat niet aan hem had gevraagd. Het was onmogelijk haar in haar eentje daarheen te laten gaan. Het was duidelijk dat ze er met gebroken hart vandaan zou komen. Hij had zich afgevraagd waarom Laurent niet als beschermengel voor haar optrad, maar ten slotte was Samuel tot de conclusie gekomen dat ze met hém beter af zou zijn. Een conclusie die hem goed uitkwam, zeker, maar ook al aanbad Laurent haar – wat niet anders kon – en ook al was zij stapelgek op hem – wat God moge verhoeden! – ze kenden elkaar nog niet zo lang, dat ze een blind vertrouwen in hem had.

De medische instelling waar Julia was geplaatst was geen inrichting, maar ook geen sociale werkplaats of medisch-sociale werkplaats, wat betekende dat Julia niet in staat was tot enige activiteit.

Op de B-weg die ze volgden verscheen plotseling een bescheiden bord dat de ingang van de instelling aangaf. Samuel reed de oprijlaan op, terwijl Pascale naast hem nog meer verstarde. Aan het eind van een vrij goed onderhouden park vonden ze het parkeerterrein voor de bezoekers, dat uit een stuk of twaalf parkeerplaatsen bestond, allemaal leeg.

'Ik zal hier op je wachten,' zei Samuel. 'Neem de tijd...'

Pascale knikte en wierp hem een meelijwekkend glimlachje toe. Ze had een zwart T-shirt en een spijkerjasje aan, haar lange haar droeg ze in een paardenstaart. Sam vond haar schitterend, maar dat zei hij niet tegen haar. Het was noch het juiste moment noch de juiste plek.

'Sterkte, lieverd.'

Hij nam haar in zijn armen en drukte haar dicht tegen zich aan. Daarna reikte hij naar haar portier en deed het open.

'Tot straks,' zei ze met vlakke stem.

Toen stapte ze uit, haar ogen op de ingang van het gebouw gericht. Het was groot, okerkleurig met witte luiken en in U-vorm rond een binnenplaats vol bloemen gebouwd. Ze hief haar hoofd en telde een stuk of vijftien ramen, ongetwijfeld de kamers van de bewoners.

Terwijl ze naar de ingang liep, schoof de glazen deur open en kwam er een vrouw te voorschijn die haar tegemoet liep. Klein, mollig en glimlachend stak ze Pascale de hand toe.

'Bent u dokter Fontanel? Mijn naam is Violaine Carroix, ik ben hier de leidinggevende. We hebben elkaar aan de lijn gehad...'

'Ja, dat klopt. Aangenaam kennis te maken.'

'Als u het goed vindt, gaan we eerst naar mijn kantoor.'

Ze ging Pascale voor in een zonnige, moderne hal en door een gang die op een ziekenhuisgang leek. Er lag linoleum op de vloer en de gang was breed genoeg voor brancards en rolstoelen.

'Dit huis is na de oorlog gebouwd, maar het is verscheidene keren gerenoveerd. Over het geheel genomen zijn onze faciliteiten toereikend. Kom binnen, alstublieft.'

Ze gingen elk aan de kant van een groot bureau zitten, waarop een vaas met bloemen stond.

'Dokter Fontanel, ik heb hier uw dossier. Het heeft voor enige opschudding onder het personeel gezorgd, dat kunt u zich wel voorstellen.'

Violaine Carroix schonk Pascale een warme glimlach, maar Pascale voelde zich als bevroren en gaf geen antwoord.

'Uw verzoek was werkelijk een verrassing voor ons allemaal,' vervolgde Violaine. 'Een aangename verrassing! Julia is hier bijna tien jaar en ik had nooit kunnen denken dat een lid van haar familie naar haar zou zoeken...'

'Ik heb afgelopen winter pas van haar bestaan gehoord.'

'Ja, dat heb ik begrepen. Uw houding is zeer prijzenswaardig... Als arts weet u hoe lief en aanhankelijk mensen met het syndroom van Down zijn. Ze zijn altijd heel blij met bezoek, aandacht en cadeautjes.'

Pascale merkte tot haar opluchting dat Violaine niet het woord 'mongool' had gebruikt, dat een te negatieve gevoelswaarde had.

'We proberen elk van onze patiënten met liefde te omringen, maar Julia is bijzonder geliefd bij het personeel, ook al is haar vermogen om te communiceren erg... beperkt. Ze is als een jong kind, met toenemende coördinatiestoornissen.'

Er viel een stilte, die Pascale uiteindelijk verbrak.

'Wat is haar IQ?'

'Dertig.'

Het gemiddelde van patiënten met trisomie 21 lag rond de 50, en het normale gemiddelde tussen de 85 en de 120. Pascale knikte, ze kon geen woord uitbrengen. Haar emotie was waarschijnlijk zichtbaar, want Violaine gaf haar de tijd om zich te herstellen, terwijl ze naar het dossier keek dat open voor haar lag.

'Julia is altijd in zeer gespecialiseerde instellingen geweest, want bij een aantal dagelijkse handelingen heeft ze hulp nodig. In principe was haar levensverwachting een jaar of twintig, maar de natuur heeft anders beslist. Op dit moment is haar gezondheidstoestand stabiel. U heeft natuurlijk toegang tot haar volledige medische dossier. Heeft u iets te vragen?'

Er viel opnieuw een stilte. Pascale had zin om te vluchten, ze moest zich heel stevig aan de stoelleuningen vasthouden om niet te bewegen.

'Nee, op dit moment niet,' zei ze zacht. 'Ik denk dat ik eerst Julia wil zien.'

'Wilt u niet vóór die tijd de psychiater die haar begeleidt spreken?'

'Nee...'

De ontmoeting met Julia nog langer uitstellen zou een kwelling worden, en Violaine Carroix leek dat te begrijpen.

'Kom mee,' zei ze, terwijl ze overeind kwam.

Opnieuw liepen ze door de gang, deze keer in de tegenovergestelde richting. Pascale had het gevoel dat ze lood in haar schoenen had. Ze deed verwoede pogingen zich op het ergste voor te bereiden en had bittere spijt dat ze gedacht had dat ze sterk genoeg zou zijn. Nooit had ze Samuel meer gemist dan nu! Niet haar vader, niet haar broer, nee, alleen Sam, die gelukkig buiten op haar wachtte.

Violaine bleef staan bij de ingang van een recreatieruimte waarvan de deur wijd openstond. Door de grote ramen van de zaal kwam voldoende licht. Het vertrek bevatte een televisie, dik tapijt met stapels speelgoed, bontgekleurde fauteuils van schuimplastic, plastic tafels en stoelen. Er waren slechts twee personen. Ze zaten voor de tv, met hun rug naar hen toe. Aangezien de een een wit uniform droeg, richtte Pascale haar blik op de ander.

'Op dit tijdstip,' legde Violaine uit, 'zit iedereen in de eetzaal te eten, maar we hebben Julia van tevoren laten eten. Kom verder...'

Pascale stond als aan de grond genageld en haalde diep adem. Ze nam zich voor een laatste keer heilig voor niet te kijken of er enige gelijkenis was en vooral niet aan haar moeder te denken. Ze liep naar voren. De ziekenverzorgster stond glimlachend op toen Pascale naderde en zette de tv uit.

'Daar is de mevrouw op wie we zaten te wachten, Julia!'

Pascale liep naar haar halfzus toe en ging tegenover haar zitten.

'Dag, Julia,' zei ze zacht.

Ze zag precies wat ze had verwacht. Ze registreerde elk detail op een klinische manier. Het afgeplatte, pseudo-Aziatische gezicht, kenmerkend voor een chromosoomafwijking, werd versterkt door de Vietnamese afkomst van Julia. Een wipneus, supergladde huid, dikke lippen en een enorme buik, zoals verwacht. En verder zwart haar, dat om praktische redenen te kort was geknipt.

'Ik ben Pascale.'

De donkere ogen waren zacht als fluweel. Pascale concentreerde zich op Julia's blik en negeerde de rest.

'Ik ben blij je te zien, Julia.'

Eerst kreeg ze een onverstaanbaar geluid als antwoord, maar even later werd er een woord gevormd dat wél verstaanbaar was.

'Pa... cal.'

'Pascale, ja. En jij bent Julia.'

'Chulia Nannn...'

Alles wat Pascale tot nu toe had opgekropt vloog haar plotseling naar de keel toen degene die tegenover haar zat, slap in haar stoel vanwege de verlaagde spierspanning, haar een aarzelend glimlachje toewierp.

'Julia Nhàn, ja, je hebt gelijk. Julia zonder zorgen. Mijn zus. We zullen veel van elkaar houden. Wil je dat?'

Ze merkte niet meteen dat ze huilde, evenmin merkte ze dat de glimlach van Julia gelukzalig werd.

Sam stapte na verloop van tijd uit zijn auto. Hij vermoedde dat het niet zo lang meer zou duren voordat Pascale terugkwam. Allereerst omdat het medische team haar niet veel nieuws zou kunnen vertellen, aangezien ze al weken een heleboel informatie over het syndroom van Down had verzameld. Ten tweede omdat Julia Coste waarschijnlijk na een paar minuten geen belangstelling meer voor Pascale zou hebben. Die ontmoeting kon niet verlopen als een weerzien van twee zussen, zelfs niet als een ontdekking in de letterlijke betekenis van het woord. Geen herinneringen uitwisselen, geen verhalen vertellen, geen emotie delen. De enige vraag, een zeer belangrijke, had betrekking op de toekomst. Zou Pascale besluiten regelmatig te komen? Zou ze de liefde van Julia willen winnen en haar heel veel liefde geven? Haar kennende, was Sam daarvan overtuigd. Een van de goede eigenschappen van Pascale was haar vasthoudendheid, die soms tot koppigheid leidde. Ze zou absoluut het gebrek aan liefde waarvan Julia het slachtoffer was geweest willen compenseren.

Samuel kon zich Camille nog heel goed herinneren. Een charmante schoonmoeder, niet erg spraakzaam en erg zachtaardig, die geleidelijk aan zwaarmoedig was geworden. Als je haar zo moederlijk bezig zag, zou niemand hebben kunnen vermoeden dat ze in staat was geweest een van haar kinderen in de steek te laten, een kind dat gehandicapt was bovendien. Henry had zich tot het uiterste ingespannen om zijn vrouw te beschermen, wetende dat ze in emotioneel opzicht kwetsbaar was, en hij had het geheim van haar verleden heel goed bewaard. Een geheim dat waarschijnlijk heel zwaar was geweest voor de arme Camille.

De Fontanels waren nog steeds erg belangrijk voor Sam. Ondanks zijn scheiding had hij zich niet van hen losgemaakt. Misschien omdat hij behoefte aan familie had, want zijn beide ouders waren overleden. Of omdat Henry en Adrien hem met Pascale verbonden. Zoals Marianne vaak op bitse toon had gezegd: hij had de bladzijde nog steeds niet omgeslagen.

Na twee keer een rondje door het park te hebben gemaakt, keerde hij naar zijn auto terug en ging op de motorkap zitten. Hij keek tersluiks naar een aantal patiënten die naar buiten waren gekomen voor een wandeling. Omringd door begeleidsters probeerden degenen die gezond waren elkaar een bal toe te werpen, terwijl de anderen in rolstoelen volgden, een deken over hun knieën. Een aangrijpend, pathetisch schouwspel. Hoe zou het met Pascale zijn als ze naar buiten kwam?

Ten slotte zag hij haar uit het gebouw komen. Ze was alleen en liep met gebogen hoofd. Ze had haar handen diep in de zakken van haar jack gestoken. Haar haren hing los, het viel nu over haar schouders. Ze kwam recht op hem af.

'We kunnen gaan,' zei ze met doffe stem.

Sam stak zijn hand uit en toen drukte ze zich heftig snikkend tegen hem aan.

'Ik ben er, Pascale, rustig maar...'

Terwijl hij haar stevig vasthield, voerde hij haar mee naar een verlaten pad en dwong haar door te lopen tot ze uit het zicht waren.

'Zitten er tissues in je tas?'

Ze haalde een pakje papieren zakdoekjes uit haar tas en nam er eentje uit om haar neus te snuiten en daarna nog een om de tranen van haar wangen te vegen.

'Geef dat maar aan mij, je mascara is uitgelopen.'

Terwijl hij de schade probeerde te herstellen, bond zij haar haren weer samen in een paardenstaart.

'Ze... Julia wilde mijn haar aanraken,' legde ze uit.

Ze keek hem aan. Ze zag er zo ontzettend bedroefd uit, dat het hem diep trof.

'Hoe is het met haar?'

'Zoals je het je voorstelt.'

'Hebben jullie met elkaar kunnen praten?'

'Ja. Een paar woorden. Ze communiceert niet echt, maar ze begrijpt alles heel goed. Ik denk dat ik een soort vriendin voor haar zou kunnen worden, mits mijn bezoeken haar niet in de war brengen. De mensen die voor haar zorgen lijken vriendelijk en deskundig. Er is hier niets tragisch...'

Ze hoorden kreten die leken op het lawaai van een schoolplein. Sam nam Pascale opnieuw in zijn armen en drukte haar nogmaals tegen zich aan.

'Je moet doen wat je wilt, maar wacht tot je hoofd weer helder is. Nu ben je geschokt.'

Hij voelde dat ze zich een beetje ontspande, dat ze weer op adem kwam. Met haar hoofd in zijn hals mompelde ze: 'Goeie genade, dat was moeilijk! Ik had het bijna opgegeven, het scheelde niet veel of ik was bij het kantoor van de directrice gestopt en niet verdergegaan. Ik wilde dat jij er was om me een duwtje in de rug te geven.'

'Je hebt het in je eentje gered!'

Ze onderdrukte een vreugdeloos lachje, terwijl ze nog steeds dicht tegen hem aangedrukt stond. Voor niets ter wereld zou hij zijn greep hebben laten verslappen. Hij begon haar haar te strelen, in een kalmerend gebaar. Hoeveel nachten had hij er niet van gedroomd om haar zo te kunnen vasthouden? Hij ademde haar parfum in, voelde zelfs het kloppen van haar hart. Hij legde een hand op haar nek en raakte haar huid aan.

'Sam?'

Ze wierp haar hoofd naar achteren om hem te kunnen aankijken, zonder te proberen zich van hem los te maken. Even keek ze hem met gefronste wenkbrauwen aan. Daarna klaarde haar gezicht op en verschenen er pretlichtjes in haar ogen.

'Sam, hoe kun je...'

Deze keer lachte ze écht, een vrolijke lach, die Sam het gevoel gaf dat hij belachelijk was.

'Sorry,' zei hij, terwijl hij haar losliet. 'Het is erg ongepast, ik schaam me, maar jij hebt altijd dat effect op me gehad.'

Tegen elke verwachting in ging ze op haar tenen staan en drukte een kus op zijn lippen.

'Breng je me naar huis?'

Ze pakte zijn hand en nam hem mee naar het parkeerterrein.

De dienst van Aurore zat erop en ze was zich aan het omkleden in de garderobe van de verpleegsters. Een beetje ongerust vroeg ze zich af of Pascale haar dreigement ten uitvoer ging brengen. Gezien haar koppige karakter was dat waarschijnlijk, te meer daar haar ontmoeting met Julia haar echt had aangegrepen. Ze waren de hele zondag thuisgebleven, als meisjes onder elkaar, en hadden de respectievelijke uitnodigingen van Georges en Laurent afgeslagen. Pascale had behoefte gehad om haar hart uit te storten en Aurore had haar laten praten. Ze hadden lang in de lentezon in het park van Peyrolles gewandeld. In het voorbijgaan hadden ze hier en daar wat onkruid uit de bloembedden verwijderd en Pascale had het verhaal van Julia steeds maar weer herhaald.

Op de klok in de garderobe was het zeven uur 's avonds. Het moment waarop Nadine Clément altijd het ziekenhuis verliet. Als ze had kunnen vermoeden wat haar wachtte, zou ze misschien minder naar tegen iedereen zijn geweest! Aurore trok haar jas aan en vertrok. Haar vriendschap met Pascale had haar duidelijk niet geliefd gemaakt bij Nadine, die haar het leven op de afdeling niet makkelijk maakte, en dat zou vanaf vanavond ongetwijfeld nog erger zijn. Als de sfeer onverdraaglijk werd, kon Aurore ook om overplaatsing vragen. Het was een aantrekkelijk idee om, net als Pascale, in Albi te gaan werken. Ze zou dichter bij Peyrolles zijn... maar verder weg van Georges. Die begon steeds vaker over het probleem dat ze zo'n eind van elkaar woonden en dat ze beter konden gaan samenwonen.

Wat te doen? Aurore was verliefd op hem, maar ze voelde er niets voor om te verhuizen. Waarom zou ze het betoverende landgoed Peyrolles, waar ze zich heerlijk voelde, verlaten? Afstand doen van giechelbuien en eindeloze gesprekken met Pascale, het haardvuur in de winter, 's zomers lekker lui in het gras liggen, het gezang van de vogels in de vroege ochtend. Nee, ze wilde onafhankelijk blijven, vrij om elke morgen te besluiten hoe haar dag en haar avond eruit zouden zien. Ze wilde afspraakjes kunnen blijven maken met de man van haar hart, in plaats van een leven vol sleur te leiden. Maar ja, hoe lang zou Georges haar uitvluchten accepteren?

Terwijl ze peinzend naar de liften liep, kreeg ze te laat Nadine Clément in het oog, die voor de liftdeuren stond te wachten en onophoudelijk op de knop drukte om naar beneden te gaan.

'Is hij kapot?' vroeg ze woedend aan Aurore.

Op hetzelfde moment arriveerde de lift eindelijk. Nadine stapte erin.

'Kom je, kleintje?'

Een afschuwelijke benaming die ze voor alle verpleegsters gebruikte. Aurore ging met tegenzin naast haar staan, ze wilde eigenlijk geen getuige zijn van wat er zou volgen. Zodra de deuren op de begane grond opengingen, keek ze om zich heen. Toen zag ze Pascale, die nerveus heen en weer liep.

'Ik heb boven iets laten liggen,' bromde ze terwijl ze achteruit stapte.

Nadine rolde met haar ogen en verliet de lift zonder Aurore een blik waardig te keuren. Het was druk in de hal. Op dit tijdstip losten de nachtploegen de dagploegen af, terwijl de artsen die dienst hadden gehad het ziekenhuis verlieten, evenals de bezoekers van de patiënten. Ook Nadine had haast om naar huis te gaan en een beetje op adem te komen. Met het klimmen der jaren kon ze steeds slechter tegen het helse werktempo dat ze zichzelf oplegde en ook van anderen eiste. Ze zou eigenlijk al met pensioen moeten zijn, maar ze wilde er niet eens aan denken!

'Mevrouw Clément!'

Pascale Fontanel, die voor haar stond, versperde haar de weg.

'Ik moet met u praten...'

Nadine nam Pascale van top tot teen op, verrast en ontstemd. Wat deed dat arrogante kreng in Purpan? Kwam ze haar vriendin Aurore halen? O nee, ze was natuurlijk voor Villeneuve gekomen! Het gerucht had de ronde gedaan in het ziekenhuis, in de hele stad: de kleine Fontanel was de minnares van Laurent Villeneuve.

'Waarover? Ik heb haast!'

'Het is belangrijk, maar we kunnen beter niet hier blijven.'

'En waar wilt u dan heen gaan, dokter Fontanel?' zei Nadine spottend.

'Laten we naar buiten gaan, daar vinden we vast wel een rustig plekje.'

De toon was koud als ijs, met een agressiviteit die Nadine intrigeerde zonder dat ze zich echt ongerust maakte. In háár ziekenhuis trapte er nooit iemand op haar tenen.

'Goed, maar het moet wel snel!' gaf ze toe, terwijl ze naar de uitgang marcheerde.

Plotseling schoot haar een oude opmerking van haar vader te binnen: 'Loop niet als een huzaar.' Ze onderdrukte een glimlach, terwijl ze bedacht dat ze als klein meisje al door het leven stormde. En dat was haar goed bekomen!

'Dit is wel goed,' zei Pascale achter haar. 'Ik zoek voor ú een stil plekje, niet voor mezelf.'

Nadine bleef staan en draaide zich razendsnel om. Ze begon heel giftig te worden, maar iets in de houding van Pascale weerhield haar ervan te protesteren. Ze stonden voor een van de administratiegebouwen, ver van de ingang.

'Ik wil u een verhaal vertellen, Nadine, een verhaal waarvan u het einde niet kent. Ik noem u bij uw voornaam, omdat wij immers naaste bloedverwanten zijn...'

Nadine was met stomheid geslagen. Wie had dat verwaande nest ingelicht? Hoe had ze het verband gelegd? Ze bedacht het ene idee na het andere, terwijl Pascale haar zwijgend aanstaarde.

'Een paar maanden geleden heb ik uw broer Benjamin ontmoet, dat zult u wel weten... Er zijn zoveel dingen die u weet, en waar ík totaal niet van op de hoogte ben!'

'Ik wil uw beweegredenen niet weten,' lukte het Nadine vastberaden te zeggen.

'Beweegredenen? Luister Nadine, ik ben uw nicht, uw vader was mijn grootvader, dat geeft me het recht de familie ter sprake te brengen.'

'U hebt geen enkel recht! En ik heb al genoeg gehoord...'

Nadine stapte opzij, maar de hand van Pascale sloot zich om haar arm.

'U gaat naar me luisteren, laten we geen scène maken.'

De vastberadenheid en de kalmte van de jonge vrouw begonnen Nadine bang te maken. Ze stak haar kin in de lucht, aarzelde even en gebaarde toen dat Pascale door kon gaan.

'Het was een echte puzzel,' zei Pascale, 'die ik in mijn eentje moest oplossen, want bij mij thuis werd er niet graag over de familie Montague gesproken. U hebt een groot deel van uw jeugd met mijn moeder doorgebracht, tot ze naar kostschool werd gestuurd. Gezien de gebeurtenissen daarna moet u de pest aan haar hebben gehad. Benjamin stelde zich ermee tevreden om haar niet te zien, uw andere broer ook, neem ik aan, maar u en uw moeder hebben haar ongetwijfeld gehaat, zozeer dat jullie haar hebben mishandeld.'

'Mishandeld? Kom nou! Praat geen onzin! Camille is nooit...'

'Ruw behandeld? Wat een mazzel! Ze is alleen verwaarloosd, genegeerd, aan de kant gezet.'

'Luister,' zei Nadine nerveus, 'het is vijftig jaar geleden. Ik herinner het me niet meer.'

'Ik zal uw geheugen opfrissen. Mijn moeder is ontvoogd omdat de Montagues zich van haar wilden bevrijden. Aan haar lot overgeleverd, alleen in Parijs en zonder geld, heeft ze een man ontmoet, een zekere Raoul Coste. Toen ze van hem in verwachting was, is ze met hem getrouwd en heeft een dochtertje gebaard dat aan het syndroom van Down leed. Toen heeft Coste haar verlaten. Ze had geen enkele bron van inkomsten. Ze had zelfs geen beroep, want uw moeder had haar niet toegestaan te studeren. Dus is ze teruggekomen, vast en zeker doodongelukkig, maar ze had alleen jullie. Ze heeft waarschijnlijk gedacht dat jullie niet zo monsterlijk zouden zijn om haar nóg een keer te verstoten, maar dat hebben jullie tóch gedaan. U, uw broers, uw moeder... Geen van u vieren heeft haar een helpende hand toegestoken. Ze had niet eens eten voor haar baby, en was ten einde raad.'

Nadine haalde haar schouders op. Ze slaagde er net in een cynische opmerking over dat Assepoesterverhaal in te slikken. Jammer genoeg verzon Pascale níéts. Vastbesloten Pascale op haar nummer te zetten en haar het zwijgen op te leggen antwoordde ze scherp: 'Wiens schuld was het? Camille was zwanger gemaakt door de eerste de beste, dat hebt u zelf gezegd. Wij waren niet verantwoordelijk voor haar escapades.'

'Jawel! Door jullie egoïsme en boosaardigheid was ze ontheemd en had ze geen uitweg. Ze was toen eenentwintig en u was bijna dertig, Nadine... Was u al arts? Dan had u de eed van Hippocrates afgelegd. Maar u had geen greintje medelijden met uw zus in nood, en ook niet met haar kind, dat verzorgd moest worden.'

Nadine had graag haar handen op haar oren willen leggen, ze zou er alles voor over hebben gehad om die woordenstroom te laten ophouden. Ze wilde zich die tijd niet herinneren, noch die afschuwelijke Camille die alles had verpest.

'Het mongooltje is op jonge leeftijd gestorven,' protesteerde ze, 'en naar mijn weten zijn *wij* niet degenen die het hebben gedood.'

'Dood? O, nee! Het meisje heeft het overleefd en leeft nog steeds. Mijn moeder moest haar afstaan aan de Kinderbescherming, ze had geen andere oplossing. Vanwege jullie!'

Geschokt deed Nadine een stap naar achteren en leunde tegen de muur achter haar. Was het kind van Camille nog in leven? Ze had het één keer gezien, op de dag waarop Camille bij de Montagues had aangebeld. Een merkwaardige baby, die hun medelijden niet had gewekt. Camille had om hulp gevraagd, ja, maar iedereen vond dat ze had gekregen wat ze verdiende. De echtgenoot op de vlucht, een gehandicapt kind op de arm, en nu hoopte ze dat de Montagues het gelag betaalden? De moeder van Nadine had de deur voor Camilles neus dichtgeslagen.

'Als u Camilles gehandicapte dochter wilt zien, Nadine, ze woont hier niet ver vandaan, net buiten Castres.'

'Waarom zou ik erheen gaan?' riep Nadine met een te schelle stem.

De donkere blik van Pascale doorboorde haar. Exact dezelfde ogen als Camille, dezelfde vorm, dezelfde kleur.

'Ze wendde zich niet tot *mij*, ik heb mezelf niets te verwijten,' zei ze zachter.

'Maar u voelde zich waarschijnlijk zo schuldig, dat u me niet durfde te vertellen wie u eigenlijk bent!'

'Dat deed ik om toestanden te vermijden. Om niet de zinloze discussie uit te lokken die u vanavond aan me opdringt.'

'Als het vuile was is, kunnen we hem samen wassen. Ik herinner u eraan dat we familie van elkaar zijn, of u het leuk vindt of niet!'

Nadine probeerde nog weerstand te bieden, maar ze begon zich onbehaaglijk te voelen. Die weerzinwekkende geschiedenis voerde haar te ver terug in het verleden, ze wilde er niet meer aan denken.

'Er is slechts één ding waarover we het ongetwijfeld eens zijn,' vervolgde Pascale meedogenloos. 'Mijn grootvader, de befaamde Abel Montague, de officier met het grote plichtsgevoel, had mijn moeder nooit naar Frankrijk moeten meenemen! Zelfs het meest ellendige bestaan in Vietnam zou minder hard voor haar zijn geweest dan wat jullie haar hebben laten ondergaan. Montague heten, jullie als familie hebben, was wel het ergste wat haar kon overkomen. Uiteindelijk hebben jullie haar kapotgemaakt. Ze leed aan zwaarmoedigheid en is daaraan gestorven. Dat wilde ik u zeggen. Wees blij, als u wilt... Goedenavond, Nadine.'

Pascale draaide zich abrupt om en liep met vastberaden stappen weg. Wat een latente felheid bij die vrouw! En haar wraakzuchtige woorden, vol haat... Nadine slaakte een lange zucht. Had ze haar adem ingehouden? Ze had een beetje moeite met ademen. Langzaam ontspande ze haar klamme vingers die de schouderriem van haar tas omklemden. Ze moest hier niet blijven staan, in haar eentje, leunend tegen de muur. Iedereen kon haar zien en zich afvragen wat ze daar deed.

Als een slaapwandelaar liep ze naar het parkeerterrein waar haar auto stond. Toen ze achter het stuur was gaan zitten, maakte ze niet meteen contact, ze was helemaal van slag door wat zich zojuist had afgespeeld. Talloze jaren lang was het haar gelukt alles wat Camille betrof weg te stoppen, vooral de episode van haar terugkeer naar Toulouse, en plotseling dwong dat kreng van een Pascale haar er tot in de kleinste details aan terug te denken. Het voorval had plaatsgevonden op een grijze novemberdag. Het gesprek tussen de moeder van Nadine en Camille had slechts een paar minuten geduurd, op de drempel van de voordeur. Nadines moeder had Camille keihard nul op het rekest gegeven, met goedkeuring van Nadine, die toen een jonge arts was. Waarom had ze Camille, aan wie ze een bloedhekel had, moeten helpen? Camille, die haar haar vaders liefde had ontnomen, die een verbitterde vrouw van haar moeder had gemaakt, Camille de indringster met haar gele gezicht!

Nadine huiverde. Ondanks haar harde karakter had het voortdurende contact met zieken haar in de loop van de tijd menselijker gemaakt. Ze was niet meer dezelfde als dertig jaar geleden. Als Camille nu zou aanbellen, met een gehandicapte baby in haar armen, zou zij, Nadine, ongetwijfeld een van haar befaamde woedeaanvallen krijgen, maar ze zou Camille niet bruut wegjagen. Jammer genoeg kon ze de klok niet terugzetten en de geschiedenis herschrijven. Ze had oprecht geloofd dat het kind kort daarna was overleden. Toen had ze gehoord dat Camille hertrouwd was met Henry Fontanel, een arts uit Albi, wat de situatie had opgelost en eventueel schuldgevoel had doen verdwijnen. Schuldgevoel waarvan het laatste spoor was verdwenen met de vernedering die Camille hen na de dood van hun moeder had doen ondergaan. Dat domme mens had van haar deel van de erfenis afgezien, enkel en alleen om Nadine en haar broers niet te hoeven ontmoeten!

Nadine werd steeds misselijker. Ze rommelde in haar tas, op zoek naar een tablet Primpéran. Mijn hemel, ze zou toch niet ziek worden op het parkeerterrein van het ziekenhuis? Waarom kwelde ze zichzelf zo? Ze moest er niet meer aan denken. Nooit meer. Pascale had haar gal gespuwd, ze zou er niet op terugkomen, ze zouden er nooit meer over praten.

Op het moment dat ze eindelijk besloot het contactsleuteltje om te draaien, stopte ze. Even buiten Castres... Wat voor gespecialiseerde instellingen waren er in Castres en omgeving? Het zou niet moeilijk zijn om daarachter te komen. Misschien was het het beste om daar te gaan kijken en dan dit hele nare verhaal van zich af te zetten.

'Je lijkt wel gek! Kijken naar wát?'

Niemand kon er iets aan doen. Het kleintje was als een mongooltje geboren, alleen het lot was daarvoor verantwoordelijk. Behalve dat de kinderen die aan het syndroom van Down leden veel liefde nodig hadden, en dat kreeg je niet als je aan de Kinderbescherming was toevertrouwd. Hoe had Camille daartoe kunnen besluiten? Was ze zo arm geweest? Zij wel, maar de Montagues niet. Abel had behoorlijk wat geld nagelaten. Natuurlijk zouden ze iets hebben kunnen doen.

'Het is verschrikkelijk...'

Nadine wist niet meer wat het ergste was, het bezoek van Pascale, de ongewenste herinneringen of het schuldgevoel dat haar plotseling overspoelde. Ze scheurde weg, alsof de duivel haar op de hielen zat.

De week had oneindig lang geduurd. Het operatieprogramma was krankzinnig en Samuel kón niet meer. Als het tekort aan anesthesisten voortduurde, zouden degenen die het vak nog uitoefenden wel twintig uur per dag moeten werken. Waarom trok dat specialisme niemand meer aan? Vanwege de dreiging van de rechtszaken die hier en daar werden aangespannen, naar het slechte voorbeeld van de Verenigde Staten? Hoe het ook zij, de toekomst zag er niet goed uit. Samuel was doodop. Te meer daar de chirurgen hem zeer waardeerden en hem maar al te graag als anesthesist wilden. Hij zou zich gevleid hebben kunnen voelen, maar zijn gedachten werden alleen maar in beslag genomen door zijn privé-leven.

De tijd was gekomen om schoon schip te maken. Of hij zag af van Pascale, óf hij werd gek. Sinds afgelopen zaterdag had hij alleen maar aan háár gedacht. Aan de brandende begeerte die ze in hem wakker maakte, aan de dringende behoefte om haar te beschermen en te troosten, aan de ondraaglijke pijn op het moment dat hij haar voor het hek van Peyrolles had achtergelaten. Toen ze terugkeerden uit Castres, had hij haar daar afgezet, zoals ze wenste. Daarna was hij naar zijn eigen huis gereden, waar niets te doen was, waar niemand was om van te houden.

Bijna elke avond was hij uitgegaan. Vrienden bij wie hij mooi weer speelde, rokerige bars waar tal van knappe meisjes tegen hem glimlachten: niets kon hem afleiden. Hoe kwam dat? Omdat hij Pascale in zijn armen had gehouden en haar hart had voelen kloppen. Een hartverscheurend moment dat hun gelukkige jaren in herinnering had gebracht.

Ze had hem dinsdag gebeld om hem met een nog van woede trillende stem op de hoogte te brengen van haar gesprek met Nadine Clément. Maar toen hij haar twee dagen later belde om te vragen hoe het met haar ging, kreeg hij haar antwoordapparaat aan de lijn en had ze niet teruggebeld, ongetwijfeld te zeer door Laurent in beslag genomen.

Gelukkig was het eindelijk weekend en kon Sam gaan vliegen. Misschien zou hij een vliegtuig nemen om een beetje te stuntvliegen, mits zijn leerlingen hem daar de tijd voor gaven. Zoals de meeste piloten vergat hij alles als hij eenmaal in de lucht was.

Toen hij een van de gigantische hangaars binnenstapte, stond hij oog in oog met Laurent, die ogenschijnlijk nonchalant uitriep: 'Ha, jou zocht ik! Luister, Sam, ik kan helemaal niet opschieten met Daniel. Ik vind hem een waardeloze instructeur en ik zou mijn opleiding graag met jou willen afmaken.'

'Daniel ís geen waardeloze instructeur.'

'Met jóú, Sam. Alsjeblieft. Zijn we boos op elkaar?'

'Nee...'

'Nou, wat is er dan op tegen? Ik heb nog maar drie uur te gaan, voordat ik me aan de test moet onderwerpen. Ik ben er zo goed als klaar voor.'

'Zelfs voor de rolvluchten?'

'Dat is mijn zwakke plek, maar dat hoop ik met jou te kunnen veranderen.'

Samuel was erg op Laurent gesteld. Ze hadden elkaar meteen gemogen toen ze elkaar, drie jaar terug, op de vliegclub hadden leren kennen, en ze waren echte vrienden geworden. Hun ruzie sloeg nergens op, ze waren te oud om als twee kemphanen met elkaar te wedijveren.

'Oké,' gaf hij toe, 'kijk op het rooster en schrijf je in. Maar ik waarschuw je dat...'

'Ik zal er niet met je over praten, dat beloof ik, behalve als jij me ernaar vraagt.'

Ze hadden maar een half woord nodig en hadden geen behoefte om de naam van Pascale te noemen.

'Eigenlijk,' voegde Laurent er met een fonkeling in zijn blauwe ogen aan toe, 'heb ik het rooster al gezien. Er heeft iemand afgezegd om tien uur en daarvoor kom ik dan in de plaats, afgesproken?'

Sam aarzelde even. Hij nam Laurent even aandachtig op en besloot toen zijn jaloezie te laten varen.

'Je zult het moeilijk krijgen,' voorspelde hij terwijl hij naar de Hugues 300 wees.

Pascale trapte abrupt op de rem toen ze Léonie Bertin midden op de weg zag lopen. Ze liet haar raampje zakken en stopte naast Léonie.

'Pas op, anders wordt u nog overreden...'

'Mijn poesje zit daar in de boom, kijk maar! Hij kan niet naar beneden, hij zit vast en hij is bang. Ik kan hem toch niet buiten laten!'

Toen Pascale naar boven keek, zag ze aan het eind van een tak een bolletje rood haar in wankel evenwicht, ongeveer drie meter boven de grond.

'Ik ga vlug mijn ladder halen,' besloot de oude dame.

'Mevrouw Bertin! Dat meent u toch niet? Wacht even, dan parkeer ik mijn auto.'

Pascale zette haar auto in de berm en stapte uit, terwijl ze zich afvroeg waarom noch zij noch Aurore er ooit aan hadden gedacht een kat of een hond te nemen.

'We moeten opschieten, dat stomme beest kan elk moment naar beneden vallen!' riep Léonie uit.

Ze ging Pascale voor naar de schuur, waar de ladder stond, en daarna keerden ze terug naar de weg.

'Ga in de tuin staan, ik regel het wel. Hoe heet hij, die kleine wegloper?'

'Caramel.'

Pascale vouwde de ladder uit en zette hem voorzichtig tegen de dikke boomtak voordat ze langzaam naar boven klom, terwijl ze zoete woordjes fluisterde om het beest te kalmeren.

'Beweeg je niet, mooie Caramel, anders tuimel je naar beneden en ik ook...'

Toen ze op de juiste hoogte was gekomen, hoefde ze slecht haar hand uit te steken. Het poesje in nood klampte zich eraan vast en plantte zijn klauwtjes in haar handpalm.

'Bravo, lief poesje! Maar trek je kleine nageltjes in, ik ben je redder, niet het dierenasiel... Kom, dan gaan we terug naar de vaste grond.'

'O, bedankt, bedankt!' riep Leonie uit, die weer midden op de weg was gaan staan.

Ze nam het beestje van Pascale over en stopte het in een van de diepe zakken van haar jasschort.

'Ik ben dol op katten,' zei ze, alsof dat alles rechtvaardigde.

'Maar dat is geen reden om niet voor auto's en vrachtwagens op te passen. De mensen rijden als gekken.'

Met een schorre lach haalde Léonie haar schouders op.

'U weet best dat er weinig verkeer langs komt!'

Pascale bracht de ladder terug naar de schuur. Léonie bood haar een kopje koffie aan, en Pascale nam dat graag aan.

'Goed, ik kom zo bij u, even mijn tas pakken.'

Voordat ze haar auto afsloot, besloot ze de bos bloemen te pakken die ze van de markt in Albi had meegenomen. Léonie zou veel meer plezier van die hyacinten hebben dan zijzelf. Trouwens, in het park van Peyrolles stikte het van de bloemen, in allerlei kleuren. Het was gewoon belachelijk ze te kopen, typisch iets voor een vrouw uit Parijs!

'Ik blijf niet lang, mijn kofferbak zit vol boodschappen die ik in de koelkast moet zetten,' zei ze, terwijl ze de keuken binnenging. 'Zoals elke zaterdag heb ik weer veel te veel gekocht op de markt.'

Ze gaf de hyacinten aan Léonie, die haar verbaasd aankeek.

'Voor míj? Dat is erg aardig... En ook grappig, want uw moeder stopte hier ook wel eens om me een bos bloemen aan te bieden! Ze nam armenvol mee uit Albi, beseft u dat wel?'

De laatste zin, heel langzaam uitgesproken, bevatte een soort waarschuwing die Pascales nieuwsgierigheid wekte. Léonie bleef haar aankijken, in afwachting van een reactie. Pascale antwoordde voor alle zekerheid: 'Mijn moeder was dol op bloemen.'

'O, ja! De kleine Lestrade had het er altijd over als hij mijn heg kwam snoeien. Hij vertelde over alle wonderbaarlijkheden van de tuin van Peyrolles... En toch ging ze, net als u, elke zaterdag naar de markt en kocht snijbloemen. Een heleboel snijbloemen...'

Inderdaad, Pascale kon het zich nog goed herinneren. Het huis stond altijd vol bloemen, maar ze had altijd gedacht dat ze van het park afkomstig waren. Waarvoor zou je anders zoveel moeite doen om de tuin te beplanten? Met gefronste wenkbrauwen herinnerde zich de rieten mand die altijd en eeuwig aan haar moeders arm hing. Hadden daar slechts verwelkte rozen in gelegen?

'Probeert u me iets duidelijk te maken, mevrouw Bertin?' vroeg ze zacht.

Léonie aarzelde en bleef haar onderzoekend aankijken.

'Nee... niets anders dan wat ik heb gezegd. Maar het bevreemdde me. Dus op een dag heb ik uw moeder die vraag gesteld... Haar antwoord was merkwaardig, heel warrig. Ze zei dat ze haar bloemen niet wilde aanraken, vanwege de boodschap.'

'De boodschap?'

'Ja. Kom, drink uw koffie op, dokter Fontanel! Op mijn leeftijd is het geheugen niet meer zo goed, misschien haal ik dingen door elkaar, hè?'

Maar ze was bij haar volle verstand, daarvan was Pascale overtuigd. Nadat ze haar kopje had leeggedronken, bedankte ze Léonie en streelde de poezenoortjes die uit de zak staken.

'Laat haar niet meer naar buiten gaan,' adviseerde ze bij haar vertrek.

Wat zou dat verhaal over die boodschap kunnen betekenen? De oude vrouw had iets onder haar aandacht willen brengen, maar wát? Verward stapte ze weer in haar auto en reed naar Peyrolles, waar het hek openstond. Ze reed over de oprijlaan en parkeerde zo dicht mogelijk bij de keukendeur.

'Wat ben je lang weggebleven!' riep Aurore uit, die op haar zat te wachten.

'Ik ben bij mevrouw Bertin op bezoek geweest.'

'Ik maak de kofferbak wel leeg. Ga jij maar naar Lestrade. Hij is er al een uur. Volgens mij houdt hij een inspectietocht. Ik heb zelfs een complimentje gehad, omdat we zo goed onkruid hebben gewied.'

Aurore begon te lachen en tilde twee grote tassen op.

'Zorg dat hij snel verdwijnt. Ik heb een olijfcake voor de lunch gemaakt en witte wijn koud gezet. Ik vroeg me zelfs af of we niet buiten konden gaan zitten met dit mooie weer!'

Pascale, die nog steeds in gedachten was, knikte verstrooid en ging op zoek naar Lestrade. Ze stak het gazon over, bleef staan en keerde zich weer om. Overal ontloken er bloemen in de bloembedden en de borders, één explosie van levendige kleuren. Boterbloemen, crocussen, tulpen, fresia's, irissen, anemonen, narcissen, en dan nog een overvloed aan rozen...

'Het is mooi, hè?' zei Lucien Lestrade, die achter een groepje bomen vandaan kwam.

Hij droeg een grote stuifsproeier, die hij op de grond zette, naast zijn voeten.

'Die rotparasieten! Je moet goed oppassen, anders...'

'Blijven die bloemen lang goed?' vroeg Pascale kortaf.

'Als deze gaan verwelken, zullen er lelies zijn en gladiolen, herfsthyacinten en asters, en daarna anjers en asters...'

'Plant u elk jaar dezelfde bloemen?'

'Ja, en in dezelfde volgorde.'

'Waarom?'

'Omdat ik het heb beloofd.'

'Aan wie?'

'Wat denkt u?'

Pascale deed haar mond open en sloot hem weer zonder een woord te hebben gezegd. Lucien Lestrade keek haar zichtbaar voldaan aan, alsof hij trots was op zijn leerling. Ze keek opnieuw om zich heen, en plotseling was het zo simpel, zo eenvoudig, zo helder.

'Wilt u het hek sluiten als u vertrekt?'

Zonder nog iets tegen hem te zeggen begon ze naar het huis te rennen. Omdat ze de mogelijkheid had om te kijken of het waar was wat ze dacht, zou ze geen minuut langer wachten om dat te verifiëren. Buiten adem stormde ze de keuken binnen, waar Aurore bezig was de laatste boodschappen op te bergen.

'Kom mee, we gaan naar Toulouse!'

Aurore was stomverbaasd. Ze wilde protesteren, maar Pascale had al haar handtas en haar autosleutels gepakt.

Er was heel wat overredingskracht van Samuel nodig geweest om Pascale te overtuigen. Een helikopter huren was erg duur, zelfs de kleine Hugues 300, terwijl Sam, als instructeur, elke machine die beschikbaar was mocht gebruiken. Trouwens, hij had ronduit geweigerd haar alleen te laten vertrekken.

'Je hebt bijna een jaar lang geen solovlucht gemaakt, er is geen sprake van dat je met Aurore als passagier weggaat nu je zo gespannen bent! Ik ben om halfvier vrij. Ga iets eten in de bar en blijf daar op me wachten...'

Pascale had zich er ten slotte bij neergelegd en haar ongeduld overwonnen. Ze had weliswaar een geldige vergunning om dit jaar te vliegen, maar het ontbrak haar aan praktijkervaring. Sam had gelijk. En zíj kon de besturing overnemen als ze met Sam vloog, maar Aurore zou haar geen hulp kunnen bieden als er iets mis was.

Terwijl ze een broodje aten en thee dronken, bestookte Aurore Pascale met vragen. Ze kreeg echter geen ander antwoord dan: 'Het is misschien een idioot idee, ik praat er liever niet over voordat ik het heb gezien. In elk geval beloof ik je een mooi tochtje, er is geen wolkje te bekennen!'

Toen Samuel hen eindelijk kwam halen, kon Pascale niet langer blijven zitten. Ze volgden hem naar de Jet Ranger. Sam hielp Aurore achterin instappen. Hij maakte haar gordel vast, gaf haar een helm en sloot de deur. Daarna ging hij voorin zitten, naast Pascale.

'Heb je de regiokaart, liefje? Ik verzorg het opstijgen, en als jij kalm genoeg bent geworden vertrouw ik jou de stuurknuppel toe, tot aan Gaillac. Zijn jullie er klaar voor, meisjes? Goed, daar gaan we!'

Pascale knikte en controleerde haar microfoontje terwijl Samuel de checklist doornam en keek of alle wijzers in het groen stonden en alle controlelampjes uit waren. Eerst zocht hij de verticale lijn en daarna liet hij de helikopter zachtjes omhooggaan. Toen hij bijna een meter boven de grond was, liet hij de helikopter onmerkbaar naar voren kantelen en meerderde vaart tot hij de juiste snelheid om op te stijgen had bereikt.

'Wat enig!' riep Aurore uit, haar stem weerklonk in de helmen.

'Je hoeft niet te schreeuwen, we horen je wel!' zei Pascale lachend tegen haar.

De daken van de gebouwen van de vliegclub werden steeds kleiner.

Ze zetten koers naar het noordoosten. Tien minuten later, toen ze de oevers van de Tarn in het oog kregen, stelde Sam voor dat Pascale ging vliegen.

'Richt je op de rivier en laat me zien wat je kunt!'

Verrukt plaatste ze haar voeten op de pedalen en haar rechterhand op de stuurknuppel.

'De besturing is aan jou,' zei Sam.

'Ik doe de besturing,' antwoordde ze met vaste stem, geheel volgens de procedure.

'Zit jíj nu aan het stuur?' vroeg Aurore ongerust.

'Maak je geen zorgen, ik hou toezicht op haar,' zei Sam met een brede grijns. 'Ze is mijn leerling geweest, dus ze zou zich moeten kunnen redden...'

Ze vlogen over het dal van de Tarn, in de richting van Albi. Pascale keek op de kaart die dwars over haar knieën lag. Het vliegen zou haar een immense vreugde hebben geschonken als ze niet zo geobsedeerd was door wat ze meende te hebben ontdekt.

'Let op je hoogte, liefje...'

Ze ging weer naar duizend voet en probeerde zich te concentreren, in de wetenschap dat Sam honderd procent concentratie eiste. Hij liet haar Gaillac passeren en de bochtige rivier volgen. Toen het nog maar een of twee minuten vliegen was naar Peyrolles, liet ze de besturing aan hem over zonder dat hij erom hoefde te vragen.

'Als we boven Peyrolles zijn gearriveerd, liefje, wat moet ik dan precies doen?'

'Niets speciaals. Er alleen maar een paar keer over heen vliegen.'

'Wil je dat ik land?'

'Geen sprake van, je zou alle bloemen vernielen!'

Hij wierp haar een nieuwsgierige blik toe, maar onthield zich van commentaar. Zodra het landgoed in zicht kwam, daalde hij langzaam tot zeshonderd en daarna tot vijfhonderd voet.

'Ga niet te snel,' zei ze.

Maar het was een overbodig advies. Van een afstand van honderdvijftig meter boven de grond zagen ze het fantastische schouwspel dat het park van Peyrolles bood. Zoals Pascale al had vermoed, vormden de bloembedden en de borders een reusachtig patroon met de boodschap die door Camille was samengesteld en bedoeld om alleen vanuit de lucht te worden gezien.

'Niet te geloven...' fluisterde Samuel in zijn microfoontje.

Hij maakte een bocht, verloor nog een beetje hoogte en keerde terug om opnieuw, met lage snelheid, over het park te vliegen.

Aurore was sprakeloos. En Pascale kon alleen maar mompelen: 'Mijn God, hoe heeft ze dat gedaan?'

Alle letters van de naam Julia waren in een cirkelboog gerangschikt, en ze waren heel duidelijk te zien. Zoals het geval is bij een tuin in Franse stijl of het ontwerp van een doolhof, had Camille een woord kunnen vormen met behulp van struiken met groen blijvende bladeren. Maar ze had de voorkeur aan bloemen gegeven. Een ingewikkelde compositie die waarschijnlijk veel fantasie had gevraagd en die absoluut niet te zien was als je op de grond stond. Wist Lucien Lestrade waar hij mee bezig was of stelde hij zich tevreden met het kopiëren van een patroon dat destijds door Camille was vastgelegd?

Samuel ging een beetje hoger vliegen, zodat de luchtstroom die door de rotor werd veroorzaakt niet tegen de bloemblaadjes blies. Daarna liet hij de helikopter boven het park hangen.

'Waarschijnlijk verwelken ze vrij snel,' zei hij.

'Dan worden ze door andere vervangen. Vanaf de lente tot in de herfst komt de voornaam steeds weer tot bloei, in verschillende kleuren. Daarom is het zo belangrijk dat verwelkte bloemen worden verwijderd, zodat de volgende kunnen ontluiken. Heel veel werk voor dat prachtige maar povere resultaat, dat aandoenlijke teken dat bedoeld is voor God en de wolken.'

'Je moeder wilde niet vergeten,' zei Aurore langzaam.

'Ze kón het niet. Het was absoluut een obsessie, een open wond...'

Hoeveel opeenvolgende jaren had Camille aan die mysterieuze compositie van bloemen gewerkt, terwijl ze niet eens de mogelijkheid had het te bekijken? Maar ze had er zoveel moeite voor gedaan, dus moest ze zeker van het resultaat zijn geweest. Het was haar levenswerk, misschien haar straf.

'Laten we weggaan, Sam,' fluisterde Pascale.

Al had ze zacht in haar microfoontje gesproken, hij had haar gehoord, want hij meerderde vaart en steeg op. Pascale sloot haar ogen, terwijl hij omkeerde. Ze vroeg zich af waarom ze de bollen niet uit de grond zou trekken, de aarde omspitten, gras zaaien en bomen planten om alles uit te wissen. Ze had er het recht toe, ze had Julia teruggevonden.

De hand van Sam raakte zacht haar wang aan en veegde een traan weg.

'Niet huilen, lieveling...'

Had hij kort na de begrafenis van haar moeder niet hetzelfde gezegd? Ze voelde evenveel verdriet als op die dag, alsof Camille zojuist voor een tweede keer was gestorven.

12

HENRY ZAT MET ZIJN HOOFD IN ZIJN HANDEN OP DE RAND VAN ZIJN bed. Hij voelde zich bitter gestemd, uitgeput en oud. Dat zijn dochter uiteindelijk alles had ontdekt verbaasde hem niet écht. Wat de bloemen betrof, hij had wel gedacht dat Camille er heel veel belang aan hechtte, maar hij had nooit geprobeerd het te begrijpen, en hij had niet doorgehad dat ze iets schreef. Hij had zich tevreden gesteld met het betalen van Lestrade, zodat het park goed werd onderhouden. Nu deed het er weinig toe.

'Maak alles met de grond gelijk,' had hij aan Pascale voorgesteld voordat hij weer ophing.

Ze wilde per se dat hij naar Peyrolles kwam, maar wat had het voor zin? In elk geval vergiste ze zich nog steeds in een paar details.

'Details' was niet het juiste woord. Kon hij redelijkerwijs zijn rol in dit verhaal een detail noemen? O, wat had hij veel begrip voor zichzelf! Maar er was voldoende om zich schuldig over te voelen, zozeer dat hij er misselijk van was. Hij kón niet meer.

Hij tilde zijn hoofd op en keek om zich heen. Waarom leefde hij nog steeds met de herinnering aan Camille? Hij had lang geleden al moeten proberen het laatste deel van zijn leven anders in te richten. Hij was niet ziek, de kans bestond dat hij nog lang zou meegaan, hij zou een mooie, krasse grijsaard zijn die de spoken uit het verleden met zich meezeulde...

Ineens hoorde hij de voordeur opengaan. Adrien kwam en ging

wanneer hij maar wilde, want Henry had hem een huissleutel gegeven. Maar waarom kwam zijn zoon zo laat nog langs?

'Papa? Ik ben het!'

Dat was duidelijk. Niemand anders kwam hier zomaar binnen lopen.

'Heb je gegeten?'

Zijn zoon stond in de deuropening van zijn slaapkamer en wierp hem een bezorgde blik toe.

'Nee,' zuchtte Henry.

'Ik ook niet. Wil je uit eten gaan?'

'Dat is niet nodig, mijn koelkast is vol.'

'Goed, dan ga ik koken!'

Grote genade, het was troostend en beledigend tegelijk als iemand zo voor je zorgde! Dacht Adrien dat hij kinds was en niet in staat zich te voeden? Gelaten stond Henry op om Adrien naar de keuken te volgen.

'Heeft je zus je gebeld?' vroeg hij achteloos.

'Natuurlijk. Dat verhaal over de bloemen heeft me koude rillingen bezorgd.'

'Waarom?'

Met een pan in zijn hand draaide zijn zoon zich om en keek hem stomverbaasd aan.

'Waarom? Omdat... stel je mama voor terwijl ze bezig is om... als ik zag dat ze weer stond te ploeteren in de bloemperken, dacht ik dat ze daar plezier in had! Ik dacht zelfs dat alle vrouwen dol waren op tuinieren. Terwijl het voor mama slechts een manier was om... om te rouwen, denk ik. Hoewel je niet kunt rouwen om iemand die nog in leven is, nietwaar?'

Henry gaf geen antwoord. Hij haalde twee borden uit een kast terwijl Adrien eieren klopte.

'Eerlijk gezegd, papa, vind ik het een beetje dwaas van Pascale om dat alles weer op te rakelen, maar zíj woont op Peyrolles, zíj had ongetwijfeld de behoefte om het te weten.'

Vanwege dat vervloekte trouwboekje was Pascale op zoek gegaan naar de waarheid, en toen de doos van Pandorra eenmaal open was, was hij niet meer te sluiten.

'Zeg je niets?' merkte Adrien op.

'Ik ben het zat om steeds maar aan het verleden te denken.'

Adrien knikte en wierp Henry een lieve glimlach toe. Hij was werkelijk een aardige jongen, een attente zoon, en tevens een goede arts, maar waarschijnlijk barstte ook híj van de problemen. Daar was Henry zeker van, zonder dat hij het ooit aan Adrien had durven vragen.

'Je zus heeft me gevraagd of ik Julia Coste wilde ontmoeten,' zei hij. 'Daar is natuurlijk geen sprake van. Ik zal dat niet doen, zelfs niet omwille van de nagedachtenis aan Camille.'

Hoe lukte het hem dat zo kalm te zeggen? Zeker, Julia betekende niets voor hem, maar het idee om te zien wat er van haar was geworden boezemde hem afkeer in.

'Dat zou ongezonde nieuwsgierigheid zijn!' zei Adrien geërgerd. 'Pascale heeft altijd van die krankzinnige ideeën, ze...'

'Het is haar halfzus, Ad.'

Pascale had gelijk. Hoe zou ze anders hebben kunnen handelen? Henry had haar aan de lijn gehad. Hij had gehoord dat de stem van zijn dochter trilde en daarna brak, terwijl ze Julia beschreef. De enige troost was dat het arme kind zich in een fatsoenlijke instelling bevond. Ze werd al veertig jaar goed behandeld, instellingen hadden soms voordelen.

Adrien deed de geklopte eieren en de blokjes ham in de warme olie, en daarna stak hij een sigaret op.

'Je rookt te veel,' zei Henry automatisch.

Vanuit zijn ooghoek keek hij aandachtig naar zijn zoon. Leek hij op Alexandra? In de vage herinneringen die Henry aan zijn eerste vrouw bewaarde, was ze tamelijk knap, en dat was Adrien ook. Dus waarom was hij dan nog steeds alleen? Waarom was hij dan de avondmaaltijd van zijn oude vader aan het bereiden in plaats van op stap te zijn met een van zijn talrijke vriendinnetjes? Te talrijk, in feite. Dat was het teken dat er iets niet goed ging in het leven van zijn zoon.

De geur van de omelet wekte Henry's eetlust op. Hij stond op om een fles chablis uit de koelkast te halen, ontkurkte hem en vulde twee glazen. Daarna sneed hij sneeën brood af en legde die in een mandje. De werkster deed bijna elke morgen boodschappen voor hem, hij hoefde zich niet om het huishouden te bekommeren. Maar hij peinsde er niet over in zijn eentje in deze keuken te eten. Misschien moest hij het appartement verkopen, het was te groot voor hem alleen, en ergens anders gaan wonen. Camille had haar stempel op Peyrolles gedrukt, niet op déze woning, waarin ze weinig van zichzelf had gelegd. Een stempel waarvan Pascale het spoor helemaal had gevolgd. De koppige, vasthoudende Pascale... Zijn bijzondere dochter!

'Als je wilt gaan we straks een potje schaken,' opperde Adrien, terwijl hij de omelet op een grote schaal deponeerde.

'Ik heb bij voorbaat al verloren, maar vooruit, ik stem toe,' antwoordde Henry.

De schok van Pascales telefoontje begon af te nemen. Met een beetje geluk – en met wilskracht – zou hij er nóg een keer in slagen alles uit zijn geheugen te bannen. Tot nu toe was hem dat gelukt, hij hoefde alleen maar door te gaan. De ene voet voor de andere zetten, de ene dag na de andere zien aanbreken, dat lukte hem sinds de dood van Camille. Soms schiep hij er zelfs een zeker genoegen in om te voelen dat hij leefde, zoals zojuist, toen Adrien zo lief tegen hem glimlachte. Maar hoe zou de glimlach van zijn zoon eruitzien – laat staan die van zijn dochter – als Henry besloot de laatste 'details' van de geschiedenis van de Fontanels aan zijn kinderen te vertellen?

Hij legde zijn vork neer, hij had geen trek meer.

Het idee kwam van Aurore en het had Pascales goedkeuring gekregen. Bij het geïmproviseerde diner-voor-vier in de wintertuin van Peyrolles ging het er vrolijk aan toe.

Terwijl Pascale dacht dat ze zich niet zou kunnen vermaken, nog steeds hevig geschokt door wat ze vanuit de helikopter in het park had gezien, was ze ten slotte gezwicht voor de humor van Georges en de aanstekelijke lach van Sam.

De talloze kaarsen, die Aurore overal had neergezet, creëerden een feeststemming, net als de champagne die Georges had meegebracht. Ook al wisten ze niet precies waarom ze bijeen waren gekomen, ze vonden het alle vier fijn om samen te zijn en te genieten van het eten: *confit de canard* en aardappels met knoflook.

Toen hun gebruikelijke grappen over medicijnenstudentjes en de laatste anekdotes over de afdeling van Nadine Clément op waren, kwam natuurlijk het park van Peyrolles aan de orde.

'Nu weten we het tenminste,' zei Aurore vrolijk. 'Lestrade is geen gevaarlijke psychopaat, en we hebben eindelijk begrepen waarom hij zo aanhield!'

'Waren jullie echt bang voor hem?' vroeg Georges.

'Het was een beetje angstaanjagend om hem elk moment te kunnen zien verschijnen. Hij heeft nooit de sleutel van de kleine deur willen teruggeven en ik was altijd bang dat hij zich achter een bosje had verstopt.'

Pascale deed er lachend nog een schepje boven op en zei: 'Met een vlijmscherp mes in zijn hand. Op een avond heeft hij me werkelijk de stuipen op het lijf gejaagd!'

'Twee vrouwen alleen in een groot, afgelegen huis...' zei Georges op ironische toon.

'Maak je geen zorgen,' antwoordde Aurore, 'we staan ons mannetje en hebben geen behoefte aan lijfwachten!'

Ze wierp hem een stralende glimlach toe alvorens hem een kopje koffie aan te bieden.

'Ik zal koffie zetten,' besloot Pascale, die al overeind vloog.

Samuel volgde haar naar de keuken, een stapel vuile borden in zijn handen.

'Je ziet er al weer beter uit,' zei hij. 'Je hebt vanavond veel gelachen, tot mijn grote vreugde.'

Hij merkte het altijd als haar stemming omsloeg, misschien omdat hij haar beter kende dan wie ook. Ze was geroerd en keek hem even zwijgend aan.

'Ik voel me opgelucht,' bekende ze ten slotte, 'zonder te weten waarover.'

'Omdat je het raadsel rond Julia hebt opgelost.'

'Ja... En nu vraag ik me af wat ik met de tuin moet doen. Papa raadt me aan alles met de grond gelijk te maken, maar ik ben er niet zeker van of ik al dat werk wil vernietigen. Het zou bijna heiligschennis zijn.'

'Waarom? Die bloemen zijn een overblijfsel, Pascale. Ze dienen nergens voor, voor niets en niemand.'

'Zullen wij de enigen zijn die hebben gezien wat de bloemen zeggen?'

'Niet helemaal.'

Ze zag zijn lichte aarzeling. Toen vervolgde hij: 'Ik ben vandaag met een leerling naar Peyrolles teruggekeerd en heb vanuit de helikopter foto's genomen.'

Even was ze sprakeloos van verbazing. Hoe kon hij haar zo goed doorgronden? Als ze besloot het park compleet te veranderen, dan wilde ze iets bewaren van wat zo lang in het geheim had voortgeduurd, een herinnering aan het levenswerk dat het stille leed van haar moeder uitdrukte.

'Ik heb het negatief en de afdrukken voor je meegenomen, ze liggen in mijn auto.'

'Bedankt, Sam...'

Ze stond hem nog steeds aan te kijken, en nu met een zekere melancholie. 'Haar' Sam, vertrouwd, onmisbaar. Op welk moment hadden ze elkaar definitief verloren?

'Hoe staat het met Marianne?' dwong ze zichzelf te vragen.

'Geen idee. Ik geloof dat ze haar werk weer heeft opgepakt, maar we gaan niet meer met elkaar om.'

Pascale knikte en slikte voordat ze zacht kon zeggen: 'Je zult een andere vrouw vinden, Sam. Ik zou zo graag willen dat je gelukkig bent!'

'Ja, dat zal ongetwijfeld gebeuren... En jij? Beleef je de volmaakte liefde met Laurent?'

Hij had niet echt zin om dat te weten, het was overduidelijk.

'Drinken jullie die koffie zonder ons op?' vroeg Georges.

Pascale was blij dat ze geen antwoord op Sams vraag hoefde te geven en begon kopjes en de suikerpot op een blad te zetten, dat Georges van haar overnam. Ze bereikten samen de wintertuin, waar Aurore net een van de ramen had geopend.

'Het is buitengewoon zacht, we hadden bijna buiten kunnen eten...' De jonge vrouw draaide zich naar Pascale om en voegde er enthousiast aan toe: 'Ik heb fantastische toortsen in de ijzerwinkel gevonden, het soort dat je overal in het gras kunt zetten en dat de hele nacht brandt. De eerstvolgende keer dat we een avond buiten doorbrengen, zal ik ze kopen, want lampions zijn wel leuk, maar ze verspreiden weinig licht!'

Uit haar ooghoek zag Pascale dat Georges' gezicht betrok. Als hij nog steeds hoopte Aurore over te halen in zijn appartement te komen wonen, was dit een bittere pil voor hem.

'Het probleem van Peyrolles,' fluisterde Sam in haar oor, 'is dat als je er eenmaal van hebt geproefd...'

Sam stond vlak achter haar, en daar profiteerde ze van om heel even met gesloten ogen tegen hem aan te leunen.

'Ik ga naar huis, liefje, het is laat en ik moet morgenochtend om acht uur op de operatieafdeling zijn. Jouw paradijs is een beetje ver van de beschaving! Kan ik je een lift geven, Georges?'

'Eh... nee, ik...'

'Ik hou hem vannacht hier!' lachte Aurore.

'Nou, welterusten dan.'

Sam pakte zijn jack dat over de rugleuning van een stoel hing.

'Loop met me mee naar de auto, dan kan ik je je foto's geven,' zei hij tegen Pascale.

Met een ietwat ongemakkelijk gevoel vergezelde Pascale hem. Hij keerde alleen terug naar Toulouse, dat was logisch, iedereen had zijn eigen huis. Ze waren als oude vrienden, die na een gezellige avond afscheid namen en elkaar gauw hoopten terug te zien.

'Alsjeblieft...'

Hij gaf haar een mapje dat ze automatisch aannam.

'Slaap lekker, liefje,' zei hij en boog zich naar haar toe.

In plaats van haar te omhelzen streelde hij even haar wang, en daarna stapte hij in zijn auto. Roerloos keek ze toe, terwijl de achterlichten zich verwijderden en om de bocht van de oprijlaan verdwenen. De avondlucht was inderdaad erg zacht. Pascale hief haar hoofd om naar de sterren te kijken. Er was zoveel. De zus die ze had ontdekt, het stille verdriet van haar moeder, het grote huis achter haar, en Samuel die ze had verloren. Waarom leek het leven plotseling zo ingewikkeld?

Op vrijdag, aan het eind van de dag, verliet Laurent het UMC Purpan een beetje eerder dan anders. Toen hij thuiskwam, nam hij eerst een douche en trok daarna een lichtblauw overhemd en een licht pak aan. Hij aarzelde even voordat hij van de das afzag. De vorige dag had hij een tafeltje in de *Jardins de l'Opéra* gereserveerd, waar hij met Pascale had afgesproken. Hij vond het heerlijk om haar te zien smikkelen en smullen. Ze was een vrouw die de keuken van een topkok kon waarderen.

In elk geval had ze volgens hem alleen maar goede eigenschappen. Hij was smoorverliefd op haar en daar was hij heel blij om. Hij besloot te voet naar het place du Capitole te gaan, zodat ze na het etentje van één auto gebruik konden maken. Toen hij het plein had bereikt bleef hij even staan, zoals elke keer was hij vol bewondering voor de architectuur van het plein, met alle bakstenen, negentiende-eeuwse voorgevels die zich boven de arcades van de *Galerue* verhieven. In het midden het indrukwekkende kruis van de Languedoc met de bronzen linten, en verder de Ionische zuilen en pilasters van het stadhuis dat nóg ouder was en het beroemde theater in zijn rechtervleugel herbergde.

Hij keek op zijn horloge en zag dat het halfnegen was. Pascale was nooit te laat. Hij haastte zich dan ook naar de ingang van restaurant *Jardins de l'Opéra*, en liet zich door een ober naar zijn tafeltje brengen, waaraan Pascale al was gaan zitten.

'Heb ik je laten wachten?' vroeg hij ongerust.

'Nee, ik ben er net. Wat is het hier prachtig! Ze hebben me alvast de kaart gegeven om me af te leiden, maar ik kom er niet uit, je zult me moeten helpen.'

Ze glimlachte. Hij vond haar zo mooi, dat hij er door ontroerd raakte. Haar lange haren waren opgestoken, ze droeg een wit jasje met een staande kraag en eronder een zwart topje, met als enig sieraad een gouden, sikkelvormige hanger. Sinds enige weken lette hij erg op dat soort details en hij had gemerkt dat ze de voorkeur gaf aan geelgoud. De ring in het doosje dat onder in zijn zak zat, was in overeenstemming daarmee gekozen. Hij wilde de ring meteen aan haar geven, maar hij had er niet de moed toe. Het was beter geduld te hebben en op het juiste moment te wachten, te meer daar hij geen idee had van hij moest zeggen als hij haar de ring gaf. Dat hij met haar wilde trouwen? De kans bestond dat ze in lachen zou uitbarsten of dat ze hem onhandig, te haastig en belachelijk conventioneel vond.

'Zou je me de ravioli en foie gras met truffelsaus aanraden?' vroeg ze, met haar blik op de kaart gericht.

'Hier is alles verrukkelijk. In het bijzonder het verfijnde gerecht van gekruide konijn en duif. Wil je een beetje champagne, terwijl je besluit wat je neemt?'

'Hebben we iets speciaals te vieren?'

Opnieuw was hij geneigd het juwelendoosje te voorschijn te halen, maar de komst van de ober belette dat. Misschien moest hij wachten tot het eind van de avond, als ze in zijn huis waren. Thuis zou hij zich vast en zeker meer op zijn gemak voelen om zijn liefde te verklaren. Opgelucht door het uitstel dat hij zichzelf verleende, ontspande hij zich eindelijk. 'Je ziet er schitterend uit, alle mannen zullen me benijden,' zei hij zachtjes.

'Mits ze van zwartharige vrouwen houden!' antwoordde ze lachend.

Haar vrolijkheid was een van de dingen die hij op prijs stelde. Ondanks haar zorgen of angsten, was ze in staat zich als een kind te amuseren zonder zichzelf te serieus te nemen. Zelfs tijdens hun ernstigste gesprekken zag ze kans een grappige opmerking te maken, alsof ze er, als arts, de voorkeur aan gaf alles te relativeren. Vergeleken bij zijn vorige relaties leek Pascale hem zo ideaal, dat ze bijna een uitdaging werd en hij haar begon te wantrouwen. Was ze niet de enige vrouw die erin was geslaagd hem te laten blozen? En ironisch genoeg ook de enige over wie hij niet met zijn beste vriend kon praten.

Zoals verwacht deed ze de maaltijd eer aan. Ze ging zelfs zo ver, dat ze uit zijn bord proefde van de gerechten die ze niet had uitgekozen, en ze aarzelde niet om als toetje in wijn gepocheerde vijgen te nemen. Al die tijd friemelde hij aan het doosje in zijn zak, bijna zonder zijn ogen van haar af te wenden.

Toen ze de *Jardins de l'Opéra* verlieten, was het bijna middernacht. Ze reden de auto van Pascale uit de parkeergarage. Even later konden ze hem aan het begin van de rue Ninau parkeren.

'Ik zal koffie of thee voor ons maken, wat je liever hebt,' stelde hij voor, terwijl hij haar als eerste het herenhuis liet binnengaan.

Ze liep met hem mee naar de keuken en ging aan de eetbar zitten, terwijl hij water opzette.

'Het was een heerlijke avond, Laurent, we hebben goddelijk gegeten.'

Hij was zo nerveus, dat hij bijna de theepot omgooide. Hij wist dat het moment gekomen was om te zeggen wat hij op zijn hart had.

'Ik heb je iets te zeggen,' bracht hij er met moeite uit.

'Je ziet er verschrikkelijk serieus uit...'

'Dat ben ik ook.'

'Nee, alsjeblieft.'

Ze stond op van haar kruk, liep om de bar en sloeg haar armen om zijn nek.

'Niets serieus,' fluisterde ze.

Ze ging op haar tenen staan en omhelsde hem om hem tot zwijgen te brengen.

'Pascale, luister,' zei hij en maakte zich van haar los. Plotseling was hij bang dat hij een vergissing beging, maar hij kon niet meer terug.

'Ik ga je mijn liefde verklaren en je ten huwelijk vragen. Is dat zo vreselijk?'

Ze deed een stap opzij en liet haar armen zakken.

'Laurent,' fluisterde ze.

Onmiddellijk wist hij dat ze niet wilde, dat hij zich had vergist. En omdat geen enkel woord kon uitdrukken wat hij voelde, pakte hij haar bij de schouders en trok haar tegen zich aan, zodat ze hem niet meer kon aankijken. Zo bleven ze even staan, zonder iets te zeggen.

'Ben ik te snel gegaan?' fluisterde hij ten slotte. 'Het spijt me...'

Ze bewoog niet, ze had zich aan hem vastgeklampt. Ze was wel verplicht antwoord te geven, maar hij had helemaal geen zin om te horen wat ze – onvermijdelijk – tegen hem zou zeggen.

'Ik kan het niet, Laurent...' begon ze met onzekere stem. 'Ik kan je niet laten geloven dat...'

'Oké, zeg maar niets meer. Je houdt niet van me, is dát het?'

Hij verwachtte niet veel meer, vooral geen woorden van medelijden, desondanks smeekte hij toch: 'Blijf vannacht tenminste bij me.'

'Laurent,' zei ze nogmaals.

Bij het idee dat hij haar zou verliezen, werd hij overmand door verdriet. In het verleden had hij tweemaal een toekomst met een vrouw willen opbouwen, en bij elke mislukking had hij zich heilig voorgenomen dat het de laatste keer zou zijn, dat hij er nooit meer in zou geloven. Maar bij Pascale was het anders. Ze vertegenwoordigde een ideaal waarnaar hij niet eens had gestreefd, waarvan hij niet zou hebben durven dromen, en dat als geroepen in zijn leven was gekomen.

'Ben je niet klaar om een nieuw leven te beginnen of wil je míj niet?'

Waarom bleef hij aandringen? Zijn enige zekerheid was dat hij haar begeerte had opgewekt, wat hem geen enkel recht gaf, misschien zelfs geen enkele hoop. Hij voelde dat ze probeerde zich los van hem te maken, en drukte haar, dwaas genoeg, nog dichter tegen zich aan.

'Alsjeblieft, blijf, laten we met elkaar vrijen.'

Dat wilde hij om de veroordeling af te wijzen die ze waarschijnlijk zou uitspreken. In seksueel opzicht pasten ze volmaakt bij elkaar. Over een paar ogenblikken konden ze hartstochtelijk naar elkaar verlangen, overweldigd door de behoefte om één te worden in het genot.

'Laat me los, Laurent, ik moet met je praten.'

Haar kalme, vastberaden stem, haar 'doktersstem' had op hem het effect van een koude douche. Hij beet op zijn lippen terwijl hij haar liet gaan, woedend op zichzelf. Toen ze haar hand hief verwachtte hij bijna een agressief gebaar, maar ze liet haar vingers dwalen over zijn slaap, zijn jukbeen en zijn wang, met een soort van trieste zachtheid.

'Je bent volmaakt geweest, ik heb nergens spijt van. Ik ben degene die niet in staat is om... Ik dacht dat ik van je zou gaan houden, vergeef me, ik heb me vergist. We kunnen goed met elkaar opschieten, maar dat is voor jou niet voldoende, dat weet ik, dus wilde ik het je vanavond zeggen, maar... we hebben zo'n fijne avond gehad... En zo is het altijd als we samen zijn! Sinds ik je ken doe je alles om me te helpen, om me het leven gemakkelijker te maken. Bovendien ben je zo'n aantrekkelijke man en zo'n fantastische minnaar dat... Ik vind het heel naar wat er gebeurt, Laurent.'

Hij kon niet aan haar oprechtheid twijfelen, omdat ze plotseling tranen in haar ogen had. Toch had hij de indruk dat ze hem zojuist van heel dichtbij had neergeschoten.

'Is het vanwege Samuel?' vroeg hij met schorre stem.

Ze keek hem eerst verbaasd aan. Daarna raakte ze geleidelijk aan in verwarring.

'Sam? Nee... Wat heeft dat er mee te maken?'

Plotseling gaf hij het op en wilde hij dat ze snel vertrok.

'Goed. We hebben elkaar alles gezegd, geloof ik.'

De ring zat nog steeds in zijn zak, goddank, hij had zich voldoende belachelijk gemaakt voor vanavond. Hij zag dat ze haar jas pakte en hielp haar er automatisch in. Zou ze werkelijk voor altijd vertrekken, uit zijn leven verdwijnen? Opnieuw had hij zin een compromis te sluiten, zich aan wat voor hoop ook vast te klampen, maar hij had nog genoeg trots om zijn mond te houden. Hij bracht haar naar de voordeur en keek haar na, terwijl ze naar haar auto liep. Bestond er een vrouw die ook zo liep als zij? Hij hoorde het portier dichtslaan, de motor starten, en door zijn colbert heen betastte hij het belachelijke juwelendoosje.

Henry zou voor geen enkel ander argument zijn gezwicht, maar hij was helemaal van slag door de foto die Pascale hem had toegestuurd.

Lange tijd was hij roerloos voor de foto blijven zitten, een grote kleurenfoto waar elk detail op te zien was.

JULIA. Elke letter, inclusief de punt op de i, was duidelijk te zien, dankzij de hoogte van de stengels en de omlijsting van donkerder tinten. Witte rozen omringd door rozerode rozen, gele tulpen omringd door zwarte tulpen: het resultaat was verbijsterend. Met behulp van een loep had Henry het kunstwerk van Lestrade bestudeerd en bewonderd.

Het immense JULIA, in een cirkelboog gerangschikt, deed zelfs het huis op de achtergrond heel klein lijken. Mijn God! Pascale kon niet leven in die voortdurende herinnering aan het verdriet. Zij hoefde de verantwoording voor de zonden van haar ouders, of hun wroeging, niet op zich te nemen, dat zou zeer ongezond zijn. Daarom moest Henry naar Peyrolles, hij had geen keus meer, en zo onfatsoenlijk was hij niet!

Nadat hij zich had gekweld met de vraag of Adrien met hem mee moest of niet, had hij besloten er alleen heen te gaan. Pascale was uiteindelijk de enige betrokkene, zíj woonde daar, zíj had Julia teruggevonden.

Hij aarzelde lang, maar ten slotte verscheurde hij de foto met vaste hand. Pascale bezat de negatieven. Ze zou ze kunnen opbergen met het oude trouwboekje, spoedig zou de cirkel rond zijn. Mits hij, Henry Fontanel, de moed had om de laatste stappen met zijn dochter te zetten, en die zouden hem erg zwaar vallen.

Zaterdagmorgen nam hij een vliegtuig, na Samuel te hebben gebeld met de vraag of Sam naar het vliegveld van Blagnac wilde komen om met hem te ontbijten. Hij was erg op Sam gesteld en hij betreurde het dat Sam geen deel meer van de familie uitmaakte, ook al had hij Sams tussenkomst niet op prijs gesteld, toen Pascale zich in het hoofd had gezet om Peyrolles te kopen. Zonder het geld van Samuel zou Peyrolles in feite verkocht zijn aan een wildvreemde en had niemand slapeloze nachten gehad!

Nadat hij de sleutels en de papieren van de huurauto had opgehaald, ontmoette hij Sam in de bar.

'Ik hoop dat ik niet je ochtend verpest. Ik had zin om je vijf minuutjes te zien nu ik hier toch ben...'

Zijn verklaring leek Sam niet te overtuigen. Hij wierp Henry een ironisch glimlachje toe.

'Hebt u behoefte aan een beetje ontspanning, Henry?'

'Ja, zo zou je het kunnen zeggen... Ik ben hier niet graag, ik doe het louter en alleen voor Pascale.'

'Maar hebt u dan geen goede herinneringen aan Albi en Peyrolles?'

'Op mijn leeftijd hebben herinneringen iets lastigs, dat zul je wel merken als je oud bent.'

Henry zag dat Sam in verlegenheid raakte en zijn blik afwendde. Had hij ook ongewenste herinneringen?

'Vertel eens hoe het met Pascale gaat. Is alles goed met haar?' vervolgde hij.

'Ik denk van wel. Maar ze zal u vaker bellen dan mij!'

'Jullie zijn goede vrienden gebleven, is het niet? En je kent haar beter dan wie ook! Eigenlijk wil ik graag weten of ze niet te... getraumatiseerd is door haar bezoek aan... Julia.'

Samuel was in het verleden anesthesist in de kliniek in Saint-Germain geweest, en sindsdien had Henry altijd vrijuit met hem kunnen spreken. Een kalme, intelligente, intuïtieve man, die tussen de regels door kon lezen. De gesprekspartner die Henry juist nodig had alvorens zijn dochter het hoofd te bieden.

'Eerlijk gezegd heeft het haar erg aangegrepen, maar ze zal opnieuw naar Julia toe gaan. Ze heeft het groene licht van het medische team gekregen.'

'Dat is morbide!' protesteerde Henry.

'Waarom? Julia is niet dood!'

Sam had gelijk. Julia was nog steeds in leven, hoe ongelooflijk het ook was.

'Weet je,' zei Henry vermoeid, 'sinds de dood van haar moeder is Pascale mijn grootste zorg. Ik was erop tegen dat ze helemaal in haar eentje naar het andere eind van Frankrijk ging, want ik was er zeker van dat ze op Peyrolles...'

Hij zweeg abrupt en schudde zijn hoofd. Sam maakte de zin voor hem af: '...dingen zou ontdekken die u voor haar had verborgen? Familiegeheimen zijn vergif, Henry.'

Samuel boog zich plotseling naar voren en keek Henry recht in de ogen. 'Zeg mij waarom u dat huis aan haar hebt verkócht, waarom hebt u het haar niet gegéven?'

'Dat kon ik me financieel gezien niet permitteren en vooral... Ik wílde niet dat ze daar woonde. Het is een lang verhaal, Sam, en ik zal het haar in zijn geheel moeten vertellen.'

Door het te bevestigen verplichtte hij zich daartoe en kon hij niet meer terugkrabbelen.

'Ik heb de indruk dat u veel moed nodig zult hebben,' zei Sam met iets van medelijden.

'Ja. Daarom wilde ik je vóór die tijd spreken. Als ze niet goed reageert, reken ik erop dat jij haar na mijn vertrek opvangt.'

'Ze heeft me niet meer nodig, ze heeft een man in haar leven, en díé zal er zijn om haar te troosten.'

'Heb je het over Laurent Villeneuve?' zei Henry verbaasd. 'De keus is niet slecht, maar ik zou hebben gezworen dat...'

Bij het zien van Samuels gelaatsuitdrukking gaf hij er de voorkeur aan zijn zin niet af te maken. Waar bemoeide hij zich mee? Sam leek plotseling nors en nerveus. Misschien was hij simpelweg ongelukkig?

'Het is goed, ik ga erheen. Bedankt dat je tijd voor me hebt vrijgemaakt.'

Hij wilde zijn portefeuille te voorschijn halen, maar zijn exschoonzoon was sneller dan hij en legde een bankbiljet op de tafel. 'Ik ben heel erg op u gesteld, Henry. Hou me op de hoogte.'

Een dooddoener, om Samuels belangstelling voor Pascale te verbergen. Wat hij ook zei, en wat hij ook dacht, die jongen zou er altijd voor haar zijn. Hartverscheurend!

Henry liep naar het parkeerterrein om zijn huurauto op te halen en zette koers naar Albi.

Pascale had lang in het gras zitten nadenken. Aurore was naar Georges in Toulouse vertrokken, want ze wilde er liever niet zijn als Henry arriveerde. 'Ik ga naar een rugbywedstrijd kijken!' had ze met haar aanstekelijke lach gezegd. 'Niet dat ik daar zo dol op ben, maar het is beter dat je alleen bent met je vader, en Georges zal heel blij zijn dat ik eens een keertje met hem meega!'

Aurore, haar vrolijkheid, haar warme aanwezigheid, haar soms krankzinnige ideeën... Welke goede fee had Aurore weer op haar pad gebracht? Dankzij haar – maar ook dóór haar en haar maniakale gesnuffel op die rotzolder – had Pascale zo'n vreemde weg bewandeld! In plaats van haar eigen jeugd had ze het verleden van haar moeder teruggevonden, en waar ze voortaan de gevolgen van moest aanvaarden. Een onverwachte, nare erfenis.

Vanaf de plek waar ze zat kon ze een deel van het park, het huis erachter en de kas zien. Ze herinnerde zich de dag waarop een taxi haar had afgezet voor het gesloten hek met het bordje TE HUUR. Voortgedreven door een kracht die sterker was dan zij, had ze zich in de schulden gestoken om het landgoed te kopen, ervan overtuigd dat het een van de belangrijkste daden in haar leven was. Had ze nu nog langer zin om hier te blijven wonen?

Ze ging staan toen ze het geluid van een motor hoorde. Als meisje was ze haar vader altijd tegemoet gesneld wanneer hij aan het eind van de dag thuiskwam uit Albi. Ze stond op het punt ook nu naar hem toe te rennen, blij dat hij gekomen was, maar iets weerhield haar. Hij was bezig uit zijn auto te stappen, zijn ietwat kromme gestalte was niet meer die van een jongeman. Hij veranderde, hij werd ouder, dit soort reizen waren waarschijnlijk vermoeiend voor hem. Had hij niet gezegd dat hij met pensioen zou gaan en de leiding van de kliniek aan Adrien zou overdragen?

Toen ze het gazon overstak om hem te begroeten, kreeg hij haar in het oog. Hij stak heel even zijn hand op en daarna wachtte hij tot ze bij hem was.

'Mijn kleine meisje...' zei hij en nam haar in zijn armen.

Even bleven ze zo staan, zonder iets te zeggen.

'Je wordt steeds mooier,' mompelde hij ten slotte.

Maar hij keek haar niet aan. Hij keek naar de bloemen om hen heen.

'Gek, hiervandaan is het niet te zien. Je zou het nooit kunnen raden... Mijn God, het is zo lang geleden dat je moeder van het ene bloembed naar het andere liep!'

'Denk er niet meer aan, papa. Ik geloof dat ik je advies ga opvolgen en alles ga veranderen, dit heiligdom dient nergens meer voor.'

Toen ze zag hoe bedroefd hij was, had ze er spijt van dat ze op zijn komst naar Peyrolles had aangedrongen en die foto naar hem had gestuurd, die zijn gevoelens van rouw en gemis weer naar boven had laten komen.

'Jij bent niet verantwoordelijk,' zei ze. 'Ik ben de laatste tijd achter veel dingen gekomen, onder andere de rol van de Montagues, die mama ingemeen hebben behandeld. Ik heb Nadine Clément flink de waarheid gezegd!'

Henry zette grote ogen op en keek haar bezorgd aan.

'Wát heb je tegen haar gezegd?'

'Dat het háár schuld was!'

'Háár schuld? Wel nee, lieverd, nee...'

Hij schudde zijn hoofd en leek moeite te hebben met ademen. Toen liet hij nogmaals zijn blik over de bloembedden gaan.

'Grote genade, Pascale je maakt me nog gek door in 't wilde weg om je heen te slaan. Ik had er eerder met je over moeten praten, dat besef ik, maar... Er zijn in de familie onderwerpen die taboe zijn, dingen waarover niet gesproken mag worden, en na een bepaalde tijd wordt het volstrekt onmogelijk ze ter sprake te brengen, laat staan ze uit te leggen.'

Een beetje ontredderd door zijn raadselachtige zinnen en zijn opwinding, pakte ze zacht zijn hand om hem mee te nemen naar het huis, maar hij weigerde zich te bewegen.

'Papa? Gaat het een beetje?'

'Wat dénk je!' riep hij uit. 'Luister, laten we een eindje gaan lopen. Ik moet je alles vertellen, vanaf het begin...'

De lucht was bewolkt, maar het was wél zacht. Een wandeling in het park zou haar vader ongetwijfeld kalmeren. Zij volgde hem dan ook zonder te protesteren over één van de paden. Bij het passeren van de hibiscusstruiken wees hij met een gelaten gebaar.

'Dat is het enige dat op mijn initiatief is geplant! Zoals je weet heb ik dat laten doen om die verschrikkelijke brand te vergeten, maar wat je niet weet, is dat de dood van Alexandra, hoe gruwelijk ook, me geen immens verdriet heeft bezorgd...'

'Papa...'

'Alsjeblieft, onderbreek me niet, anders lukt het me nooit!'

Hij bleef een tijdje naar de struiken staan kijken, ongevoelig voor de angst die zich van Pascale meester maakte.

'Je kunt je niet voorstellen hoe gemakkelijk men in mijn tijd zonder passie trouwde! Het was voldoende om een jong meisje uit je eigen milieu te vinden om een gezin te stichten. En ik voelde me verongelijkt, omdat ik in mijn middelbareschooltijd verliefd was geworden op je moeder, liefde op het eerste gezicht. Jammer genoeg had ze deze streek verlaten. Er werd gezegd dat ze in Parijs was getrouwd. Ik koos een echtgenote die heel erg van die jeugdliefde verschilde. Ik nam een stevig gebouwde blondine, terwijl Camille een fijn poppetje was.'

Pascale was stomverbaasd en stond op het punt een vraag te stellen, maar ze besloot het niet te doen. Haar vader liep langzaam, verloren in zijn herinneringen, en het was beter zijn verhaal niet te onderbreken.

'Iedereen had medelijden met me toen ik weduwnaar was geworden, maar ik verzeker je dat... O, het is vreselijk om te zeggen, maar het kwam goed uit! Omdat Camille net weer was opgedoken en ik aan niets anders kon denken.'

Ze bleef geschokt staan. Haar vader liep een paar stappen voor haar uit, maar toen hij merkte dat ze hem niet meer volgde, bleef hij ook staan en draaide zich om.

'Zonder dat drama zou ik natuurlijk gescheiden zijn. Op een dag zul je ontdekken, tenminste dat hoop ik voor je, dat je maar één keer kunt liefhebben – écht van iemand kunt houden. Voor mij was dat je moeder... Kom je, ja of nee?'

Pascale voegde zich bij hem, met kloppend hart en verwarde gedachten. Ze moest zich vooral niet vergissen. Hij legde geen bekentenis af, hij stelde zich tevreden met het vertellen van het verhaal. Nee, hij had geen brand gesticht in het atelier waar Alexandra als amateurschilder haar talent ontplooide. Hij was geen moordenaar en had geen enkel misdrijf op te biechten! Ze leek wel gek om daar ook maar één seconde aan te denken!

'Camille was de vrouw van mijn leven. Ze was weer terug en ik was vrij, alles leek ideaal. Een beetje snel, maar fantastisch, een echt godsgeschenk! Ik zag alleen maar háár, het geluk was eindelijk binnen bereik... Behalve dat ze niet alleen was, want ze had Julia. Aangezien haar familie geweigerd had haar onderdak te verlenen, woonde ze in een dienstbodekamertje in een voorstad van Toulouse, waar ze als dienstmeisje werkte. Stel je je dat voor. Mijn arme Camille...'

'De Montagues zijn echt ingemeen geweest!' benadrukte Pascale. Haar gevoel van onbehagen werd steeds groter.

'Niet alleen de Montagues, lieverd, niet alleen zij, helaas... Eerlijk gezegd, ben ík niet menslievender geweest.'

De stem van haar vader had getrild bij zijn laatste woorden, die nauwelijks waren te verstaan. Hij bleef staan om weer op adem te komen, terwijl hij zijn ogen op de grond gericht hield. Daarna begon hij weer te lopen. Pascale volgde hem op afstand.

'Ik had haar teruggevonden, ik was smoorverliefd op haar, maar ik was niet gek. Ik zag heus wel in dat ze een volmaakte moeder voor Adrien zou kunnen zijn, maar ze werd geobsedeerd door Julia. Het lukte haar niet er zonder tranen over te praten, het was de last die ze moest dragen, haar kruis... Waar werd ze voor gestraft, die arme ziel? Haar leven was een opeenvolging van rampen geweest. Niemand had van haar gehouden. Ze klampte zich vast aan dat gehandicapte kind, voor wie ze niets kon doen. Ze beschouwde mij natuurlijk als haar redder. Bovendien was ik dokter geworden, dus had ze vertrouwen in me! En ik... ik, ik heb... God, hoe héb ik het kunnen doen?'

Hij liep naar een plataan, die dichtbij stond, en gaf een harde vuistslag tegen de boomstam alvorens er zijn voorhoofd tegen te leggen. Pascale, die achter hem stond, verstarde, vol ongeloof, ze begon het te begrijpen en weigerde het toe te geven.

'Ik wilde dat Camille er helemaal voor mij alleen was,' bekende hij zacht.

In de stilte die volgde hoorde Pascale het gezang van vogels, het geruis van de wind in de bladeren, het geluid van grind dat onder haar vaders schoenen knerpte. Toen hij tegen de boom stond was hij net een jochie dat stout is geweest of veel verdriet heeft en huilt.

'Me belasten met een zwaar gehandicapt kind ging mijn krachten te boven. Ik weet niet meer hoe het me gelukt is je moeder te overtuigen. Ik heb alles uit de kast gehaald. Ik gebruikte het medische jargon om haar af te schrikken, ik schetste een verschrikkelijk beeld van onze toekomst als Julia bij ons in huis woonde... Het arme kind was zo weinig innemend, zo meelijwekkend! Hoe zou ze nou het zusje van Adrien kunnen worden? En we zouden hen samen moeten grootbrengen! Ik moest er niet aan denken. Trouwens, de levensverwachting van Julia was niet groot.'

Hij draaide zich plotseling om. Pascale schrok en deed twee stappen naar achteren.

'Camille heeft nachten liggen huilen, en ik ben nachtenlang bezig geweest om haar te overtuigen. Ik zei tegen mezelf dat het daarna afgelopen zou zijn met haar tranen. Had ik het maar geweten! Ik was niet oneerlijk, Pascale. Ik geloofde wat ik tegen haar zei. Een beter leven voor haar, voor mij, voor Adrien... Natuurlijk, ik offerde Julia op, maar je moeder was tóch niet in staat voor Julia te zorgen.'

'Niet in haar eentje, nee,' fluisterde Pascale.

'Ze zou mijn hulp nodig hebben, maar dat was het enige dat ik haar níét wilde geven. Ik zou alles voor je moeder hebben gedaan, dat zweer ik je, ik had desnoods het onmogelijke voor haar willen doen, maar Julia, nee, dat zou ik niet aankunnen. Ik voelde niets voor haar, snap je? Geen medelijden, geen emotie, niets. Vanwege haar handicap was dat kind slechts een hindernis tussen Camille en mij. Ik wilde de zorg voor haar niet op me nemen, ik wilde niet dat het altijd, ons hele leven lang, bij ons zou zijn.'

Pascale hoorde een soort snik zonder tranen, een aandoenlijk geluid.

'Op een zondag heb ik je moeder meegenomen naar Peyrolles, haar aan Adrien voorgesteld en haar een rondleiding gegeven. Geloof me, ik wist heel goed wat ik deed toen ik haar het paradijs liet zien, het jongetje met het engelengezichtje dat niets liever wilde dan een nieuwe moeder, en het mooie huis dat tegen iedereen bescherming bood... Ik was al bezig met haar scheiding van Coste om de procedure te versnellen, zodat ze snel vrij zou zijn om met me te trouwen. Ik bood haar een nieuw leven aan, op een zilveren blaadje. Ik wilde andere kinderen, zij ook, we hielden van elkaar en we waren het overal over eens, behalve over Julia.'

'Het was een gemene poging tot chantage!'

Pascale was plotseling verontwaardigd en keek haar vader vol afkeer aan. Dat was waarschijnlijk pijnlijk voor hem, want hij sloot zijn ogen, leunde tegen de boomstam achter hem en liet zich als een zoutzak op de grond zakken.

'Gemeen, ja, dat was ik absoluut...'

Er viel een heel lange stilte, totdat Henry de moed vond om te vragen: 'Waarom heb je dat alles willen oprakelen?'

'Omdat het míjn moeder is, míjn zusje, míjn geschiedenis!'

'Nee, het is míjn geschiedenis. Ik schaam me ervoor en ik kan hem niet herschrijven, maar het is alleen míjn geschiedenis. Jij had je er niet mee moeten bemoeien.'

Pascale draaide zich om; ze wilde hem niet meer zien. Ze had hem altijd aanbeden en bewonderd en tot haar voorbeeld gemaakt, en nu had ze het gevoel dat haar wereldbeeld instortte. Wie zou ze voortaan nog kunnen vertrouwen? Toen ze huiverend omhoogkeek, zag ze dat zich donkere wolken boven Peyrolles hadden verzameld. Er was onweer op komst en het begon harder te waaien. De wind zwaaide de bloemen heen en weer.

'Ga door,' zei ze met matte stem.

'Ik heb er niet veel aan toe te voegen. Na een paar maanden is je moeder eindelijk voor mijn argumenten gezwicht. Julia moest constant verzorgd worden, de Kinderbescherming was de enige oplossing.'

'Welnee! Je maakt me niet wijs dat jullie, zelfs in die tijd, niet de verantwoordelijkheid voor het kind konden dragen of een manier vinden waarbij het niet definitief zou worden afgestaan.'

'Dat wilde ik zo, Pascale. Dat probeer ik je net uit te leggen: ik wílde het, ik éíste het!'

Ze liep naar hem toe en knielde neer om op gelijke hoogte met hem te zijn.

'Jíj hebt zoiets niet kunnen doen... Verzin je dat om mama te verdedigen? Denk je dat ik haar veroordeel, dat ik haar minacht?'

'Je zou ertoe in staat zijn, en het zou me heel erg pijn doen als je de schuld aan wijlen je moeder geeft, want ze is onschuldig. Haar enige fout is dat ze vertrouwen in mij had, dat ze naar me luisterde. Ze was zo jong, zo verloren, ze had zoveel behoefte aan hoop! Ook wat haar echtscheiding betreft heb ik de noodzakelijke stappen ondernomen. Ik heb haar de pen aangereikt toen ze de papieren tekende waarbij ze afstand van haar rechten deed, en ik was erbij toen ze afscheid nam van Julia, omdat ik er zeker van wilde zijn dat ze niet zou terugkrabbelen. Het was écht een vaarwel, geen tot ziens. Ze heeft haar nooit meer teruggezien.'

'Niet jij, papa, alsjeblieft...' fluisterde Pascale.

Ook al wilde ze de waarheid niet horen, hij vertelde het gehele afschuwelijke verhaal zonder zichzelf te sparen.

'Ik wél. Ik heb het gedaan, ik ben die man geweest...'

Een weerzinwekkende vaststelling. De herinnering eraan kon hij niet meer verdragen, gezien zijn verwilderde gelaatsuitdrukking.

'Later heb ik het gerucht verspreid dat het kleine meisje was overleden. Het was een goede manier om te verhinderen dat de mensen vragen stelden. In elk geval heeft niemand meer met je moeder over het kind gesproken.'

Hij moest drie pogingen doen voordat hij overeind kon komen.

Zijn jas, die hij had aangehouden, was gekreukt en een beetje vuil. Op het moment dat hij zich over Pascale heen boog, kromp ze ineen en boog haar hoofd. Toen zag hij er vanaf haar aan te raken.

'Het gaat regenen, kom mee,' zei hij zacht.

'Het interesseert me geen zier!' riep ze uit. 'Ik blijf hier om het vervolg te horen, want er ís toch een vervolg, niet? Jullie moesten allebei leven met zoiets ergs op jullie geweten, en ik kan me niet voorstellen dat jullie rustig sliepen. Vooral jij niet! En als wat je mama hebt aangedaan 'houden van' heet, dan hoop ik nooit van iemand te houden, omdat het walgelijk is!'

Lijkbleek wankelde hij een paar stappen achteruit, terwijl Pascale trachtte weer op adem te komen. In haar woede had ze hem beledigd en gekwetst, ze was zelfs bereid hem te verloochenen, maar er brak iets in haar, en plotseling kreeg ze een brok in haar keel en sprongen de tranen in haar ogen. Ze kon slechts fluisteren: 'Vertel me wat er daarna is gebeurd...'

'Daarna? Nou, ik had al snel door dat ik de grootste fout van mijn leven had gemaakt. Camille hechtte zich vrijwel meteen aan Adrien, zoals ik hoopte, maar de wond van Julia is nooit geheeld. Camille zinspeelde er nooit op, maar ze dacht er dag en nacht aan. Ik zag haar wegkwijnen. Zodra het mogelijk was zijn we getrouwd. We hebben geprobeerd normaal te leven. Om haar een genoegen te doen begon ik geld te schenken aan organisaties die zich inzetten voor kinderen. Je moeder vond daardoor een beetje verlichting, maar ze had het liefst gewild dat we al ons geld wegschonken... Toen ze zwanger van jou was, zijn de dingen weer enigszins in orde gekomen, maar ik wist dat het slechts tijdelijk zou zijn. De wanhoop was er nog steeds, intens, ongeneeslijk. Camille, mijn dierbare Camille... In plaats van haar te redden had ik haar voorgoed gebroken, haar hart was in gruzelementen, en daar genees je niet van.'

Pascale kon geen woord uitbrengen. Ze drukte haar vingertoppen tegen haar brandende ogen, daarna kwam ze langzaam overeind, nog steeds sprakeloos. Henry vervolgde met schorre stem: 'Ziezo, mijn kleine meisje, nu weet je alles en begrijp je ongetwijfeld beter waarom ik weiger Julia te zien. Boetedoening is me ontzegd, er is geen vergeving mogelijk. Ten opzichte van haar ben ik een egoïstisch en laf monster geweest, een weerzinwekkend persoon. Ik heb gebruik gemaakt van mijn status als arts en van de liefde die je moeder voor me voelde, om de ongelukkige Julia te veroordelen. Ik was niet onbaatzuchtig, en zelfs niet fatsoenlijk, ik dacht alleen aan mezelf. Ik heb de kleine zonder meer opgeofferd, zonder te beseffen dat dat misdrijf me mijn leven lang zou achtervolgen. Want elke dag van mijn leven heb ik geboet, geloof me. Vandaag heeft mijn verleden me weer ingehaald, en het boezemt me afkeer in. Wat de bloemen betreft die door je moeder zijn geplant, dat is werkelijk de laatste dolksteek. Echt waar, ik kan niet meer.'

Met een moe gebaar wees hij naar de bloembedden en liet zijn blik over het hele park dwalen.

'Hoe is het mogelijk dat ik niet doorhad dat ze een obsessie najoeg? Ze moest uiting geven aan de moederliefde die ik had vermoord! Maar ik wilde het niet zien, niet begrijpen.'

Pascale schok zo van zijn wanhoop en verdriet, dat ze ontwaakte uit de versuffing waarin zijn ontboezemingen haar hadden gebracht.

'Toch heb je Lestrade betaald om door te gaan,' stamelde ze.

'Ja, ik had een vaag voorgevoel. Je moeder zei dat de huurders háár tuin zouden vernielen, en omdat ze gek werd bij het idee, hebben we Lestrade in dienst gehouden. Toen jij hier was komen wonen, had ik hem de laan uit moeten sturen, dat wilde ik trouwens ook, maar ik merkte dat het een soort bijgeloof voor me was geworden. Ik kon er niet toe besluiten. Of misschien wist ik, onbewust, wat ik altijd had geweten... Mijn God, je moeder diep gebogen over de grond! Hoe heb ik mezelf kunnen wijsmaken dat ze zich amuseerde? Hoe kan een mens zichzelf zo voor de gek houden? Ze schetste volhardend de letters van die pijnkreet in haar hoofd, van die naam die ze nooit in mijn bijzijn uitsprak... Ik kon haar niet meer bereiken. Ze dacht dat zij de enige schuldige was. Ik zag dat ze geleidelijk aan krankzinnig werd en ik kon haar niet redden, omdat ik haar beul was geweest. In alle eerlijkheid, ik háát Peyrolles, het paradijs dat ik Julia opzettelijk heb ontzegd, en dat uiteindelijk onze hel is geworden. Ik had alles willen geven om je tegen te houden erheen te gaan. Maar ik heb níéts meer te geven, want ik hou niet van mezelf. Het is erg zwaar om vol afschuw naar jezelf te kijken, om je dagelijks te herinneren dat je tot het ergste in staat bent geweest.'

'Papa...'

'Jawel, het ergste! Besef je dat Julia het me niet eens kan kwalijk nemen of me vervloeken? Ze weet niet wie ik ben, dat is absolute straffeloosheid!'

Ongetwijfeld zou hij de voorkeur aan wat voor straf dan ook hebben gegeven, in plaats van het zuur dat al veertig jaar aan hem vrat. Hij was verantwoordelijk voor alles, maar niemand had hem ooit van iets beschuldigd. Hij kon geen boete doen, hij leed alleen maar. Pascale kreeg een beeld van wat zijn lijdensweg moest zijn. Hij had heel veel van Camille gehouden en hij had haar verloren. Nu hij Pascale de waarheid had verteld, liep hij het risico dat hij ook háár zou verliezen. En hij had het niet over spijt achteraf, maar over de stekende pijn waarmee hij had geleefd. Als hij 's avonds thuiskwam had hij gezien dat zijn vrouw er een beetje slechter aan toe was en een beetje ontoegankelijker was, en het grote geluk waarvan hij had gedroomd was hem nooit gegeven. Was dat niet voldoende straf?

'Papa, luister...'

'O, ik zou zo graag willen dat je níéts zegt! Met jouw karakter is er een kans dat je woorden je gedachte te boven gaan, en ik heb mezelf meer verwijten gemaakt dan jij ooit zou kunnen doen. Laten we er niet over praten en het hierbij houden. Ik ga.'

Na een laatste vluchtige blik op de rozenperken te hebben geworpen liep hij om Pascale heen en vertrok. Waar ging hij heen? Naar zijn auto, om Peyrolles voorgoed te verlaten? Dacht hij de banden met zijn dochter te hebben verbroken?

'Wacht!' riep ze, ze was opnieuw woedend.

Toen hij zelfs niet de moeite nam om te stoppen, rende ze naar hem toe en ging vlak voor hem staan.

'Je verhaal is als een ijskoude douche. Waarom heb je me de waarheid niet verteld toen ik over het trouwboekje begon?'

'Om mezelf de blik te besparen die je nu op me werpt.'

'Wel nee,' protesteerde ze. Haar stem was iets zachter.

Wat ze op dit moment voor hem voelde, leek op medelijden. Het was duidelijk dat haar vader niets meer te maken had met de jonge Henry Fontanel, die zo'n hart van steen had gehad dat hij ervoor had gezorgd dat Julia hem niet meer in de weg liep.

'De schok is groot,' fluisterde ze. 'Mama en jij hebben me in sprookjes laten geloven, ik was ervan overtuigd dat jullie volmaakte ouders waren, bijzondere mensen.'

'En nu heb je ontdekt dat ik een monster ben.'

Ze nam de tijd om goed na te denken en mompelde toen: 'Nee... Een mens, geen icoon.'

Van alle patiënten die ze had behandeld, bij wie ze had gewaakt, die ze soms tot aan het einde toe had begeleid, had ze buitengewone ontboezemingen gehoord. Het schijnbaar simpelste bestaan verborg vaak een gecompliceerd of pijnlijk verleden, en de ontdekking dat dat ook voor haar eigen familie gold, in tegenstelling tot alles wat ze altijd had gedacht, zou niet voldoende zijn om haar tegen haar familieleden op te zetten.

'Heb je dit alles aan Adrien verteld?'

'Niet alles, nee. Ik wil niet dat hij denkt dat híj de oorzaak van mijn afwijzing van Julia was, ook al was dat een beetje om hem te beschermen. Een beetje maar, want ik wilde hoe dan ook niets van haar weten.'

Hij probeerde zich beslist niet vrij te pleiten, hij was niet zo laf dat hij excuses verzon, hij voelde zich verantwoordelijk voor zijn daden.

'Weet je, papa, ik ben van plan terug te gaan om haar wéér te bezoeken...'

'Dat is goed. Maar ik ga niet met je mee, Pascale.'

Het bekennen van de waarheid had hem niet opgelucht, het gewicht van zijn schuld was niet verminderd, en hij zag er nog steeds oud en afgemat uit. Met hoeveel wilskracht was het hem gelukt de mensen tot nu toe om de tuin te leiden? Een opwelling van onbedwingbare tederheid dreef Pascale naar hem toe. Ze begreep dat ze niet zijn rechter zou zijn, daar had ze geen behoefte aan en dat recht matigde ze zich niet aan. De ergste woedeaanval kon niet in één klap tweeëndertig jaar liefde vernietigen. Al die liefkozingen, al die zoete woordjes, al die troost, al die gedeelde geestdrift, alles wat hij haar ruimschoots had gegeven. Als kind was ze hem in ditzelfde park tegemoet gerend. Dankzij hem was ze een vrolijk meisje geweest en had ze de vrouw kunnen worden die ze nu was.

'Je moet een uurtje gaan rusten,' besloot ze. 'Welke kamer wil je hebben?'

Net als een uur eerder pakte ze zijn hand om hem mee te nemen naar het huis, en deze keer liet hij dat toe.

Zoals elke avond was het druk in de straten van Albi. Pascale zat in theesalon *La Berbie*. Ze nam even pauze na een dag in het ziekenhuis te hebben gewerkt en ze keek naar de slenteraars op het place Sainte-Cécile.

Haar vader was twee dagen terug vertrokken, maar ze wist dat hij naar Peyrolles zou terugkeren om haar te bezoeken, want nu stond er geen geheim meer tussen hen in. Ze hadden bijna het hele weekend met elkaar gepraat, in het park gewandeld, samen nagedacht. Op zondag had Henry zélf Lestrade gebeld, die aan het eind van de ochtend was langsgekomen. Gedrieën waren ze moeizaam tot overeenstemming gekomen: de bloembedden zouden verdwijnen en worden vervangen door een grasveld en er zouden verschillende struiken worden geplant. Alleen de prachtige rozenstruiken zouden worden gespaard, omdat ze makkelijk te onderhouden waren. De tuinman was eerst stomverbaasd geweest, maar uiteindelijk had hij opgelucht geleken. Misschien had hij wel een idee wat hij met de bloemen zou doen. Hij had er echter niets over gezegd en zich beperkt tot technische vragen. Henry had hem toen een mooie cheque gegeven en benadrukt dat het Lestrades laatste klus op Peyrolles zou zijn. Natuurlijk had Lestrade zich er niet van kunnen weerhouden te verklaren dat hij gratis een handje zou komen helpen bij het snoeien van de rozen!

Nu voelde Pascale zich beter. Ze had het gevoel dat ze in een jaar tijd veranderd was, rijper en vooral rustiger was geworden. Ze had gedaan wat ze meende te moeten doen, wat ze juist achtte. Ze was in harmonie met zichzelf.

Voor de kathedraal stonden toeristen foto's te nemen en hun reisgids te raadplegen. Ze wierpen hun hoofd in hun nek om het baldakijn boven het portaal te bewonderen. Pascale herinnerde zich nog heel goed dat ze als kind op dit plein had gestaan, en dat ze haar moeder door de straatjes van de oude stad was gevolgd, van de ene winkel naar de andere. Ze hield van Albi. Ze was blij dat ze er werkte, dat haar toekomst in Albi lag. Laurent had haar een enorm cadeau gegeven door haar overplaatsing gemakkelijker te maken.

Laurent... Als ze aan hem dacht, voelde ze een vage triestheid, een onaangenaam gevoel van spijt, maar ze kon niets veranderen, noch hun ontmoeting uitwissen, noch alles vergeten wat hij voor haar had gedaan.

Haar kopje was leeg, de theepot ook. Op het fraaie, porseleinen bordje lagen nog maar een paar kruimels van het verrukkelijke gebak dat ze gulzig naar binnen had gewerkt. Haar patiënten hadden haar helemaal opgeëist en dus had ze geen tijd gehad om te lunchen. Ze aarzelde om nóg iets te bestellen.

'Stel het niet langer uit, raap al je moed bijeen en ga erop af.'

Het besluit was niet gemakkelijk geweest, maar toen ze vanmorgen wakker was geworden had haar keus niet alleen duidelijk maar ook dringend geleken. Ze legde een bankbiljet op de tafel, verliet *La Berbie* en ging haar auto halen. Met haar mobieltje belde ze Aurore om te zeggen dat ze waarschijnlijk laat thuis zou komen, misschien wel helemaal niet. Daarna zette ze koers naar Toulouse. Haar bezoek aankondigen leek haar te ingewikkeld. Ze gaf er de voorkeur aan om mondeling uitleg te geven, mits ze niet voor een dichte deur kwam te staan. Als dat zo was, zou ze wachten. Maar haar komst kon ook heel slecht uitkomen, een mogelijkheid waaraan ze nog niet had gedacht. Het scheelde niet veel of ze maakte rechtsomkeert.

'Waarom denk je dat hij blij zal zijn? Dat je welkom zult zijn? Het zou heel goed kunnen dat hij het je kwalijk neemt, of dat hij voorgoed een punt achter het verleden heeft gezet, of wat dan ook!'

De avond viel terwijl ze over de autosnelweg reed. Toen het bijna negen uur was bereikte ze de buitenwijken van Toulouse. Ze werd steeds ongeduldiger. Het duurde nog een tijdje voor ze op haar plaats van bestemming was, en ze verloor een goed kwartier met het zoeken naar een parkeerplaats. Toen dat eindelijk was gelukt, wilde ze nog een laatste keer nadenken. Maar ze ontdekte dat ze dat niet kon, dus stapte ze uit haar auto.

Een minuut later stond ze voor een onbekend huis. Het was het juiste adres, achter de ramen brandde licht. Ze drukte met een resoluut gebaar op de bel.

'Gedraag je niet als een kind, wees kalm als je met hem praat, probeer alles uit te leggen, beginnend bij het begin, en vooral...'

'Pascale!' riep Samuel uit toen hij de deur opende. 'Wat kom jíj nou doen?'

Hij keek haar verbaasd aan, maar hij leek niet boos te zijn omdat ze voor zijn deur stond.

'Kom binnen en let niet op de troep. Je bent nog nooit bij mij geweest, hè? Zoals je ziet is het heel eenvoudig...'

Met een nieuwsgierigheid die haar verbaasde liet Pascale haar blik dwalen door de grote woonkamer die de hele begane grond besloeg. In de moderne schoorsteen met een haard achter glas brandde een vuur, overbodig voor deze tijd van het jaar. Hoogstwaarschijnlijk bedoeld om een beetje vrolijkheid te bieden, want alles was van een verbijsterende kilte: witte muren, grote ramen, een lichtgrijze tegelvloer en een koperen eetbar om de keuken van de zitkamer te scheiden.

'Bevalt het je hier?'

Ze beet op haar onderlip. Ze had er spijt van dat ze een vraag had gesteld die voor heel ironisch kon doorgaan.

'Nee, maar ik ben er zo weinig! Tussen het ziekenhuis en de vliegclub ben ik nooit thuis. En ja, niet iedereen kan een Peyrolles hebben, of een herenhuis als dat van Laurent... Je bent op bezoek bij een simpele sterveling, liefje.'

'Ik vind het oké,' protesteerde ze. 'Het is vast en zeker heel functioneel. Maar ik kan me niet herinneren dat je...'

'Het gaat niet om mijn smaak. Toen ik in Toulouse arriveerde moest ik snel onderdak vinden. Ik heb dit huis gekocht omdat het me beslist niet aan ons appartement in de rue de Vaugirard zou doen denken.'

'We hielden allebei niet van dat appartement.'

'We waren er gelukkig, ik in elk geval wel, en ik wilde er niet meer aan denken. Oké, vertel eens wat je hierheen voert.'

Verward vroeg ze zich af waar ze moest beginnen, terwijl hij haar zwijgend aankeek.

'Is het het bezoek van je vader?' vroeg hij. 'Wil je dáárover praten? Ik heb hem onlangs in Blagnac ontmoet. We hebben samen koffie gedronken en hij vertelde dat hij je dingen moest opbiechten die niet zo aangenaam waren...'

Zoals altijd probeerde hij haar te helpen, om het haar makkelijker te maken, ook al zat hij er, voor één keer, naast. Toch voelde ze zich verplicht te antwoorden.

'Papa is dol op jou, maar hij had je niet moeten vragen over mij te waken. Er waren dingen die hij me wilde bekennen, ja, en dat heeft hij zonder enige consideratie gedaan. Het komt erop neer dat hij mama heeft gedwongen Julia in de steek te laten.'

'Henry? Nee!'

'Hij wilde niet met een gehandicapt kind belast worden.'

Ze onthulde het alleen omdat ze zeker was van de liefde die Sam en haar vader verbond.

'Ik kan het niet geloven,' zei hij.

'Ik zal je alles tot in de details vertellen en ik denk dat je het dan wel zult begrijpen. Wat mij betreft, ik heb het aanvaard.'

'Jíj? De onbuigzame Pascale?'

'Het is mijn vader, Sam, ik hou van hem.'

Hij keek haar met een vluchtige glimlach aan.

'Hoe dan ook, wat hij ook heeft gedaan, Henry is een goeie vent.'

Vertederd door die solidariteit beantwoordde ze zijn glimlach, in plaats van te protesteren. Daarna haalde ze diep adem en zei: 'Maar dat is niet de reden van mijn komst, Sam. Er is iets anders.'

'Als je zo'n gezicht trekt, maak ik me zorgen!' zei hij gekscherend. 'Laten we gaan zitten en wat drinken.'

Hij ging haar voor naar de eetbar en wees naar een hoge kruk.

'Wil je champagne? Ik heb ook bier.'

'Nee, ik heb liever champagne.'

Hij keerde haar de rug toe en deed zijn koelkast open.

'Heb je iets te vieren, liefje?'

Hij had het gevraagd met een rare, vals klinkende stem. Bracht haar aanwezigheid hem in verlegenheid? Had hij een vermoeden van wat ze dolgraag tegen hem wilde zeggen en wilde hij dat niet horen? Ze wist niet wat voor houding ze moest aannemen. Ze keek toe, terwijl hij de fles champagne ontkurkte en twee glazen vulde. Ze hield van zijn sterke handen, zijn brede schouders, zijn geruststellende gestalte. In zijn armen had ze zich altijd op haar plaats gevoeld.

'Samuel...' fluisterde ze.

'Ach jee, mijn voornaam voluit? Luister, ik weet niet wat je tegen me gaat zeggen, maar wacht nog vijf minuten, dan kunnen we proosten.'

Hij boog zich naar haar toe om met haar te proosten. Daarna deed hij onmiddellijk een stap naar achteren.

'Op je geluk,' zei hij zacht.

'Nou, ik...'

'Zwijg en drink.'

Zwijgend namen ze een paar slokjes.

'Kom mee, ik zal je de rest van het huis laten zien!'

Quasi-enthousiast ging hij haar voor naar de houten trap. De vierkante overloop van de bovenverdieping kwam uit op twee kamers, een badkamer en een kleine kamer met kasten en een strijkplank.

'Marianne had de hebbelijkheid om zich zodra ze binnen was op mijn overhemden te storten. Daar ergerde ik me blauw aan,' zei hij lachend.

'Het was toch aardig van haar.'

'Nee, ze wilde zich onmisbaar maken. Nou, ik kan heel goed strijken!'

Hij sprak over het verleden als over een afgedane zaak. Pascale voelde zich opgelucht. Ze bleef op de drempel van Sams slaapkamer staan om er een blik in te werpen. Het bed was opgemaakt, het dekbedovertrek had een Japans dessin. Over een stoel hingen een paar kledingstukken. De nachtkastjes waren beladen met stapels boeken en tijdschriften. Het decor van een vrijgezel met als enig vrouwelijk element een zwart-wit foto van haar, die dateerde van hun huwelijksdag en waar hij altijd verzot op was geweest.

'Laat je die in je kamer staan?' zei ze spottend. 'Niet zo leuk voor je veroveringen...'

'Als ik een vrouw mee naar huis neem, leg ik hem in een la!'

Hij liep door de kamer, pakte de fotolijst en keerde hem om.

'Ik ben erg sentimenteel, zoals je weet. Goed, je hebt alles gezien. We gaan naar beneden. De champagne wordt lauw.'

'Wacht, Sam, ik moet met je praten.'

Haar hart begon sneller te kloppen. In één adem zei ze: 'Je vindt het misschien moeilijk te begrijpen. Ik heb veel nagedacht, want mijn leven bevalt me niet zoals het is. Ik mis het essentiële, dat wil zeggen...'

'Ga je met Laurent trouwen?' onderbrak hij. 'En durf je dat niet tegen me te zeggen?'

Ze was verrast en reageerde niet.

'Ik kan je geen ongelijk geven, lieverd! Zelfs je vader zal die keuze wel goedkeuren, is het niet? Laurent is vrijwel perfect en jullie passen goed bij elkaar. In feite weet ik niet wat me bezielde op de dag waarop ik hem aan je voorstelde. Het was behoorlijk suïcidaal, want ik had helemaal geen zin om je op een andere man verliefd te zien worden! Natuurlijk beviel hij je, hij is zeer aantrekkelijk. Het was een gelopen race. En vraag me niet wat hij ervan denkt, je bent groot genoeg om te beseffen dat hij gek op je is. Trouw met hem!'

Terwijl hij sprak, leunde hij tegen een muur, aan het andere eind van de slaapkamer en keek Pascale met een ondoorgrondelijke blik aan.

'Ik wíl niet met Laurent trouwen, Sam. De laatste keer dat ik met hem heb gegeten ben ik kort daarna naar Peyrolles teruggekeerd, en sindsdien heb ik hem niet meer gezien.'

Hij fronste zijn wenkbrauwen en hield zijn hoofd schuin.

'Waarom?'

'Vanwege jóú.'

'Vanwege míj?'

'Ik... ik had geen zin om te blijven en hij zei: "Is dat vanwege Samuel?" Eerst vond ik dat idioot, maar toen ik er later over nadacht wist ik dat het waar was, dat... Ik mis je, Sam.'

Haar wangen waren warm en waarschijnlijk zag ze er verhit uit, maar ze dwong zich Sams priemende blik te doorstaan.

'Je míst me?' herhaalde hij vol ongeloof.

Hij glimlachte niet en kwam niet naar haar toe. Ze had zich voorgesteld dat hij, als ze dat bekende, zijn armen wijd zou openen, maar hij bleef roerloos tegen de muur staan. Van hun zogenaamde vriendschap was blijkbaar niets meer over. Ze bleven elkaar in stilte aankijken, elk aan een kant van het bed. Ze herinnerde zich hun eerste ruzie, jaren geleden, ze hadden toen dezelfde vijandige houding gehad, die tot hun scheiding had geleid.

'Ik had je nooit moeten verlaten, Sam. Het heeft lang geduurd voor ik toegaf dat ik me had vergist en dat niemand je kan vervangen. Het is misschien te laat om het je nu te zeggen, maar jíj bent degene van wie ik hou.'

Nu kwam hij in beweging. In twee stappen was hij bij haar en pakte haar een beetje ruw bij de schouders.

'Hou je nog steeds van me? Je beweerde het tegenovergestelde, je...'

Om hem tot zwijgen te brengen omhelsde ze hem, wat onmiddellijk een golf van begeerte in hen deed opwakkeren.

'Weet je zeker dat je er geen spijt van zult hebben?' fluisterde hij terwijl hij haar trui uittrok.

Toen hij haar beha verwijderde, maakte zij de knoopjes van zijn overhemd los en voelden ze elkaars naakte huid.

'Ik verlang naar je, Sam!'

Een vurige passie waar ze eindelijk ongeremd uiting aan kon geven.

Omdat het gras de hele lente door regelmatig was besproeid, was er nu een lichtgroen gazon op de plaats van de oude bloembedden. Met de pas geplante sierheesters zag het park er wilder en bijna aantrekkelijker uit.

Pascala en Aurore, die in de schaduw van een blauwe cederboom in het gras lagen, nipten van de ijsthee die ze in een thermosfles hadden meegenomen.

'Adrien heeft beloofd vuurwerk voor ons af te steken,' zei Pascale, 'ik geloof dat hij dat leuk vindt om te doen.'

Haar broer en haar vader zouden rond 10 juli arriveren en een week blijven.

'We zullen overal lampionnen ophangen,' besloot Aurore. 'Er is een model dat heel makkelijk in elkaar te flansen is, met crêpepapier en ijzerdraad.'

Met een blije glimlach schonk Pascale thee in hun bekers. De zomer begon goed met het feest van 14 juli, dat het begin van hun vakantie zou inluiden.

'Ik neem slechts twee weken vrij. Het is ontzettend druk in het ziekenhuis en Jacques Médéric zal een hele maand afwezig zijn. Hij vindt het verschrikkelijk om zo lang weg te zijn van zijn afdeling, maar zijn kinderen en zijn kleinkinderen stáán erop. Hij is moe de laatste tijd.'

'En hij verlaat zich steeds meer op jou!'

'We kunnen goed met elkaar opschieten,' gaf Pascale toe, 'we hebben dezelfde opvatting over ons vak.'

'Misschien word je nog eens hoofd van de afdeling, zoals Nadine Clément!'

Ze begonnen te lachen om de vergelijking.

'Ze is een beetje minder tiranniek,' zei Aurore, 'ik geloof dat ze ouder wordt.'

Een maand eerder had Pascale tot haar verbazing een telefoontje van Nadine gekregen. Nadine was meteen ter zake gekomen en had gevraagd of ze misschien iets voor Julia kon doen. Pascale had het aanbod beleefd maar vastberaden afgeslagen. De Montagues hadden veertig jaar geleden hun keus gemaakt en ze zou geen van hen in de buurt van haar halfzus laten komen. Zijzelf ging om de zaterdag naar Castres. Ze probeerde geduldig een emotionele band met Julia op te bouwen. Tijdens haar laatste bezoek had Julia haar aangrijpende glimlachjes toegeworpen.

'Als er vandaag nog steeds niets gebeurt, ga ik morgenochtend een test kopen,' zei ze plotseling.

Aurore leunde op een elleboog en keek haar aandachtig aan.

'Het is je gelukt tot nu toe te wachten! Ik zou dat geduld nooit hebben gehad, ik zou die test afgelopen week al hebben gedaan.'

'Weet je, toen ik wanhopig graag een kind wilde, heb ik zoveel teleurstellingen te verwerken gekregen, dat ik er de voorkeur aan geef voorzichtig te zijn.'

'En Sam? Heb je nog steeds niet tegen hem gezegd dat je overtijd bent?'

'O, nee! Pas als het zeker is, eerder niet.'

'Ik duim voor je,' zei Aurore opgetogen. 'Zodra je een kind hebt, begin ik te breien!'

Pascale begon opnieuw te lachen. Ze verslikte zich bijna in haar thee. Aurore was de enige die wist dat ze op een kind hoopte. Ze wilde er niet op rekenen en er zelfs niet te vaak aan denken, maar sinds een paar dagen voelde ze steeds meer opwinding.

'Als je het over de duvel hebt... Kijk eens wie daar aankomt!'

De Audi van Samuel was zojuist voor het bordes tot stilstand gekomen. Sam stapte uit, met een pakje in zijn hand. Aurore ging staan om hem te roepen, daarna boog ze zich naar Pascale toe.

'Ik laat jullie alleen en ga mijn frambozentaart maken.'

Terwijl Sam het gazon overstak, ging Pascale in kleermakerszit zitten, blij dat hij naar haar toe kwam. Hij bleef vlak voor haar staan en keek haar onverwacht ernstig aan.

'Lieveling, ik zei tegen mezelf dat een bos bloemen op Peyrolles een heel slecht idee zou zijn. Dus heb ik iets anders bedacht, volgens mij was het een nóg slechter idee, want met deze warmte zullen deze chocolaatjes vast en zeker gesmolten zijn... Maak het doosje niet open. We zullen het in de koelkast zetten om te zien of we die "duivelse zonden" kunnen redden. Jeetje, die naam alleen al, het is heel slecht gekozen voor deze gelegenheid.'

'Ik snap niets van wat je zegt,' zei ze met een innemende glimlach. 'Heb je te lang in de zon gezeten?'

'Luister, het is wel zo correct om niet met lege handen een huwelijksaanzoek te doen...'

Hij knielde op het gras en legde het pakje aan de voeten van Pascale.

'Ik meen het serieus. Wil je met me trouwen? Ik weet dat het de tweede poging zal zijn en we zullen niet in de kerk mogen trouwen omdat ze ons niet om de vijf jaar kunnen zegenen, maar we zullen vast wel een feestje kunnen bouwen.'

Hij wilde luchtig klinken, maar zijn door ontroering verstikte stem verried hem. Pascale had het huwelijksaanzoek helemaal niet verwacht, ook al had ze er al eens aan gedacht. Sinds ze weer in de armen van Sam had gelegen, hartstochtelijk de liefde met hem had bedreven en daarna gelukzalig tegen hem aangekropen in slaap was gevallen, waren haar twijfels en haar angsten als sneeuw voor de zon verdwenen. Maar moesten ze weer een huwelijksovereenkomst sluiten? Dat zou slechts gerechtvaardigd zijn als ze een kind...

'Geef antwoord,' bromde hij. 'Je kwelt me.'

'Wil je me niet een paar dagen bedenktijd geven?'

De tijd om zekerheid te krijgen en zo een echte reden te hebben om haar lot voor de tweede keer aan dat van Samuel te verbinden. Verbijsterd wierp hij haar een bezorgde blik toe. Daarna knikte hij, ten teken van berusting.

'Oké,' zei hij met een zucht, 'er is geen haast bij.'

Misschien wél, maar ze wilde eerst heel goed nadenken. Was dat niet de les die haar ouders haar hadden ingeprent om zich tegen haar impulsieve, eigenzinnige karakter te verweren? 'Neem altijd de tijd om na te denken voordat je je ergens halsoverkop instort' had Henry haar steeds voorgehouden toen ze jong was. Voordat ze Peyrolles kocht, had ze een pauze genomen alvorens haar vader over het trouwboekje en Julia te ondervragen. Dat alles was gebeurd voordat ze erkende dat Samuel de man van haar leven was.

Ze trok Sam naast zich in het gras. Als hij al teleurgesteld was, dan verborg hij dat goed, want zijn gezicht straalde een oneindige tederheid uit.

'Ik hou van het huis, ik hou van deze plek,' mompelde hij en keek naar de lucht.

De eerste keer dat ze boven Peyrolles hadden gevlogen was het hartje winter geweest, en ze hadden niets opgemerkt. Nu zouden ze slechts een heel normaal park zien, met grote bomen en een glooiend gazon. De boodschap van Camille was uitgewist, maar Julia was niet meer een schim uit het verleden. Ze had voortaan een gezicht!

'Trek bij me in als je zoveel van het huis houdt.'

Ze voelde dat Sams hand zich over de hare sloot, en ze werd overweldigd door een gevoel van vrede en rust. Peyrolles had zijn geheimen prijsgegeven en haar gedwongen naar het verleden terug te keren om er een les uit te leren, maar nu was ze vrij. De eerstvolgende keer dat ze naar de markt van Albi ging, zou ze bloemen kopen en ze op het graf van haar moeder leggen.